L'illusion

À la dérive

L'illusion

J. S. Cooper

Traduit de l'anglais par
Michel Saint-Germain

Éditeur : François Doucet
Traduction : Michel Saint-Germain
Révision linguistique : Féminin pluriel
Correction d'épreuves : Nancy Coulombe
Conception de la couverture : Mathieu C. Dandurand
Photo de la couverture : © Thinkstock
Mise en pages : Sébastien Michaud
ISBN papier 978-2-89767-069-6
ISBN PDF numérique 978-2-89767-070-2
ISBN epub 978-2-89767-071-9
Première impression : 2016
Dépôt légal : 2016
Bibliothèque et Archives nationales du Québec
Bibliothèque Nationale du Canada

Éditions AdA Inc.
1385, boul. Lionel-Boulet
Varennes, Québec, Canada, J3X 1P7
Téléphone : 450-929-0296
Télécopieur : 450-929-0220
www.ada-inc.com
info@ada-inc.com

Diffusion
Canada :   Éditions AdA Inc.
France :   D.G. Diffusion
                Z.I. des Bogues
                31750 Escalquens — France
                Téléphone : 05.61.00.09.99
Suisse :   Transat — 23.42.77.40
Belgique :   D.G. Diffusion — 05.61.00.09.99

Imprimé au Canada

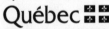

Crédit d'impôt   Gestion
livres   SODEC
Participation de la SODEC.
Nous reconnaissons l'aide financière du gouvernement du Canada par l'entremise du Fonds du livre du Canada (FLC)
pour nos activités d'édition.
Gouvernement du Québec — Programme de crédit d'impôt pour l'édition de livres — Gestion SODEC.

**Catalogage avant publication de Bibliothèque et Archives nationales du Québec et Bibliothèque
et Archives Canada**

Cooper, J. S. (Jaimie Suzi)

   [Illusion. Français]
   L'illusion
   (À la dérive ; 1)
   Traduction de : Illusion.
   ISBN 978-2-89767-069-6
   I. Saint-Germain, Michel, 1951-   . II. Titre. III. Titre : Illusion. Français.

PS3603.O56I4414 2016   813'.6   C2015-942333-3

Il n'est jamais facile d'arriver à l'amour véritable.
Ce livre est dédié à tous ceux qui continuent sans relâche
de chercher leur tendre moitié.

Remerciements

À Rebecca Friedman, l'agente dont j'ai toujours rêvé. L'enthousiasme que tu as manifesté depuis le début envers *Illusion* m'a aidée à mettre au monde ce récit. À mon éditrice chez Gallery Books, Abby Zidle, pour m'avoir fait rire durant le processus de révision, même quand je voulais pleurer. À Katrina Jaekley et Tanya Kay Skaggs, pour toujours avoir été disposées à m'écouter et à me faire des commentaires chaque fois que j'avais un dilemme quant à l'intrigue. À Elizabeth He, mon amie et mon éponge à paroles de tous les jours. À Thao Mai, qui a toujours cru en moi et m'a soutenue : de la faculté de droit à l'écriture, tu as toujours été là pour m'aider. À Jessica Wood, ma complice littéraire. À mon professeur d'anglais avancé, merci d'avoir lu l'un de mes récits à haute voix en classe et de m'avoir fait croire que j'avais du talent pour l'écriture.

J'adresse tout mon amour à tous les agents indépendants J. S. Cooper qui me prodiguent quotidiennement leur soutien et leur amour. Mes remerciements et mon appréciation à toutes les blogueuses et les lectrices qui lisent et font la promotion de mes livres avec un tapage exubérant. Votre appui et votre gentillesse me vont droit au cœur.

Toute ma reconnaissance à ma mère pour m'avoir dit de réaliser mes rêves après avoir obtenu trois diplômes, et de quitter mon emploi pour devenir écrivaine. Ton soutien et ton amour me rendent heureuse. Merci à Dieu pour tous ces bienfaits. Tout ce que j'espère, c'est que mes livres continuent de fournir un répit et un parcours à mes lectrices. Chacun de mes livres est pour moi un voyage, et ces histoires me donnent tous les jours une raison de sourire.

Prologue

— Bianca, où es-tu ?
La voix était furieuse, et j'ouvris les yeux en frissonnant.

Je regardai longuement la vaste étendue de ciel bleu nuit à travers les branches de l'arbre, en priant pour qu'il ne me trouve pas. De là où j'étais, je voyais les plages de sable blanc. D'ici, toute l'île paraissait tellement plus petite. J'avais les membres engourdis, mais j'étais trop craintive pour bouger d'un poil. S'il entendait le bruissement des feuilles, il allait savoir où j'étais. Je refermai les yeux en essayant de ne pas penser à une possible chute.

— Bianca, ce n'est pas drôle.

Sa voix était rauque, et j'entendis ses pas se rapprocher.

— Bianca, si tu m'entends…

Il s'arrêta un moment, et son ton changea.

— S'il te plaît, ne me complique pas la tâche. Je ne vais pas te faire de mal.

J'entendis craquer une branche en bas, et je savais qu'il était tout près. Il n'avait qu'à lever les yeux. Il serait alors capable de me trouver. Cet homme qui était devenu mon confident le plus intime était maintenant mon prédateur, et moi, sa proie. J'ouvris les yeux et je respirai à fond avant de regarder au pied de l'arbre. Un halètement involontaire s'échappa de ma bouche lorsque je vis à quelle hauteur j'étais. Ce fut ma première erreur.

— Je t'ai trouvée, dit-il d'une voix cassée en me lançant un regard noir. Quand donc apprendras-tu ? Tu ne peux pas m'échapper.

— Lui as-tu fait mal ?

Tremblante, je regardai en bas.

— Dis-le-moi. Lui as-tu fait mal ?

— Tout dépend de ce que tu entends par *faire mal*.

Il leva les mains. Il avait les doigts couverts de sang.

Je fermai les yeux ; j'avais ma réponse.

— Je l'ai fait pour nous, dit-il tout simplement.

Je sentis mon cœur s'effondrer.

— Tu ne me fais pas confiance ? me demanda-t-il d'un ton calme, tout en se mettant à grimper dans l'arbre.

À sa main gauche, je vis l'éclat luisant du couteau d'argent avant qu'il le remette dans sa poche, et pendant une seconde, mon cœur cessa de battre.

— Je te fais confiance.

Je hochai la tête, puis j'attendis qu'il m'atteigne.

Ce fut ma deuxième erreur.

Chapitre 1

— Puis-je m'asseoir ici? dit une voix grave.

Je cessai de taper sur mon clavier et réprimai un soupir.

— Euh, bien sûr, répondis-je sans lever les yeux.

J'avais dix minutes pour finir ma critique de film et l'envoyer par courriel à mon éditeur, condition sine qua non pour être payée.

— Puis-je m'installer à la table?

Il parlait d'une voix sèche, et je m'empressai de rapprocher mon ordinateur portable sans quitter l'écran des yeux.

— Je ne voudrais pas vous déranger.

Cette fois, je l'ignorai complètement. Je n'avais pas le temps de bavarder. J'avais un article à finir sur le dernier film d'Adam Sandler pour convaincre des spectateurs d'aller le voir sans complètement trahir mes impressions sur le jeu des acteurs et la médiocrité des blagues.

Je continuai à taper à toute vitesse, mais je sentais que l'homme me fixait. Je me mordis la lèvre inférieure pour ne pas lever les yeux vers lui et lui demander quel était son problème. Ce n'était pas sa faute si j'étais anxieuse et en état d'alerte. Je ne pouvais pas m'attendre à garder mon espace en travaillant dans un café, je le savais bien, mais normalement, je n'avais pas à m'en faire parce qu'un inconnu me parlait. À New York, à moins d'être des touristes, les gens ne parlent jamais aux étrangers.

Je soupirai en levant les yeux.

— Avez-vous besoin d'aide ?

Le souffle me manqua lorsque je regardai le visage de l'homme. Il était beau, ou du moins, il semblait l'être sous la casquette des Yankees qui lui couvrait la moitié du front. Ses yeux bleus perçaient les miens d'une lueur vive, et je vis l'ombre d'un sourire sur ses lèvres roses et charnues. Inconsciemment, je me léchai les lèvres en regardant l'homme qui était devant moi et en essayant de ramener mes cheveux ébouriffés.

— Je peux m'allonger, si vous voulez. Je veux dire : me reculer.

Je bégayai, et il continua de me fixer, les lèvres légèrement frémissantes.

— Je ne veux pas dire «m'allonger», ni rien de semblable ; je veux dire me reculer davantage, si vous avez besoin de plus d'espace.

Je me débattais avec mon explication, le visage en feu.

— Non, vous faites bien ça. Merci.

Il hocha la tête et revint à son livre d'une manière détachée. Bien fait pour moi, je me dis. Je ne lui avais pas vraiment adressé la parole, et maintenant, si j'essayais de commencer une conversation, c'était beaucoup trop évident. Je regardai ma montre, puis revins à mon article ; j'avais cinq minutes pour conclure une critique terne d'un film que je trouvais insipide. Si je ne l'envoyais pas, je ne serais pas payée. Il fallait que je le sois, maintenant que c'était ma seule source de revenus. Je recommençai à taper, même si j'avais l'esprit partiellement occupé par l'homme avec lequel je partageais la table. Son genou frottait contre le mien, et je ne pouvais m'empêcher de me moquer de moi-même pour le léger frisson que me donnait son toucher.

— Minable, me dis-je intérieurement en terminant l'article et en le joignant à un courriel.

Une fois de plus, j'envoyais le courriel sans relire l'article, mais c'était pour tenter de bavarder avec l'homme, même si je ne voulais pas particulièrement flirter avec un inconnu dans un café. J'étais sur le point de lui demander ce qu'il lisait lorsque j'eus de nouveau l'étrange sensation d'être observée. Cette fois, ce n'était pas par l'homme qui partageait la table avec moi. En regardant autour de moi, je vis un homme apparemment plus âgé qui sirotait son café en me fixant par-dessus un journal. Dès que nos regards se rencontrèrent, il détourna les yeux et revint à sa lecture. Le cœur battant, je regardai sa tasse sur la table. Elle ne venait pas de ce café. Je cliquai sur Envoyer. Paniquée, j'agrippai mon sac posé sur le plancher et en répandis la moitié du contenu.

— Vous avez besoin d'aide ?

L'homme leva les yeux de son livre, puis fixa le sol. Il se pencha pour ramasser mon rouge à lèvres et des menthes, et me les tendit. Alors que je lui reprenais mes biens, nos doigts se frôlèrent et à son contact, je sentis une pointe d'électricité circuler en moi.

— Merci.

Je regardai ses yeux bleus foncés et fis un rapide hochement de tête.

— Tout va bien ?

Ses yeux se plissèrent d'inquiétude, et j'étais sur le point de répondre lorsque je sentis que l'autre homme du coin continuait à me fixer.

— Ça va.

Je revins à l'écran de mon ordinateur et étouffai un grognement. J'avais reçu un autre message de Matt, un type avec qui j'avais bavardé à quelques reprises sur l'ordinateur, mais que j'avais décidé de ne pas rencontrer. J'ouvris lentement le courriel sans vraiment vouloir lire ce qu'il avait à me dire. J'aurais de beaucoup préféré parler au beau mâle assis en face de moi. Je lus le courriel en vitesse, puis l'effaçai sans y répondre. Il ne voulait tout simplement pas me laisser tranquille. « Quel harceleur », marmonnai-je à voix basse, et je revins au beau mâle qui me fixait.

— Pardon, c'est à moi que vous parlez ?

Ses lèvres tressaillirent de nouveau, et je secouai la tête.

— Non, je m'excuse. J'ai reçu un courriel d'un type, c'est tout. S'il était de vous, je ne l'effacerais pas, croyez-moi.

Je grognai tout haut en me rendant compte de ce que je venais de dire.

— Je veux dire : parce que vous avez l'air d'un type vraiment gentil.

— Je suis content de vous l'entendre dire. Faites-moi savoir si je peux vous aider d'une façon ou d'une autre.

Il se replongea dans son livre, et j'étais sur le point de lui demander ce qu'il lisait lorsque je sentis l'homme assis dans le coin qui me fixait encore.

— Merde.

Je sursautai et pris mon sac, et en bougeant, je heurtai l'épaule du beau mâle.

— Ça va ?

— Je pense qu'on me suit, dis-je en secouant la tête et en faisant un signe de la tête en direction de l'homme qui me regardait. Désolée, il faut que j'y aille.

Je pris mon ordinateur et je le fourrai dans mon sac.

— Enchantée de vous avoir rencontré.

Je lui fis un sourire rapide et sortis du café en courant.

— C'était un heureux hasard. J'espère vous rencontrer de nouveau, marmonnai-je en laissant un dernier regard au beau mâle avant de filer dans la rue.

Je continuai à courir jusqu'à ce que je n'y arrive plus. Je m'arrêtai devant une boutique de pâtisseries et m'appuyai contre le mur en haletant. Je regardai de chaque côté pour m'assurer que je ne voyais pas l'homme qui, j'en étais sûre, m'avait suivie, puis me frottai le front.

— Tu deviens folle, Bianca, me dis-je à moi-même en me rajustant et en commençant à marcher d'un pas normal.

Je me mis à rire en arrivant à la bouche de métro et en descendant pour attraper mon train. Alors que je courais dans la rue, personne ne m'avait regardée comme si j'étais folle, même si j'avais l'air de participer à la finale du sprint du 100 mètres aux Olympiques. C'était l'un des avantages de la vie à New York. Tu peux être qui tu veux, et personne ne te juge. Par contre, je m'arrêtai de sourire en me demandant ce qui se serait passé si l'homme m'avait suivie. C'était l'autre côté de la médaille : est-ce que quelqu'un me serait venu en aide ? Je continuai à marcher jusqu'au wagon et, sans regarder personne, je m'accrochai à un poteau de soutien. Je repensai alors aux deux hommes du café, l'un que j'avais voulu mieux connaître, et l'autre que j'espérais ne plus revoir. Je secouai la tête en voyant à quel point j'étais devenue différente. Au cours de la dernière année, ma vie avait complètement changé, et moi de même.

Jusqu'à récemment, je ne m'étais jamais trouvée particulièrement brave. Je n'aimais pas regarder de films d'épouvante. Chaque soir avant de m'endormir, je ferme toutes mes portes à double tour et je vais vérifier si toutes mes fenêtres sont bien fermées — et pourtant, j'habite au huitième étage. Non, je ne suis pas brave, et je n'ai rien d'un détective amateur. J'ai toujours aimé me tenir à l'écart. Ceux qui me trouvent tranquille ne me connaissent pas bien. À l'intérieur, je suis une génératrice d'activité et de plaisir.

Avant, j'étais du genre à me figer en entendant un craquement du plancher ou un cri soudain. Durant mon enfance, mon père m'appelait toujours son «petit lapin craintif». J'entendais souvent cette expression, et à New York, il y avait toujours des bruits soudains et inexplicables. Il ne s'en est jamais aperçu, mais à force d'être surprotégée par lui, je manquais de confiance envers la plupart des gens. Cependant, tout mon comportement changea à la mort de mon père. Alors, les vingt-cinq premières années de ma vie retombèrent dans l'obscurité.

Mon père mourut le cœur usé. Ou plutôt, le cœur brisé. Je ne pense pas qu'il se soit remis de la mort de ma mère. Je ne sais pas si j'en suis revenue moi aussi, même si j'étais jeune lorsqu'elle fut tuée dans un accident de voiture. À cause de son ascendance anglaise, j'ai étudié l'histoire de la Grande-Bretagne à l'université, et par amour de sa mémoire, quand on m'a confié la boîte secrète de mon père, je savais que j'avais quelque chose à faire avec son contenu. La mort de ma mère a changé la vie de mon père, et la mort de mon père a changé la mienne. Dès que j'ai parcouru la lettre qu'il m'avait adressée, on aurait dit que j'avais la colonne vertébrale bardée d'acier. Je n'allais plus me laisser effrayer par quoi que ce fût avant d'avoir découvert ce qui était vraiment arrivé à ma mère.

Je ne fus pas surprise lorsque la lettre arriva. Après avoir lu la note, je regardai l'enveloppe pour y trouver des indices. Je m'aperçus qu'elle n'était pas timbrée. Celui qui me l'avait laissée ne voulait pas que des indices me permettent de remonter jusqu'à lui. Je regardai longuement la lettre que j'avais dans les mains et frissonnai légèrement. Elle disait simplement :

Charme et beauté. L'un survit. L'autre meurt. Quelles sont tes chances ?

Je relus la note en essayant de la comprendre. Je ne savais pas trop ce que j'étais censée en tirer. Je repris l'enveloppe pour voir si quelque chose m'avait échappé. Même si je n'avais pas été étonnée de recevoir la lettre, son contenu m'avait étonnée. Je ne m'étais pas attendue à une menace aussi évidente, même si elle n'aurait pas dû me surprendre. Mon père m'avait avertie, dans la lettre que j'avais trouvée dans sa boîte, que des gens étaient prêts à tout pour protéger leurs secrets. Il soupçonnait que la collision de ma mère n'était pas vraiment un accident. Cependant, ses soupçons étaient trop tardifs. Ce n'est que sur son lit de mort qu'il a commencé à se souvenir des conversations et des gestes qui avaient précédé la mort de ma mère. Dans sa lettre, il parlait de sa tristesse et de son regret de s'être replié par la suite. Il croyait que s'il n'avait pas été dans un tel état dépressif, il aurait compris plus tôt. Dans sa lettre, il ne me demandait pas directement de tirer les choses au clair, mais je pouvais lire entre les lignes. Il voulait faire justice à ma mère. Voilà pourquoi il avait écrit cette lettre. Le seul problème, c'était que mon père ne disait pas qui il soupçonnait. Tout ce qu'il m'avait laissé, c'était une lettre d'une page qui parlait de ses soupçons, et deux boîtes pleines de papiers de l'entreprise pour laquelle il travaillait, Bradley Inc.

Après avoir lu la lettre de mon père et parcouru les papiers qu'il m'avait laissés, je m'étais mise à enquêter. En fait, j'avais fait de mon mieux pour m'infiltrer dans la société Bradley Inc. afin de trouver des indices pouvant m'aider à comprendre ce que mon père avait découvert, et si ma mère avait été assassinée. Comme je n'avais pas mené mon enquête avec suffisamment de prudence, je n'étais pas surprise d'avoir été contactée. Mais la lettre me désarçonnait. Franchement, ce n'était pas ce que je m'étais attendue à recevoir.

Je regardai la lettre en fronçant les sourcils. Il y avait là une menace voilée et un défi : « L'un survit et l'autre meurt. » *Meurt*, c'était un mot plutôt fort. *Meurt* envoyait un message. Mes doigts qui tenaient la lettre se mirent à trembler. Je savais que je me rapprochais de la vérité, que mes réponses démontreraient la justesse des soupçons de mon père. J'étais sur le point de prendre un stylo et du papier pour retranscrire les mots-clés de la lettre quand j'entendis des coups violents à la porte de l'appartement.

— Ouvrez ! cria une voix masculine entre deux coups. Police !

La police ? Perplexe, je me rendis à la porte.

— J'arrive ! criai-je en ouvrant.

Je sentis tout de suite que quelque chose clochait : quelqu'un était entré dans l'édifice sans m'appeler. Comment pouvait-on entrer sans passer par l'interphone ? J'écartai mes pensées en m'apercevant que la police devait avoir les clés passe-partout de tous les édifices de la ville, mais je ressentis tout de même un certain malaise en le regardant.

— Ça va ?

Le policier avait la main posée sur l'étui de son revolver, et je déglutis.

— Ça va. Qu'est-ce qui se passe ?

— Il y a eu un appel d'urgence de votre appartement.

Il me dépassa en me bousculant.

— Puis, on a raccroché.

— Je n'ai pas fait d'appel d'urgence, dis-je en secouant la tête et en sortant mon cellulaire de ma poche. Voyez, vous pouvez vérifier mes appels. Il n'y a pas d'appel d'urgence.

— Il a été fait à partir de votre téléphone fixe, Madame.

— Je n'ai pas de téléphone fixe.

Le front soucieux, je le suivis à travers mon appartement. Ma voix montait à mesure que je me demandais qui avait fait un appel d'urgence en mon nom.

— Il doit y avoir une erreur. Je vous assure que je n'ai pas fait d'appel d'urgence avant de raccrocher.

— Je vais tout de même vérifier votre appartement, ça ne vous dérange pas ?

Il n'attendit pas de réponse.

— Je vous ai déjà dit que je n'avais pas appelé la police, et c'est moi seule qui habite ici, criai-je en le suivant et en le voyant parcourir les couloirs et entrer dans ma chambre.

Je m'immobilisai, incapable de bouger alors que je repensais à la lettre qui venait d'arriver. Et si l'auteur de la lettre avait envoyé la police chez moi ? Si c'était le cas, pourquoi ? Pourquoi les gens qui avaient tué ma mère voulaient-ils que la police soit mêlée à l'affaire ? C'était absurde. Je mordillais ma lèvre inférieure, plongée dans mes pensées, quand j'entendis un claquement.

— Qu'est-ce qui se passe ?

Le cœur battant, je me rendis dans ma chambre.

— Qu'est-ce que vous faites dans ma chambre ?

Ma voix était agitée, et j'essayai de ne pas regarder au seul endroit que je ne voulais pas qu'il trouve.

— Je voulais tout simplement m'assurer qu'il n'y avait personne dans vos placards, Madame. Je tiens à vérifier si tout va bien.

Il sortit de ma chambre en fronçant légèrement les sourcils.

— Tout paraît normal.

— Je vous l'ai déjà dit.

— Si vous avez des problèmes, appelez-nous.

Ses yeux fouillèrent les miens et il me tendit une carte.

— On n'est jamais trop prudent, de nos jours.

— Je suis très prudente.

Je le raccompagnai à la porte en me demandant si je devais lui parler de la note que je venais de recevoir. J'allais le faire quand je me rappelai ce que mon père m'avait toujours dit durant mon enfance : «Les riches ont de gros moyens. Bianca, ne fais confiance à quelqu'un que s'il a une bonne raison de mériter ta confiance. Même la police peut se laisser soudoyer.»

— Merci de vous occuper de moi, Monsieur l'agent.

Je lui fais un signe de la tête en attendant qu'il parte. Mon cœur battait, j'avais besoin de réfléchir.

— Pas d'inquiétude. Restez en sécurité, Madame London.

Il hocha la tête et je refermai la porte. C'est seulement après son départ que je m'aperçus qu'il savait mon nom. Comment le connaissait-il? Je m'appuyai contre la porte et fermai les yeux. Qu'est-ce qui m'arrivait? Cette journée était remplie de mystères. D'abord, la note, puis la police. Je ne savais pas qui avait envoyé la note ni pourquoi, qui avait appelé la police, comment le policier était entré dans mon édifice, et comment il avait appris mon nom. Je mordillai ma lèvre inférieure en essayant de comprendre. Je regardai longuement mon appartement, et soudain, le confort familier de la pièce me rendit claustrophobe. J'avais toujours adoré vivre à New York, mais aujourd'hui, mon petit appartement à une chambre à coucher me faisait penser à une cellule. L'impression de sécurité que j'avais ressentie quand j'avais emménagé dans l'édifice me paraissait maintenant comme une illusion. Je ne connaissais pas mes voisins, et je n'avais personne à qui parler sur la façon dont le policier était entré dans l'édifice, ou sur la lettre mystérieuse qui était arrivée.

Devant moi, les murs sales et écaillés semblaient se rapprocher et je restai là, immobile, en espérant comprendre et recevoir par miracle des réponses à mes questions. Je marchai jusqu'à mon divan de cuir brun clair et m'affalai dans les coussins pelucheux. C'était mon seul beau meuble. Et encore, c'était un cadeau de ma meilleure amie, Rosie. Je pouvais à peine me permettre le loyer de mon appartement, et je n'habitais pas dans la tour Trump non plus.

Je pris les coussins aux couleurs vives et aux motifs rouge et orange que mon père m'avait trouvés en Inde quand j'étais adolescente, et je figeai en entendant la sonnerie de mon téléphone portable. Le bruit détonnait dans mon salon étrangement silencieux. Normalement, j'avais toujours la télé ou de la musique qui jouait ; je n'aimais pas me trouver trop longtemps dans un espace tranquille. Ça me rappelait à quel point j'étais seule. Je pris mon téléphone portable et le laissai tomber en voyant l'écran. Le numéro de mon père y apparaissait. Le numéro de téléphone de mon père *mort*. Je le regardai longuement avant de tendre le bras et de le reprendre.

— Allo ? dis-je d'une voix douce qui se cassa alors que je me demandais qui pouvait bien m'appeler avec le téléphone de mon père.

J'étais plutôt certaine qu'il se trouvait encore dans une boîte, dans ma chambre à coucher. Je respirai à fond pour m'empêcher de paniquer, et bondis du divan.

— Allo, répétai-je d'une voix tremblante, incapable, cette fois, de cacher à quel point cet appel me faisait paniquer.

— Tu devrais être plus prudente, Bianca, dit une voix grave et masculine au téléphone.

Je ne pouvais pas clairement identifier cette voix, tellement il y avait de parasites sur la ligne.

Ma voix monta.

— Qui est-ce ?

— Tu ne devrais pas laisser entrer d'inconnus dans ton appartement.

— Je n'ai pas laissé entrer d'inconnus.

— Ça peut être n'importe qui. Tu n'as pas encore compris ça?

— De quoi parlez-vous?

Mon visage commença à s'échauffer et je restai là, craintive.

— Méfie-toi de ceux qui cherchent à t'aider. Ils peuvent faire plus de tort que de bien.

Puis, il raccrocha.

Je regardai longuement le téléphone dans ma main et courus à ma chambre à coucher pour trouver le téléphone de mon père. Sa boîte d'affaires était posée sur le lit, le couvercle enlevé. J'y accourus et vis que le téléphone avait disparu. Qui avait bien pu le prendre? Personne n'était venu dans mon appartement depuis des semaines. Personne, sauf le policier, mais pourquoi un policier fouillerait-il mes affaires? Mais il n'était peut-être pas venu pour me protéger d'un intrus : il était peut-être venu trouver quelque chose pour protéger quelqu'un d'autre.

Je regardai la carte de visite qu'il m'avait donnée, et figeai. Elle était vide. Il ne m'avait donné qu'un carton blanc. Je sus alors que cela découlait de tout le reste : le policier cherchait les documents de mon père. Les papiers qu'il m'avait laissés étaient remplis d'indices. Je ne les comprenais pas encore complètement, mais de toute évidence, quelqu'un d'autre les voulait.

Je me rendis à la fenêtre du salon et regardai en bas dans la rue. Je fixai la sans-abri qui, quelques semaines auparavant, s'était installée dans l'édifice situé en face. La femme à qui je donnais quelques dollars une fois par semaine en la croisant. La femme qui, chaque fois, me citait un nouveau verset de la Bible. La femme qui grelottait même par une journée chaude. La femme qui portait une montre Cartier et des mèches fraîches. La femme qui savait exactement à quels moments je sortais de l'édifice et quand j'y entrais. Je ne savais pas si c'était une amie ou une ennemie, mais je savais qu'elle m'observait.

Je retournai dans ma chambre et, pendant quelques minutes, fixai la boîte de mon père avant de la refermer soigneusement et de la replacer dans mon placard. J'étais reconnaissante d'en avoir retiré les papiers plusieurs semaines auparavant. Je ne le savais pas à l'époque, mais je suis toujours mes premiers instincts. Puis, je me rendis à mon panier de linge sale, en sortis mes vêtements et les jetai par terre. Instinctivement, je balayai de nouveau la pièce du regard pour m'assurer qu'elle était vide, même si je savais qu'il n'y avait personne avec moi. Je pris le vieux coffret à bijoux en cèdre de ma mère, que j'avais caché sous les vêtements, et l'ouvris lentement. Je poussai un immense soupir de soulagement en voyant la pile de documents cachés sous les colliers de fantaisie bon marché que j'avais achetés à l'Armée du Salut. Je la refermai soigneusement, l'apportai dans la cuisine et la plaçai dans un sac de plastique. Puis, je repris mon téléphone cellulaire et fis un appel.

La note était arrivée quatre jours plus tôt. Quatre jours au cours desquels j'avais été sur des charbons ardents, me demandant ce qui allait se produire ensuite. Je ne m'étais jamais sentie aussi angoissée. Ni effrayée. Cependant, j'essayais de continuer à vivre ma vie normalement. Je ne pouvais qu'attendre de voir ce qui allait se passer ensuite. Je connaissais aussi l'étape suivante. Je ne pouvais qu'attendre que mon ex-amoureux David vienne à ma rescousse. Il était ma seule source d'information. Je ne lui faisais pas confiance, mais je savais qu'au jeu du chat et de la souris, c'était celle qui tenait le fromage qui prenait le plus de risques. Je n'avais qu'à être patiente. Mais c'était difficile. Même les émissions de la chaîne History ne retenaient pas longtemps mon attention.

— Je ne vais pas me remettre à fréquenter les sites de rencontres, marmonnai-je en effaçant un autre message grossier d'un homme appelé Matt, ou, comme le disait son profil, ChevalierÉtincelantEnArmani.

Des rencontres en ligne, j'en avais fait depuis ma rupture avec David. Au début, elles avaient détourné mon attention de tout ce qui s'était arrêté avec David. Maintenant, elles m'aidaient à occuper mes pensées lorsque mon esprit divaguait dans des zones sombres. En général, j'aimais mes conversations en ligne, mais quelque chose m'avait vraiment rebutée chez Matt. Il ne comprenait tout simplement pas. J'avais commis l'erreur de lui parler deux fois au téléphone avant de me dire que je ne souhaitais pas le rencontrer. Il paraissait nettement beau sur ses photos, mais s'était montré arrogant et exigeant au téléphone, et ses courriels étaient devenus de plus en plus terrifiants. Je réprimai un soupir en voyant arriver un autre courriel de Matt, et je téléphonai à ma meilleure amie, Rosie.

— Rosie à l'appareil.

Sa voix semblait fatiguée.

— Salut, c'est Bianca, dis-je d'un ton léger en marchant jusqu'à mon meuble-lavabo. Qu'est-ce que tu fais?

— Juste une petite chose appelée travail, répondit-elle en soupirant.

Le manque d'enthousiasme dans sa voix me confirma qu'elle était fatiguée.

— Qu'est-ce qu'il y a?

— Tu veux prendre un verre ce soir?

Je vérifiai mon reflet dans la glace et soupirai. Des mois d'exercices du visage n'avaient pas du tout aidé à dégager mes pommettes.

— Pas que j'aie besoin d'alcool. Mon visage paraît bouffi. Mais je ne t'ai pas vue depuis au moins un mois, et il faut qu'on se rattrape. Il y a des choses dont je veux te parler.

— Je suis sure que tu n'as pas l'air bouffie, mais oui, il faut qu'on se rattrape, dit-elle en changeant de ton. Je veux savoir ce qui t'arrive.

— Crois-moi, il se passe quelque chose, marmonnai-je avec un regard soucieux vers les poches sous mes yeux. Je vais me faire un masque de beauté et mettre des tranches de concombre sur mes yeux.

— Ça doit être bien de travailler à son propre compte, dit Rosie d'un ton jaloux.

— Ça doit être bien d'avoir un revenu régulier, répondis-je d'un ton acerbe.

Depuis environ un an, je travaillais à la pige, rédigeant des articles sur les arts et spectacles pour quelques journaux en ligne, et je n'étais pas certaine d'avoir pris la bonne décision. Même si j'adorais les films, mon amour véritable allait aux rois et aux reines d'Angleterre, et en réalité, je voulais enseigner l'histoire. Cependant, les piges me donnaient l'occasion de jouer les Sherlock Holmes ou, pour être plus réaliste, les Stéphanie Plum. Il fallait que la flexibilité de mon horaire me permette d'enquêter plus librement sur ce qui était arrivé à ma mère.

— Touché, dit-elle en ricanant. Oui, j'ai bien envie de prendre un verre. Le mois a été long et la journée, encore plus.

— Ton patron est revenu ?

Je bavardai un peu, même si je ne voulais pas. En réalité, je voulais seulement lui parler de la note et du faux policier. Je voulais lui parler de la femme qui m'observait de l'autre côté de la rue et du sentiment que j'avais d'être suivie. Mais je savais que ce n'était pas le moment. Ce soir, j'aurais le temps de tout lui dire.

— Oui, il est de retour de Shanghai, et il fait le con plus que jamais, gémit-elle. Il me traite encore comme si j'étais son assistante. Ce n'est pas comme si je dirigeais le service depuis seulement un mois.

— C'est moi qui t'invite, alors, proposai-je. Il te traite peut-être comme ça parce qu'il sait qu'en un clin d'œil, tu peux prendre sa place et faire un meilleur travail.

— Bianca, tu as une très haute opinion de moi, dit-elle d'un ton appréciateur. Mais tu ne peux pas te permettre de payer tous les verres que je vais devoir prendre ce soir.

Elle rit, puis marqua un temps d'arrêt.

— Oh, et tu dois aussi me dire comment s'est passé ton rendez-vous avec ce type que tu as rencontré en ligne.

— Ah, je t'ai parlé de lui ?

Perplexe, je fronçai les sourcils. Je ne me rappelais pas avoir mentionné que j'allais rencontrer Matt, mais depuis que j'avais commencé ce travail de détective à temps partiel, je ne me rappelais pas vraiment à qui je disais quoi. Il fallait vraiment que je note quelle information je donnais à quelles personnes. Rosie était ma meilleure amie depuis des années, mais comme je savais qu'elle n'allait pas approuver mes enquêtes, je ne lui avais pas vraiment dit grand-chose. Mais je commençais à me dire qu'il valait mieux me confier à elle lorsque je la verrais plus tard.

— Ouais, tu m'as dit que tu allais rencontrer ce type trouvé en ligne, pour te remettre de ta rupture avec David, tu te rappelles?

— Oh, ça fait des semaines, et j'ai annulé le rendez-vous, grognai-je. J'avais le sentiment que ça n'allait pas fonctionner.

Tout en parlant, je fixais mes yeux dans la glace. Je m'en voulais de cacher des choses à Rosie.

— Bianca, tu ne peux pas annuler le rendez-vous avant de le rencontrer. Et puis, dans ces photos que tu m'as montrées en ligne, il paraissait sexy. Masculin et sexy.

— Ouais, il était vraiment sexy, dis-je en hochant la tête et en retournant à mon ordinateur.

Je secouai la tête en m'assoyant. De toute évidence, je lui avais parlé de Matt, puisque je lui avais montré des photos.

— Seulement, il me faisait un peu l'impression d'être un sale type.

— Ce sont tous de sales types, répondit-elle d'un ton agacé. Bon, de toute façon, il paraissait mignon.

— Je ne veux pas sortir avec un sale type avant même qu'on se soit rencontrés.

— Qu'est-ce qui te donnait l'impression que c'était un sale type?

— Écoute ce courriel qu'il m'a envoyé hier soir.

Je m'assis sur le lit et déposai mon ordinateur portable sur mes genoux.

— Attends une minute. Comme j'ai effacé les courriels, je suis en train de passer ma poubelle en revue.

— Ne t'en fais pas.

Elle marqua un temps d'arrêt.

— Eh, je voulais te dire que j'ai vu David, il y a quelques semaines.

— Oh ?

Une seconde, mon cœur s'arrêta, et je respirai profondément.

— Il avait l'air de quoi ?

— Toujours aussi beau.

Elle marqua un nouveau temps d'arrêt.

— Désolée.

— Ça va, dis-je avec raideur alors qu'une image de David me traversait l'esprit.

Je ne voulais pas parler de David. Pas au téléphone. Pas maintenant. C'était le type le plus beau que j'avais jamais fréquenté, avec ses boucles brun foncé et ses yeux d'un vert vif. Il était grand et musclé, et il avait l'allure de l'homme dont rêve chaque femme. Rosie avait été abasourdie en apprenant qu'il m'avait invitée et qu'on avait commencé à sortir ensemble. Elle ignorait toute la peine que je m'étais donnée pour attirer son attention. Bien que pour être honnête, je ne me sois jamais sentie en sécurité dans la relation, et je n'avais pas été très étonnée en découvrant qu'il m'avait trompée. Notre relation avait été complexe, et seule Rosie savait exactement à quel point elle le restait.

— Lui as-tu parlé récemment ?

— Pas depuis qu'on s'est séparés.

Je mordis ma lèvre inférieure, car je détestais mentir à nouveau.

— Mais j'ai commencé à lui écrire plusieurs courriels.

— Est-ce qu'il t'appelle encore?

— Il m'a appelée quelques fois, mais pas depuis au moins un mois.

Je soupirai.

— Il est peut-être dans une autre relation.

— Il est con, et tu sais ce qui lui servait de cervelle, dit Rosie d'un ton qui paraissait hésitant. Écoute, je sais que les gars ont des besoins, mais merde, il aurait dû te dire qu'il ne pouvait plus attendre.

— Ce n'était pas que je ne voulais pas coucher avec lui, dis-je en soupirant. Ça ne me convenait pas, c'est tout. Je voulais que ce soit extraordinaire.

Et ça ne l'aurait jamais été avec David, même si je le trouvais vraiment beau.

— Je sais. Quel crétin! dit Rosie en redevenant encourageante. Tant pis pour lui.

— Exactement, soupirai-je en repensant à David. Est-ce qu'il t'a dit quelque chose quand tu l'as vu? demandai-je avec désinvolture.

— Il a dit salut.

La voix de Rosie paraissait maladroite. Elle avait un autre ton que je n'arrivais pas à expliquer.

— Il a aussi dit autre chose, mais cela n'avait aucun sens.

— Oh?

Mes doigts figèrent sur le clavier.

— Qu'est-ce qu'il a dit d'autre?

— Que tous les chemins mènent à Rome.

— Quoi? dis-je en fronçant les sourcils. Qu'est-ce que ça veut dire?

— Je ne sais pas. J'y ai beaucoup repensé. Je crois qu'il cherche à te plaire, dit Rosie d'une voix pensive. J'imagine qu'il s'est dit qu'il ne suffisait pas de s'excuser et de te rappeler. Je parie qu'il va essayer d'intensifier ses efforts pour te reconquérir.

— Tu crois ?

Je regardai dans ma chambre et réfléchis un moment. C'était la seule pièce de mon appartement dans laquelle David et moi avions passé très peu de temps. Je m'étendis sur mon lit et soupirai.

— J'ai été idiote, non ? J'aurais dû tout simplement faire l'amour avec lui. Je suis sûre que ça aurait été incroyable. On serait peut-être encore ensemble, maintenant.

Dire ces mots me paraissait étrange, comme si j'étais en train de jouer un rôle dans une pièce. *Tu as vu trop de films, Bianca*, pensai-je.

— Ne culpabilise pas, Bianca. Ce n'est pas ta faute. C'est peut-être ce qu'il lui fallait pour voir toute l'importance que tu avais pour lui. Il est peut-être devenu complètement romantique, maintenant. Et s'il voulait t'emmener en voyage-surprise à Paris, disons ? Est-ce que ça ne serait pas super ?

— Tu crois qu'il ferait vraiment ça ?

— Qui sait ? dit Rosie en riant. Eh, minute. Je viens de recevoir un colis d'un nouveau et très joli livreur.

— D'accord.

Je ris et me redressai, et recommençai à parcourir mes courriels pour y trouver les messages de Matt que j'avais effacés. Je cherchais à sortir de cette conversation à propos de David.

J'aurais dû savoir, à la vue de son pseudonyme, que c'était un crétin. Je veux dire : un Chevalier Étincelant en Armani ? Seul un con prétentieux choisirait un tel nom.

— Merci, Billy.

J'entendis Rosie parler au livreur et déballer son nouveau colis.

Je souris intérieurement en l'imaginant massacrer le colis pour trouver le plus tôt possible ce qu'il contenait. Elle avait toujours eu hâte d'ouvrir des colis et des cadeaux. J'espérais seulement qu'elle traitait plus soigneusement les colis qu'elle recevait de moi. Je fixai le sac de plastique sur ma table de nuit en me demandant si je prenais la bonne décision en lui confiant mes papiers.

— Oh, mon Dieu, es-tu là, Bianca ? s'exclama Rosie d'une voix agitée et ravie.

— Ouais, pourquoi ?

— Quelqu'un vient de m'envoyer un cadeau.

— Oh, qu'est-ce que c'est ?

— Un bracelet de chez Tiffany avec une note.

Sa voix prenait de la force à mesure que montait son enthousiasme.

— Qu'est-ce qu'elle dit ? demandai-je d'un ton désinvolte alors que mon estomac virevoltait.

— Elle dit : « Ma très chère Rosie, tu ne me connais pas encore, mais je veux vraiment te connaître. Reçois ce cadeau en signe de notre amitié.

Elle marqua un temps d'arrêt.

— C'est tout.

— De qui est-ce ?

— Je ne sais pas, dit-elle à basse voix. Je me demande si c'est de Joe de la comptabilité. Il m'a accordé quelques regards admirateurs et plutôt évidents, récemment, depuis que j'ai ces mèches blondes.

— Mais tu connais Joe. Est-ce que ça ne dirait pas « Tu ne connais pas encore mes intentions » au lieu de « Tu ne *me* connais pas encore » ?

— Qui sait ? Peut-être qu'il est lent ou qu'il n'y a pas bien réfléchi, dit-elle en riant. Et alors ? Je viens de recevoir un bracelet de chez Tiffany.

— J'ai bien hâte de le voir ce soir.

J'étais légèrement envieuse. Personne ne m'envoyait de cadeaux de chez Tiffany. Pas même David, qui aurait pu ou non essayer de me reconquérir. Je me suis remise à penser à ma propre note, plus menaçante, en me demandant s'il y avait un rapport.

— J'ai très hâte de le faire admirer.

Le petit cri de Rosie a interrompu mes pensées.

— Bon, j'ai ouvert les courriels. Es-tu prête à entendre la folie ?

— Oui, dis-moi.

— « Chère CréativeÀNewYork, es-tu déjà allée à Rome ? C'est une ville tellement romantique et j'aimerais t'y emmener dans mon avion privé. Je voudrais te faire voir la fontaine de Trevi et les marches espagnoles. Ensuite, on pourrait partager un plat de pâtes et boire du vin en se regardant dans les yeux. ChevalierÉtincelantEnArmani. »

— Qu'est-ce qui ne va pas ?

— C'est bizarre. Il sait que je m'appelle Bianca, et je sais qu'il s'appelle Matt, mais pourquoi est-ce qu'il n'utilise pas nos vrais noms ? En plus, on ne s'est jamais rencontrés. C'est trop et trop tôt.

— Il essaie de te séduire, dit Rosie d'un ton neutre.

— Eh bien, écoute le courriel qu'il m'a envoyé hier soir.

— « Chère CréativeÀNewYork, j'étais très déçu que tu annules notre rendez-vous et que tu ne prennes plus mes appels. Je m'attends depuis longtemps à ce qu'on se rencontre. En fait, je compte les jours qu'il reste avant que tu sois mienne. J'ai l'impression que tu te moques de moi, et je n'aime pas ça. Si tu veux me rencontrer ce soir, dis-le-moi. »

— Wow, il est tenace.

— Puis aujourd'hui, il vient de m'envoyer un autre courriel : « Réponds-moi, Bianca. Si tu veux me rencontrer ce midi, on peut encore s'arranger. Sinon, tant pis pour toi. »

— Wow. On dirait bien que c'est un battant, non ? s'exclama Rosie, tandis que je hochai la tête, même si elle ne me voyait pas.

— Maintenant, tu sais pourquoi je ne fais plus de rencontres en ligne.

Je refermai mon ordinateur.

— Ce soir, on va trouver deux gars sexy et on va passer la soirée à flirter.

— Ça me va.

— Tu vas peut-être enfin faire l'amour, dit-elle en ricanant.

— Rosie !

— Eh, je suis franche, c'est tout. Un vibrateur ne peut pas tout faire.

— Je te vois ce soir, grognai-je.

— Eh, murmura Rosie dans le téléphone alors que je le reprenais.

— Eh, toi-même.

— On se rencontre ce soir, à ce nouveau bar de l'Upper West Side. J'en ai entendu dire du bien et je veux aller voir.

— Comment ça s'appelle ?

— Orange.

— D'accord. Je te vois vers dix-huit heures ?

— Ouais.

Elle marqua un temps d'arrêt.

— Dix-huit heures, c'est bien.

Puis, elle ricana : ce bruit nerveux me fit froncer les sourcils.

— Qu'est-ce qu'il y a de si drôle ? Est-ce qu'il y a une raison pour laquelle tu as choisi ce bar, Rosie ?

Mon cerveau se mit à fonctionner, et je pris une gorgée d'eau.

— Je t'expliquerai plus tard, dit-elle à la hâte, avant de raccrocher.

Je vérifiai ma montre pour la dixième fois. Il était maintenant dix-huit heures quarante-cinq, et je commençais à m'impatienter. Je parcourus à nouveau le menu, et mon estomac gargouilla alors que je lisais les différentes descriptions de plats principaux. J'étais affamée et mon verre de vin me montait à la tête.

Je textai à Rosie une photo du beau barman, puis me frottai doucement les tempes. J'espérais que la photo que j'avais prise furtivement allait l'inciter à se dépêcher.

— Eh.

Rosie entra dans le bar comme si elle en était propriétaire, oubliant les regards insistants des hommes alors
qu'elle s'avançait vers moi en prenant son temps. Ses cheveux blonds étaient parfaitement coiffés et son tailleur
Escada épousait parfaitement son corps.

— Eh!

Je me levai d'un bond et lui fis un câlin rapide et une
bise à l'européenne : la joue gauche, la joue droite, la joue
gauche.

— En passant, je viens de te texter!

Je regardai avec envie son tailleur chic.

— Tu as de la chance que je travaille à la maison, sinon
je t'emprunterais tes vêtements.

Je ris et nous nous assîmes. D'instinct, je tendis la main
du côté droit pour m'assurer que le sac de plastique était
encore à côté de moi. J'allais donner à Rosie une copie des
papiers de mon père pour qu'elle les garde en sûreté. J'avais
pris les originaux et les avais mis dans mon coffret de sûreté
à la banque, mais je voulais m'assurer d'en avoir des copies
quelque part, juste au cas.

— Comment va l'écriture? As-tu vu de bons films,
récemment?

Elle me fit un petit sourire avant de se retourner pour
appeler le serveur.

— Tout dépend de ce que tu entends par *bons*, dis-je en
haussant les épaules. J'ai surtout vu des films à succès, car
ce sont les critiques qui attirent les clics sur le site Web. Pas
les œuvres d'art qu'on visionnait à l'université.

— De bons vieux films d'action, hein?

— D'action et d'amour, des films médiocres.

Je souris et je pris mon verre de vin.

— Ils commencent tous à se ressembler, mais ils sont rentables. Mon article sur Channing Tatum a reçu dix mille visites, la semaine dernière.

— Eh bien, je paierais pour le voir balancer les hanches.

Rosie plissa les sourcils, attendant que quelqu'un vienne prendre sa commande.

— Le service est nul, ici. J'aurais dû me souvenir de la dernière fois.

— Oh, tu es déjà venue ici ? demandai-je avec curiosité.

J'étais assez certaine qu'elle avait dit que c'était sa première fois.

— Ouais, une fois.

Elle se passa les mains dans les cheveux, puis s'appuya vers moi en souriant.

— Tu m'as manqué, Bianca. J'ai l'impression qu'on ne s'est pas vues depuis des siècles.

— C'est bien le cas.

— Je t'ai acheté quelque chose, l'autre jour.

Elle scruta mon visage en souriant.

— Un livre sur Richard III et les princes perdus, quelque chose comme ça.

— Oh, génial.

Je m'adossai.

— Tu sais que des hommes ont récemment découvert à la tour de Londres…

Elle m'interrompit en disant :

— Alors, il faut que tu me dises tout sur ce gars en ligne.

Puis, elle marqua un temps d'arrêt et se retourna.

— Monsieur ! s'écria-t-elle. Pouvez-vous venir ici lorsque vous aurez un moment ? J'aimerais boire quelque chose cette année.

Elle se retourna dans ma direction avec un éclat dans les yeux et un petit sourire.

— Voyons combien de temps il va lui falloir, maintenant.

— Il est probablement occupé, Rosie, dis-je en secouant la tête devant son impatience. Tu n'es ici que depuis quelques minutes.

— Exactement, je suis ici depuis quelques minutes, et je suis encore à jeun, dit-elle en tressaillant. Il y a quelque chose qui cloche.

— Tu peux boire de mon vin, si tu veux.

Je pointai du doigt la bouteille posée sur la table, et elle secoua la tête.

— Non, je crois que je vais prendre un cocktail, dit-elle rapidement. J'ai envie d'un apéritif.

— Alors, comment va le travail ?

Je changeai le sujet en l'interrogeant sur son emploi. Je voulais vraiment parler de moi, mais je ne voulais pas être impolie.

— C'est difficile, dit-elle en haussant les épaules. On essaie d'attirer comme client l'une des plus grandes sociétés financières des États-Unis. Je ne peux pas te dire le nom pour des raisons juridiques, mais disons seulement que si on l'obtient, on sera l'une des plus grandes agences de publicité du monde.

— Tu crois que vous allez l'avoir ?

— Si j'ai mon mot à dire, oui, dit-elle en serrant les lèvres. Bien sûr, je ne travaille pas à l'entente. J'aide James à mener l'entente avec Bradley Inc. Si on peut y arriver, je pense que je vais recevoir une promotion. C'est ce qui m'a tenue tellement occupée.

— Oh.

Je baissai les yeux vers mon verre de vin; mon cœur bondit quand j'entendis ses paroles. Je ne savais pas qu'elle essayait de faire des affaires avec la société Bradley.

— C'est la compagnie du père de David, dis-je d'un ton désinvolte, en faisant comme si ce fait était sans importance.

— Ah ouais, c'est là que je l'ai vu il y a quelques semaines. Dans les bureaux.

Elle grimaça, et je savais qu'elle s'inquiétait du fait que j'étais encore affectée par notre rupture. Rosie ne savait pas que je n'avais jamais vraiment éprouvé de sentiments légitimes envers David, alors le fait qu'il me trompe ne m'avait pas vraiment blessée.

— J'ai quelque chose à te dire, dis-je en respirant à fond et en baissant la voix. Ça concerne David et, euh, la société Bradley.

— Oh? dit-elle en plissant les yeux et en me regardant avec intérêt. Qu'est-ce que c'est?

— Je pense que la société Bradley avait quelque chose à voir avec ce qui est arrivé à ma mère.

— De quoi parles-tu?

Elle paraissait déroutée.

— Qu'est-il arrivé à ta mère? Elle est morte dans un accident de voiture, non?

— Justement.

Je respirai à fond en espérant que Rosie n'allait pas me croire folle.

— D'après moi, ce n'est pas ce qui s'est passé.

— Quoi?

— Mon père travaillait en tant qu'inventeur, tu te souviens? m'empressai-je de dire. Eh bien, il travaillait pour la société Bradley. En fait, quand elle a été fondée, la compagnie s'appelait Bradley, London et Maxwell. Je pense...

— Attends un instant, dit-elle en se levant rapidement. Il faut que j'aille aux toilettes, d'accord ?

Je remarquai que quelqu'un m'observait dans un coin du bar. Il me paraissait vaguement familier, mais je ne pouvais me rappeler où je l'avais rencontré. Je fis signe à Rosie, mais lentement, car ma tête commençait à être lourde. On me surveillait. J'en étais certaine. Je respirai à fond et regardai autour de moi. Est-ce que j'étais sous écoute, aussi ? Une partie de moi était contente que Rosie se soit levée d'un bond à ce moment précis. Puis, je me rappelai soudainement : c'était l'homme qui me regardait de derrière son journal, au café.

— Ça va, marmonnai-je d'un ton nonchalant et existentiel.

Je voulus me lever d'un bond et courir, mais je savais que ça ne servirait à rien. J'allais demander conseil à Rosie à son retour de la salle de bain. Je lui dirais tout ce qui se passait, et j'espérais qu'elle ne soit pas fâchée contre moi pour le lui avoir caché si longtemps.

— Surveille mon sac pour moi.

Elle me tendit son grand sac noir Balenciaga et s'éloigna rapidement. Je le posai sur mes genoux, j'ouvris rapidement la fermeture éclair, j'y insérai le sac de plastique contenant les copies des papiers de mon père, et je le refermai.

— Encore du vin, Madame ? demanda la voix devant moi.

Puis, levant les yeux, je sentis une piqûre à mon bras. Je ne voyais pas le visage de la personne, car ma vision devint pointillée. Soudain, je me sentis terriblement somnolente, comme si je voulais m'endormir. En une seconde, je fermai les yeux, puis le monde s'obscurcit.

En reprenant connaissance une première fois, je sentis quelqu'un me soulever. Je tentai d'ouvrir les yeux pour voir ce qui se passait, mais mes paupières ne voulaient pas se soulever, car elles étaient trop faibles. La deuxième fois que je me réveillai, j'entendis deux hommes murmurer frénétiquement. On aurait dit que c'était : « Le plan a changé. Le plan a changé. »

J'ouvris la bouche pour parler, mais rien n'en sortait. Je laissai le vide obscur m'aspirer de nouveau alors que mon cerveau réalisait que l'inévitable s'était produit. Je savais que je préférais être inconsciente plutôt que figée dans la peur, aveugle et muette. Pour l'instant, le vide était préférable. Le vide allait me permettre de conserver mon énergie et d'empêcher la panique de s'emparer de mon corps.

Je retournai à la dérive dans le vide, sans pouvoir penser à autre chose qu'aux paroles de David la dernière fois qu'on s'était parlé : *Tu es forte, Bianca. Tu peux affronter n'importe quoi. Je te jure que tu t'en tireras.* J'espérais seulement être aussi forte qu'il le croyait.

Chapitre 2

Quand je finis par reprendre connaissance, j'avais la tête battante. Mon corps paraissait rigide, et j'avais mal au cou. Je me raidis quand je m'aperçus que j'étais dans un espace sombre et exigu que je ne pouvais identifier. Je manquais d'air et j'avais le cerveau dans la brume.

Je captai son odeur avant de le sentir. Son odeur était grave et musquée, comme une eau de Cologne luxueuse. Je compris alors que son bras se trouvait sous mon cou. Il grogna lorsque je heurtai lentement son torse en me retournant. J'avais les membres engourdis et l'esprit embrouillé. Je sentis ses doigts me serrer le cou, et me demandai si c'était la fin. Allais-je mourir par strangulation ? Je voulus lui toucher les doigts, mais m'écartai brusquement, et nos mains se cognèrent sur quelque chose de dur au-dessus de nous.

— Attention, marmonna-t-il.

Je figeai alors que mes yeux tentaient de faire une mise au point dans l'obscurité. Il était éveillé, et il ne paraissait pas content.

— Est-ce que je vous connais ? murmurai-je en essayant de me rappeler où j'étais allée et ce que j'avais fait.

Mon cœur battait tandis que me revenaient de faibles souvenirs.

— Qui êtes-vous ?

Mon ton paraissait affligé. Que se passait-il ?

— Qui êtes-*vous* ? dit-il à voix basse en tentant de s'éloigner de moi. Et où suis-je ?

— Je ne sais pas.

Je tentai de m'asseoir, mais trouvai difficile de bouger.

Je sentis monter la panique en moi, et j'essayai de ne pas hurler. La dernière chose que je me rappelais, c'était d'avoir bu un verre de vin dans un beau petit bar de l'Upper West Side en attendant que Rosie revienne du travail. Je figeai en me rappelant les deux hommes qui marmonnaient frénétiquement. Je fermai les yeux en essayant de me concentrer sur les voix que j'avais entendues. Cet homme étendu à côté de moi était-il l'un de mes ravisseurs ? Si oui, pourquoi était-il coincé avec moi ?

— Vous ne savez pas qui vous êtes ? dit-il sur le ton amusé d'un crétin arrogant. Ou vous ne voulez pas que je le sache ?

— Non, je ne sais pas où *on* est, dis-je lentement en essayant de ne pas montrer ma peur ni mon irritation.

Je savais que pour le moment je ne pouvais lui montrer ma faiblesse ni ma colère. Je ne savais pas qui il était. S'il se rendait compte que j'avais peur, cela pourrait l'encourager à faire quelque chose de mal.

Je restai étendue là en essayant de penser à ce que j'avais appris dans mes cours d'autodéfense. *Ne panique pas, crie fort, et donne-lui un coup de genou dans les parties*, voilà tout ce que je me rappelais de ce qu'avait dit mon instructeur.

« Merde, Bianca », murmurai-je à moi-même.

Maintenant, je me rendais compte que j'aurais dû porter plus d'attention au contenu du cours au lieu de m'amuser avec Rosie.

— Qu'est-ce que vous avez dit ?

Sa voix était bourrue, et lorsqu'il bougea, je sentis ses mains me serrer à la taille.

Je restai silencieuse en attendant de voir ce qu'il allait faire ensuite. J'entendis un battement sourd, et l'odeur de carburant envahit mes narines. Je me frottai le front en souhaitant pouvoir me repérer. L'homme derrière moi bougea encore, et cette fois, je sentis ses mains remonter sur ma taille.

— Enlevez vos mains.

Je le repoussai et me heurtai la tête contre quelque chose de solide.

— Aïe !

Je criai et il grogna.

— S'il vous plaît, dites-moi que vous ne serez pas comme ça nuit et jour.

— J'espère ne pas me trouver ici avec vous nuit et jour, répliquai-je avant de soupirer. Je ne sais même pas où je suis.

— On est dans une sorte de véhicule, dit-il d'un ton détaché, et une fois de plus, cela m'irrita.

— Comment le savez-vous ?

— Sentez-vous les vibrations ? On bouge, et ce n'est pas sur une surface lisse.

— D'accord, Einstein.

Je roulai des yeux, même s'il ne me voyait pas. Je restai étendue là pendant un moment en étant attentive à tout ce qui m'entourait. Il avait raison.

— Alors, vous croyez qu'on est dans une voiture ou quelque chose comme ça ?

— Qui sait ? dit-il en soupirant. Je n'avais jamais été kidnappé auparavant.

— Kidnappé? hurlai-je, et je sentis sa main monter vers ma bouche.

— Du calme, murmura-t-il à mon oreille. Vous faites trop de bruit. Il ne faut pas qu'ils s'aperçoivent qu'on est réveillés.

— De qui vous parlez? murmurai-je, soudainement saisie par la peur.

Je ne savais pas trop ce qui se passait. Qui était-il? Et que faisions-nous ensemble dans la voiture? Quelque chose avait très mal tourné, et je ne pensais qu'à Rosie en me demandant si elle allait bien.

J'étais désorientée, fatiguée et extrêmement effrayée. Je respirai profondément à quelques reprises, puis recommençai à paniquer. Et si l'oxygène s'épuisait? Est-ce que j'étais sur le point de mourir? Qui avait bien pu me kidnapper? Je n'étais pas riche. Je n'étais pas une espionne. Personne n'avait rien à gagner à me kidnapper. Puis, je me rappelai le plan. Je savais que je devais m'attendre à l'inattendu. C'était l'inattendu. Je respirai à fond tout en essayant de me calmer les nerfs. Au moins, je n'étais pas seule. Je figeai un moment. Pourquoi est-ce que je n'étais pas seule?

— Je ne sais pas.

Il soupira.

— Je ne sais pas pourquoi quelqu'un voudrait me kidnapper.

Sa voix paraissait sincère et fatiguée, comme s'il ne savait vraiment pas ce qu'il faisait là. De plus, il ne me semblait pas familier.

Ma respiration se détendit un peu. Je ne savais pas qui il était, mais j'étais plutôt certaine qu'il n'était pas l'un des hommes que j'avais entendus plus tôt. J'essayai de me rappeler ce que mon père m'avait dit quand j'étais plus jeune et que je me sentais mal à l'aise.

Exprime tes appréhensions, Bianca. Personne ne peut te rendre mal à l'aise à moins que tu ne leur en donnes le pouvoir. Ce n'était que l'un des nombreux conseils qu'il m'avait donnés. La plupart du temps, c'était un hurluberlu obsédé par son travail, mais il avait toujours eu une bonne parole pour moi quand j'en avais besoin. Je m'ennuyais de lui tous les jours.

— Je veux vraiment crier, maintenant.

J'essayai de m'éloigner de lui, car j'étais encore mal à l'aise.

— Ne criez pas, dit-il en me plaquant de nouveau la main sur la bouche. S'ils s'aperçoivent qu'on est réveillés, ils pourraient commettre un geste radical.

Ses doigts appuyaient contre ma bouche, et mon corps s'immobilisa alors que je me demandais s'il essayait de me priver d'oxygène.

— Radical, dans quel genre? marmonnai-je contre sa paume alors qu'il la retirait.

Par accident, ma langue goûta sa peau, et je déglutis en m'apercevant de notre proximité. Sa peau était sucrée et salée, comme les arachides rôties au miel. Je voulais rire de l'absurdité de mes pensées. Je bougeai et son odeur envahit de nouveau mes sens. En attendant sa réponse, je sentis un léger frisson me parcourir la colonne vertébrale. J'avais les bras et la poitrine couverts de chair de poule, et tous les instincts de mon corps étaient éveillés.

— Qu'est-ce que vous croyez?

Il paraissait agacé, et j'eus envie de le gifler.

— Appuyez-vous sur moi, murmura-t-il à mon oreille.

— Quoi?

À ses mots, mes yeux s'écarquillèrent. Mon corps se recula lorsque la bouffée d'air remplit mon tympan. Tendue et infiniment consciente de la présence de son corps à côté du mien, je sentis des picotements sur ma peau à son contact. J'étais furieuse d'être étrangement séduite par cette situation absurde. Je ne savais même pas qui était cet homme ni ce qu'il allait me faire.

— Appuyez-vous contre moi. Mon corps vous fournira de la chaleur et vous aidera à vous calmer, répéta-t-il lentement, comme s'il parlait à une écolière. Sinon, vous allez paniquer.

— Vous ne me connaissez pas.

Je lui lançai un regard furieux. Mes yeux étaient légèrement adaptés à l'obscurité, et je décelais les contours de son visage. Je ne me souvenais carrément pas de l'avoir rencontré auparavant.

— Écoutez, mademoiselle, j'essaie de vous aider, pour que votre corps ne soit pas en état de choc.

— Qui êtes-vous ? Un médecin ?

— Taisez-vous seulement, un moment.

Il m'attira vers lui et appuya mon visage contre son épaule.

Au début, je paniquai et tentai de m'écarter, puis je m'aperçus qu'il avait raison. Il était étrangement réconfortant d'être dans ses bras. Son corps était chaud et ferme, et je me sentais protégée. Je fermai les yeux en me blottissant à son côté, en essayant de me faire croire qu'il était un de mes proches. Quelqu'un que je connaissais vraiment. Pendant un moment, il était vraiment quelqu'un près de qui je voulais me blottir.

Cela faisait tellement longtemps que je ne m'étais pas vraiment trouvée dans l'intimité de quelqu'un. Dernièrement, tous les types à qui j'avais parlé avaient semblé odieux et agaçants, à part David, avec qui je n'avais pas eu envie de rester longtemps. Même si, bien sûr, il ne le savait pas au début. On avait rompu parce qu'il n'aimait pas beaucoup que je le fasse languir au lieu de faire l'amour. Par conséquent, il ne m'avait pas beaucoup aimée. On se disputait tellement, vers la fin de notre relation de six mois, que je l'avais largué. J'avais été heureuse de ne plus devoir faire semblant, mais j'avais eu peur de lui confier une partie de la vérité. Parfois, je me demandais si cela n'avait pas été une erreur. Peut-être qu'il n'avait pas été sage de lui dire une partie de la vérité, puis de lui demander son aide pour enquêter sur la mort de ma mère. J'avais procédé instinctivement, mais je m'étais souvent demandé si je pouvais lui faire confiance. Surtout à des moments comme celui-ci, où j'avais peur et je me sentais seule à l'arrière d'un camion. Le fait d'être kidnappée avec un inconnu me faisait douter d'avoir pris la bonne décision.

— Je ne vais pas vous faire de mal, murmura-t-il avec douceur. Nous sommes dans la même situation. Nous avons besoin de nous soutenir mutuellement.

Son ton avait changé, et je sentis mon corps se détendre légèrement. Son ton était apaisant, plutôt que sinistre. Je n'avais pas l'impression que cet homme allait me faire du mal. Du moins, pas maintenant.

— Comment vous appelez-vous ? murmurai-je contre l'épaule de l'homme. Je crois qu'on devrait au moins savoir nos noms, maintenant qu'on est intimes.

C'était une tentative de blague, et je gémis intérieurement en m'entendant dire des bêtises.

— Intimes?

Il parut étonné.

— Intimes ne veut pas dire sexuellement, vous savez.

J'étais de nouveau irritée.

— On est entassés dans un petit espace. Je suis dans vos bras. Mon corps est serré contre le vôtre. On est intimes.

Après avoir parlé, je mordis ma lèvre inférieure. *La ferme, Bianca.*

— Faites-moi confiance. Je sais.

Il grogna et bougea, et je sentis quelque chose de dur contre mon ventre. *Ouf!*

Je figeai en réalisant ce que c'était. Je déglutis aussitôt, et mon corps réagit rapidement : ma peau se réchauffa et mon estomac se mit à tourner. Une part de moi était ravie qu'il soit excité par moi. Mon autre part était dégoûtée et voulait nous gifler, lui et moi. Rationnellement, je savais que son membre réagissait à cette proximité de la seule façon qui lui était familière.

— Jakob, dit-il d'un ton bourru.

Je tournai mon visage vers le sien.

— Quoi? murmurai-je avant de me reculer rapidement lorsque mes lèvres effleurèrent les siennes. Je ne m'étais pas aperçu qu'on était aussi proches.

Mon cœur battait la chamade, et ma langue pointa et lécha doucement mes lèvres.

— Je m'appelle Jakob, murmura-t-il de nouveau, avec un soupçon d'humour.

— Et moi, Bianca.

— Ravi de vous rencontrer, Bianca. Dommage que ce soit dans de telles circonstances.

Il essaya de bouger et ce faisant, son bras laissa tomber ma tête, qui se cogna au plancher.

— Aïe! criai-je, instinctivement.

— Chut!

Sa main fondit sur ma bouche, mais c'était trop tard. Le véhicule s'arrêta brusquement, et j'entendis claquer des portes. Il garda ses doigts collés contre mes lèvres, et sa peau paraissait légèrement rugueuse. Mon corps s'immobilisa et je résistai au besoin pressant d'avancer la tête pour lui mordre les doigts.

L'attente était difficile. On aurait dit que les heures s'écoulaient alors que nous étions étendus là en silence, et seuls les bruits de notre souffle nous indiquaient que nous étions encore vivants. Puis, j'entendis des bruits de pas et voulus me retrouver de nouveau dans ce vide inconnu. Mon corps se tendit, puis se mit à trembler de peur.

— Ça va, Bianca. Ça va.

La voix de Jakob paraissait inquiète, et à ce moment, je décidai de lui donner le bénéfice du doute. J'eus envie de lui faire confiance, même si mon cerveau me hurlait de ne faire confiance à personne.

On frappa de grands coups au-dessus de nous, et je regardai vers le haut, espérant voir ce qui allait se passer ensuite, même si ça voulait dire affronter la mort. Avec peine, je déglutis de peur, tout en gardant les yeux rivés vers le haut.

— Alors, vous êtes réveillés? hurla une voix grave et menaçante lorsque le coffre s'ouvrit.

Un homme trapu se tenait debout là, et de ses yeux d'un bleu sombre regardait directement les miens. Il portait un masque de ski, et tout ce qui me venait à l'esprit, c'était que ses lèvres paraissaient bizarres.

J'avais toujours trouvé que les lèvres étaient la partie la plus sensuelle et la plus sexy du visage, mais maintenant, je m'apercevais qu'elles n'étaient sexy que lorsqu'elles étaient vues avec d'autres parties. Les lèvres en soi n'étaient pas du tout sexy. Je fus prise d'un ricanement hystérique en regardant sa bouche.

— Qu'est-ce qui se passe, bordel ? me dit l'homme en me fixant comme si j'étais folle. Vous trouvez ça drôle ?

— Non...

Je déglutis à nouveau, et voulus vomir. Tandis que la peur s'emparait de moi, je portai ma main à mon visage pour étouffer mon rire. C'est alors que je sentis bouger Jakob derrière moi.

— Laissez-nous sortir, dit-il d'une voix exigeante, tout en tentant de sortir du coffre.

— Ne bougez pas.

L'homme repoussa Jakob dans le coffre avec une telle force que je l'entendis heurter fortement l'arrière du coffre. Lorsqu'il retomba, sa main atterrit sur ma hanche et je sursautai légèrement.

— Désolé, dit-il en reculant.

Je hochai la tête pour signifier que je comprenais. J'avais trop peur pour parler ou même pour me retourner pour voir s'il allait bien.

— Laissez-nous sortir, exigea de nouveau Jakob, cette fois avec moins de force.

— On va sûrement le faire, dit l'homme en grimaçant. Eh, Billy. Dépêche-toi.

— J'arrive! lui cria une autre voix. Je suis en train de préparer les injections.

— Quelles injections? hurlai-je en tentant d'allonger les jambes.

— Ne bougez pas, Madame.

L'homme sortit un revolver et le pointa vers moi.

— Un geste de plus, et vous êtes morte.

Jakob dit d'un ton plus fort :

— Est-ce vraiment nécessaire?

— «Est-ce nécessaire?» répéta l'homme d'un ton moqueur, avant de pousser un rire malveillant. Qu'en pensez-vous?

— Je crois que vous exagérez, poursuivit Jakob d'une voix criarde. Ayez un peu de bienveillance. Vous avez une femme effrayée devant vous.

— Tranquille.

Pendant un moment, l'homme continua de nous dévisager avant de continuer.

— Quand mon patron m'a donné ce travail, j'étais ravi. Je ne m'amuse pas assez dans la vie.

— Vous êtes malade, dit Jakob en me serrant à la taille pour me calmer. Vous êtes très malade.

— Je suis les ordres de mon patron. Si quelqu'un est malade, c'est lui, dit l'homme en haussant les épaules.

Je fixai ses doigts sur le revolver. Ils étaient courts et sales, et ses ongles étaient bordés de graisse noire. Je me demandai si je devais tenter de faire tomber le revolver, mais je savais que j'avais peu de chances de réussir.

— D'accord, où sont-ils?

L'autre homme s'approcha. Il paraissait jeune — plus jeune que je ne l'avais imaginé. Et il ne portait pas de masque.

J'essayai de fixer dans mon esprit son visage jeune et joli. Il avait les cheveux brun pâle et les yeux bruns. Il était bien habillé d'un pantalon kaki et d'une chemise blanche. Il était l'antithèse parfaite de l'homme débraillé qui se tenait devant nous.

— Billy, va mettre ton masque! s'écria le premier type.

— Ah, ouais.

L'autre me regarda une seconde, et je lus de la peur et de l'inquiétude dans ses yeux. J'avais l'impression qu'il savait maintenant que je pourrais l'identifier si j'en avais la chance.

— Quel con, murmura Jakob à mon oreille, et je hochai la tête. Est-ce qu'on devrait essayer de s'enfuir?

Ses doigts me serrèrent fortement la taille.

Son corps se tendit derrière le mien, et je savais qu'il était aussi anxieux que moi. Pour une raison quelconque, je me sentis plus proche de lui. Il n'était plus seulement l'inconnu avec lequel j'avais partagé l'arrière d'un coffre de véhicule. Il n'était plus impliqué dans le kidnapping, comme je le croyais. Je sentais, à la peur dans sa voix et au léger tremblement de son corps musclé, que cet homme, ce Jakob, était comme moi une victime des ravisseurs. Il était quelqu'un comme moi, inquiet pour sa vie. Je l'entendais dans sa voix. Il était anxieux, mais aussi en colère.

Je secouai légèrement la tête, encore incapable de le regarder. Mon visage ne pouvait tout simplement pas se retourner, même si j'avais vraiment hâte de voir de quoi il avait l'air.

— Il ne faut pas prendre de risque, marmonnai-je à voix basse.

J'étais presque certaine qu'il ne pouvait pas m'entendre, mais je m'adressais à moi autant qu'à lui.

— Qu'est-ce que vous avez dit ?

Le type devant moi fit un pas dans ma direction, et abaissa le revolver plus près de mon visage. Le cœur me manqua. C'était fini, alors. J'allais mourir.

Je secouai la tête rapidement et furieusement.

— Rien, glapis-je. Je n'ai rien dit.

— C'est bien ce que je pensais, grogna-t-il en se penchant et en prenant mon bras. Sortez.

Il me tira hors de la voiture, et je descendis en trébuchant, désorientée.

Je songeai à m'enfuir, puis je me rappelai Jakob. Je ne voulais pas le laisser seul. Je devais m'assurer qu'il allait bien, lui aussi. Je restai là et regardai dans le coffre. Mon souffle s'arrêta quand je finis par apercevoir Jakob dans le bon éclairage. Je déglutis avec peine en essayant de ne pas le fixer.

— Vous, soufflai-je en le fixant.

C'était l'homme qui s'était assis à ma table au café.

Il était incroyablement beau. Il avait les cheveux coupés ras, brun foncé, de grands yeux bleus et profonds, et une ombre de barbe de quelques jours, fort sexy, au menton et sur les joues. Il me regarda, et ses yeux se plissèrent alors qu'il détaillait mon apparence. Je voulus lisser mes cheveux et effacer la saleté de mes joues. J'aurais voulu avoir du rouge à lèvres. Je m'en voulais de me soucier de mon apparence alors que ma situation était aussi précaire. De nouveau, un petit rire hystérique faillit s'échapper de moi, mais cette fois, je le maîtrisai. Je voulus lui demander s'il me reconnaissait, mais je savais que ce n'était pas le bon moment.

— Sortez, dit l'homme en saisissant Jakob et en le tirant hors du coffre. Et n'essayez pas de faire le malin, sinon je vous tire dessus.

Il poussa Jakob à côté de moi et pointa l'arme vers nous deux.

— Dépêche-toi, Billy! cria-t-il à son complice, l'air tendu.

Je regardai autour de moi. Je ne savais pas du tout où on était, mais on n'était plus à New York. Du moins, pas dans la ville. Ça ressemblait à un quelconque vieil entrepôt vide.

Je regardai à ma droite en tentant de ne pas fixer Jakob. Il était plus grand qu'il ne l'avait semblé dans la voiture. Et plus musclé. Son corps paraissait très en forme et très fort. Une partie de moi le croyait capable d'écarter facilement le gars qui nous faisait face, puis je me rappelai le revolver. Cette arme changeait toute la donne.

— Que cherchez-vous, Madame? cracha l'homme.

— Rien, murmurai-je en regardant ses yeux menaçants.

— Bien.

Il parut soupirer de soulagement quand Billy revint vers nous avec son masque. Il tenait une corde… et deux seringues. Alors qu'ils s'approchaient, je saisis le bras de Jakob. Je commençais à me sentir étourdie.

— Qu'est-ce que vous voulez? dit Jakob d'une voix autoritaire, me regardant brièvement alors que je m'accrochais à lui. Si c'est de l'argent que vous cherchez, je peux…

— La ferme.

L'homme pointa le revolver dans sa direction et je hurlai.

L'homme figea un moment, puis me regarda de nouveau.

— Restez tranquille.

— Désolée, murmurai-je.

— Billy, ligote-les.

Billy s'arrêta un moment, et l'autre homme le poussa vers nous.

— Attache-les.

— Comment ? demanda Billy.

Je me demandai si cette activité de l'enlèvement n'était pas quelque chose de nouveau pour lui.

— Avec la corde.

L'autre gars parut vraiment agacé.

— Mais face à face, ou dos à dos ? marmonna Billy.

— Je ne sais pas, je m'en fiche.

— Imbéciles, murmura Jakob.

Je levai les yeux vers lui et vis de la colère dans son regard.

— Ne vous enfuyez pas, murmurai-je. Je ne veux pas qu'il vous tue.

Il me regarda d'un air étonné.

— Es-tu encore en train de parler, connasse ?

Le gars pointa l'arme dans ma direction, et je tressaillis.

— Eh, attention à tes paroles ! s'écria Jakob.

Et je vis broncher l'homme.

— S'il vous plaît, ne lui tirez pas dessus, suppliai-je. Je vais me taire.

— Mettez-vous dos à dos, ordonna le gars avant de faire un signe de tête à Billy. Attache-les comme ça. Au ventre, puis aux poignets.

— Je ne vais pas m'enfuir, lui dis-je en le regardant. Vous n'avez pas à faire ça.

— La ferme ! cria-t-il. Donne-leur des injections, Billy.

— Des injections de quoi ?

Mes yeux s'écarquillèrent, et je sentis aussitôt une aiguille dans mon bras. Mes yeux eurent immédiatement envie de dormir, et je me sentis tomber dans le vide. Alors que tout tournait au noir, j'entendis Jakob leur crier, mais je m'évanouis avant de pouvoir comprendre ce qu'il disait.

Chapitre 3

— Réveille-toi.

Dans mon rêve, une voix devenait de plus en plus forte. Je grognai en essayant de l'écarter. J'avais mal à la tête et je ne voulais pas ouvrir les yeux. Tout mon corps me paraissait rigide, et tout ce que je voulais faire, c'était dormir pour ne plus sentir toutes les douleurs de mon corps.

— Réveille-toi, Bianca.

Cette fois, la voix était plus insistante, et je figeai en m'apercevant que je ne rêvais pas.

Mes yeux s'ouvrirent tout grands, et mon corps s'immobilisa alors que je fixais une grande étendue d'eau turquoise devant moi. Puis, je me rappelai ce qui était arrivé avant que je m'évanouisse.

— Jakob? murmurai-je immédiatement, en panique.

— C'est moi, répondit-il aussitôt d'un ton légèrement narquois qui me fit grimacer face à la mer.

Je cessai de m'en faire pour lui.

— Qu'est-ce qui ne va pas? demandai-je d'un ton doux, car je me sentais étourdie et en sueur.

— Excepté d'avoir été kidnappé et ligoté? répliqua-t-il d'un ton sarcastique.

Je me demandai alors ce qui était arrivé à l'homme bienveillant dont j'avais été proche à l'arrière de la voiture.

— Eh, ne me le reproche pas. Ce n'est pas moi qui t'ai kidnappé.

Je savais qu'il saisissait la perplexité dans mon ton de voix.

— Je sais. Désolé, je suis irritable, c'est tout.

Sa voix était moins stressée.

— Je comprends, dis-je avec un léger hochement de tête.

Et je comprenais vraiment. Cette situation exaspérerait n'importe qui.

— Il fait tellement chaud, marmonnai-je alors que je sentais le soleil brûlant s'écraser sur moi.

La sueur qui coulait sur mon visage me mettait encore plus mal à l'aise.

— Ça ne te soulage sûrement pas beaucoup.

— On n'est plus à New York.

— Sans blague.

Je bougeai et m'adossai légèrement contre lui. Les cordes m'écorchaient les poignets, et je commençais à me sentir claustrophobe, attachée à lui. Je clignai des yeux à quelques reprises en essayant d'ajuster ma vue à la lumière vive du soleil et d'oublier qu'on était ligotés et si près l'un de l'autre.

— D'après toi, on est où ?

— Aucune idée.

— Tu te souviens de moi ? demandai-je avec curiosité.

— Si je me souviens ?

Il paraissait troublé.

— On s'est rencontrés au café ? continuai-je. On était assis à la même table et j'ai laissé tomber mon sac.

Je voulus lui dire que si j'avais été mufle, c'était uniquement parce que c'était l'heure de tombée, mais je ne dis rien.

— Ah, ouais. C'est toi, la fille qui pensait que quelqu'un te surveillait, dit-il lentement. Tu avais raison, j'imagine.

— J'imagine, dis-je en soupirant. Mais ça n'explique pas pourquoi tu es là aussi.

— Un homme est venu me voir quand tu as quitté le café, dit-il d'un ton raide. Il m'a demandé de quoi on avait parlé et de quelle façon je t'avais connue.

— Vraiment?

Je haletai.

— Je lui ai dit de se mêler de ses affaires, dit-il d'un ton irrité. Ce n'était peut-être pas la meilleure chose à faire. J'aurais dû lui dire que je ne savais pas du tout qui tu étais. Je serais peut-être au travail, à l'heure actuelle, au lieu d'être ligoté avec toi.

— J'aimerais beaucoup mieux être dans mon petit appartement avec le ventilateur à la fenêtre qui fonctionne à peine, plutôt que d'être ligoté ici avec toi, répliquai-je, blessée sans véritable raison par ses paroles.

— Tu es facile à vivre, non?

Le ton de Jakob était doux, et j'étais irritée de l'avoir déjà laissé me faire perdre mon sang-froid.

— Je dis comment je me sens, c'est tout, répliquai-je de nouveau.

Nous sommes restés tous les deux silencieux. Je ne savais pas trop ce qu'il avait, mais il me déconcertait. Surtout maintenant que je l'avais vu suffisamment. Je déglutis avec effort en pensant au goût salé de sa peau. C'était bon, mais son allure était encore plus délectable. Ses yeux étaient d'un bleu si vif et si pénétrant. On ne s'était regardés dans les yeux que quelques secondes, mais j'avais senti qu'il scrutait mon âme. Quelque chose en lui me désarçonnait. Je savais que c'était parce que j'étais attirée par lui, mais je voulais ignorer le fait que mon corps avait déjà des intentions à son égard.

— Je sais.

Son dos se raidit contre le mien.

— On ne doit pas se détester mutuellement. Il va falloir collaborer pour se sortir de ce pétrin.

— D'après toi, depuis combien de temps sommes-nous ici?

Je sentis une goutte de sueur couler sur mon visage, me chatouiller la joue, et je tentai de l'ignorer.

— Je ne sais pas trop, dit-il en soupirant. Je viens de me réveiller, moi aussi. Ça fait quelques minutes.

— Je ne peux pas croire qu'ils nous ont fait des injections, dis-je d'une voix paniquée. Je ne m'attendais pas à ça.

Je regardai autour de moi la plage déserte et je tressaillis. Tout ça était tellement inattendu.

— Je n'avais pas d'attentes quand je me suis aperçu que j'avais été kidnappé, dit-il d'une voix sèche.

— D'après toi, qu'est-ce qu'ils vont nous faire? murmurai-je. Crois-tu que ces deux hommes sont encore ici?

— Je ne sais pas, dit-il en soupirant à nouveau. Je ne me souviens pas beaucoup de ce qui s'est passé après les injections.

— Qu'est-ce qu'on va faire? dis-je en m'efforçant de garder un ton calme. Et d'après toi, où est-ce qu'on est?

— Je n'en ai aucune idée, répliqua-t-il. Mais je sens l'odeur de l'océan. Nous sommes sur le sable et j'entends le bruit du vent dans les arbres.

— Ouais, je vois l'océan.

Je secouai la tête afin d'écarter les gouttes de mon visage.

— Mais je ne sais pas lequel.

Je soupirai en fixant la grande étendue d'eau devant moi.

— Ni quelle plage. Pour une raison quelconque, je ne crois pas qu'on soit à South Beach.

Ma tentative de blague fit ricaner Jakob.

— J'imagine que tous les étudiants en congé de printemps sont partis en nous voyant, répondit-il.

Et je souris. Au moins, il avait le sens de l'humour. C'était quelque chose. Je bougeai sur le sol en essayant de m'avancer, mais je n'allai pas loin. J'avais presque oublié qu'on était encore ligotés ensemble.

— Le sable paraît plus dur que la dernière fois où je suis allée prendre un bain de soleil, dis-je de nouveau en me tortillant le derrière pour arriver à être plus à l'aise.

— Ouais, ce n'est pas la position la plus confortable au monde, dit-il en soupirant. Peut-être qu'on devrait essayer de se redresser et trouver un moyen de nous libérer de ces cordes.

— Bonne idée, dis-je avant de figer. Un instant !

Je haletai en voyant une tache blanche du coin de l'œil.

— Je crois que quelqu'un nous a laissé une note.

Je bougeai la tête aussi loin que je pus, mais je ne pouvais toujours pas la lire. Un petit coquillage blanc retenait le bout de papier et m'empêchait de lire les mots.

— Qu'est-ce qu'elle dit ?

— Il faudrait qu'on se déplace un peu pour que je puisse la lire.

Je tentai de me traîner dans le sable, mais nos deux corps étaient trop lourds.

— S'il te plaît, essaie de te déplacer avec moi.

— D'accord.

— D'accord. Un, deux, trois… à droite! criai-je, et nous nous déplaçâmes de quelques centimètres vers la droite, en nous cognant l'un contre l'autre. Même en tournant la tête le plus loin possible, je n'arrivais pas à la lire.

— Une autre fois! criai-je à nouveau, et nous bougeâmes en même temps.

— Il faut que j'essaie d'effleurer le coquillage pour le sortir de la feuille de papier, dis-je d'un ton déterminé. Essaie de détendre ton corps alors que je tente d'avancer et de le bouger, d'accord?

— D'accord, répondit-il rapidement.

Je me penchai en avant en bougeant les bras vers la droite et en tentant de déplacer le coquillage.

D'une part, j'étais contente du fait qu'on semblait si bien collaborer. Je faillis hurler de joie en voyant le coquillage glisser de la feuille de papier; puis, je lus la note, d'abord en silence, puis à haute voix, en écoutant bien pour savoir comment il réagissait.

— «Sans la vérité, pas de réponse», dis-je doucement.

— C'est tout?

Il paraissait aussi perplexe que moi.

— Non, dis-je à voix basse. Il y a une autre ligne.

— Qu'est-ce qu'elle dit?

— «Dans la douleur, il y a de l'obscurité. Dans la lumière, il n'y a rien.»

Les mots semblaient porter dans le vent, et nous restâmes assis là en silence. Je regardai le vent emporter le bout de papier et le faire glisser sur la rive. Je fermai les yeux en pensant à ce que disait la troisième ligne : celle que j'avais craint de lire tout haut. Le corps tendu, je ne faisais plus confiance à Jakob autant qu'avant. En un éclair, la ligne me revint à l'esprit : *Vos corps ne font plus qu'un, mais ne sont pas aussi unis que lorsque j'aurai terminé.*

— Je ne sais vraiment pas ce que ça veut dire. Qu'est-ce que tu en penses ?

— Je ne sais pas, dis-je en me mordant la lèvre inférieure. Je n'arrive pas à comprendre. De toute évidence, il y a une espèce d'indice, mais je ne sais pas du tout ce qu'il veut dire. Peut-être que quelque chose arrivera dans l'obscurité ?

Peut-être Jakob allait-il essayer de me faire quelque chose ? Je tentai de ne pas paniquer.

— J'imagine, même si ça n'a aucun sens. *Dans la douleur, il y a de l'obscurité*, ce n'est pas comme si la note disait *Dans l'obscurité, il y a de la douleur.*

Son ton de voix était étrange.

— Mais la journée est encore jeune.

— Qu'est-ce que tu veux dire ? demandai-je calmement, sans obtenir de réponse.

— Il va falloir coopérer pour nous détacher, dit-il soudainement.

Puis, il fit une pause. Lorsqu'il se remit à parler, sa voix était plus grave, presque séductrice :

— À moins que tu ne veuilles qu'on reste attachés ensemble, bien sûr.

— Pourquoi est-ce que je voudrais être attachée de dos à un homme ? répondis-je en frissonnant de suspicion.

— Je suis d'accord. Tant qu'à être attaché à quelqu'un, je veux que ce soit face à face, ou de préférence, par-dessus elle.

Il ricana légèrement et je haletai, contente qu'il ne me voie pas rougir.

— Allons, Bianca. Regarde autour de nous pour voir si tu trouves un objet tranchant.

— Tranchant ?

— Comme des ciseaux ?

— Oh, tu crois que ces deux cons-là nous ont largués ici en nous laissant des ciseaux ? répliquai-je avant de regarder autour de moi en souhaitant soudainement être venue seule, après tout.

— Cherche quelque chose de coupant, comme une pierre ou une souche, tout ce qui peut nous aider à scier la corde.

— Tout ce que je vois, c'est l'océan.

Je marquai un temps d'arrêt.

— Ou la mer. En tout cas, l'étendue d'eau qui se trouve devant nous, bafouillai-je tout en entendant le ton strident et horrifié de ma voix.

— Du calme, Bianca.

— Comment puis-je rester calme ? criai-je en tentant de bouger.

Mon corps se mit à trembler. Je voulus m'éloigner de lui. Son corps appuyé contre le mien n'était plus réconfortant. Il était sinistre et de mauvais présage, et j'avais besoin de mon espace.

— Arrête, dit-il d'une voix forte. Tu dois chercher quelque chose de tranchant.

— Pourquoi ne cherches-tu pas ?

— Je ne peux rien voir maintenant.

— Quoi ? dis-je en figeant. Qu'est-ce que tu veux dire ?

— Ce que je veux dire, c'est que je ne vois rien.

— Oh, mon Dieu, est-ce qu'ils t'ont fait quelque chose aux yeux ? Es-tu aveugle ?

Mon cœur se mit à battre la chamade lorsque je m'aperçus que les choses allaient être beaucoup plus difficiles si Jakob était malvoyant. Je me sentais coupable de me sentir légèrement soulagée. S'il ne voyait pas, il lui serait beaucoup plus difficile de me faire quelque chose.

— Ils m'ont bandé les yeux, dit-il patiemment.

Je me sentis un peu ridicule d'avoir sauté aux conclusions.

— Oh, d'accord.

Je tournai la tête autant que possible.

— Il va falloir qu'on essaie de se redresser.

— Il va falloir qu'on s'appuie l'un sur l'autre pour se soutenir mutuellement, dit-il en appuyant le dos contre le mien.

Il était chaud contre moi, et je criai en sentant un léger choc devant la pression accrue de son corps contre le mien.

— Vas-tu agir ainsi toute la journée ?

— Vas-tu m'agacer toute la journée ?

— Bianca, que veux-tu que je fasse ?

— As-tu essayé de te remuer le nez et le front ? demandai-je doucement, un peu gênée de mon conseil.

— Pardon, quoi ?

— Remue le nez. Ça peut t'aider à déplacer le bandeau sur ton visage.

— Comment le sais-tu ?

— Fais-le, c'est tout !

— Je savais que tu étais une déjantée inavouée.

Il rit, et son corps bougea de haut en bas contre le mien.

— Qu'est-ce que tu fais là? dis-je brusquement, bien trop consciente de notre proximité.

Mon esprit revint en vitesse à la troisième ligne de la note. Qu'entendait l'auteur en disant que nos corps ne faisaient maintenant plus qu'un? Savait-il à quel point ce serait agaçant et euphorisant d'être attachée à quelqu'un? Ou bien essayait-il de me mettre en garde contre Jakob? Mes pensées couraient dans mon esprit à la vitesse de l'éclair, et je savais que la note laissée sur la place était reliée à la lettre que j'avais reçue. Elles étaient toutes deux trop énigmatiques pour ne pas avoir été reliées. Mon esprit revint à la note que j'avais reçue à mon appartement et à l'homme qui avait fouillé la boîte de mon père. Pendant une brève seconde, je me demandai si Jakob avait été cet homme, puis je me rappelai qu'ils ne se ressemblaient aucunement.

— Jakob, qu'est-ce qui se passe?

Mon ton était léger, et j'essayai d'ignorer mes pensées alors qu'il faisait des bonds derrière moi.

— Je remue le nez, comme tu me l'as conseillé.

— Et pour ça, il faut que tu bouges tout le corps? dis-je d'un ton brusque, incapable de cacher davantage ma tension.

— Mon Dieu, tu es vraiment une chipie, non?

— Tu n'es pas vraiment le prince charmant.

— Il me semble que tu serais plus heureuse avec le Marquis de Sade, rétorqua-t-il avant de rire d'une façon qui me rendit perplexe.

— Qu'est-ce qu'il y a de drôle?

— Je riais tout simplement parce que je devrais me sentir flatté.

— Flatté de quoi? D'avoir été kidnappé?

Mon ton montait, et j'étais incrédule à propos de ses paroles. Était-il psychopathe? Plus tôt, j'avais écarté cette pensée, mais maintenant, je n'étais plus tellement certaine. Ça faisait peut-être partie du plan. J'avais peut-être fait confiance à la mauvaise personne.

— Non, espèce d'idiote. Je suis flatté parce que je t'excite.

— Pardon?

Je poussai un petit cri aigu alors qu'il continuait de se tortiller contre moi.

— D'après moi, c'est la seule raison pour laquelle tu sembles si tendue et irritable.

— Vraiment? C'est la seule raison qui te vienne à l'esprit?

Je frappai un grand coup à reculons, dans l'espoir de l'essouffler, mais en réalité, je me faisais mal. Je sentis monter la colère dans mon ventre, en même temps qu'une irrépressible excitation, certaine et soudaine.

— Contente-toi de remuer le nez, les sourcils et les joues, et essaie d'enlever ce truc.

Je poussai un soupir d'exaspération. Mon corps était en alerte, et mon esprit travaillait déjà en heures supplémentaires.

Il devait y avoir une raison pour laquelle on était là ensemble. Nous n'avons pu avoir été kidnappés par hasard. Peut-être que l'homme qui m'avait suivie croyait que Jakob était un type faisant partie de mes connaissances. Peut-être mes ravisseurs croyaient-ils qu'il était au courant de mes enquêtes. Ou peut-être pas. Peut-être avait-il sa propre histoire. Si je pouvais me faire une idée de son histoire et de son passé, peut-être pourrais-je comprendre ce qu'on faisait là tous les deux. Bien sûr, il était possible qu'il ait eu d'autres aspirations sinistres, mais je ne pouvais laisser mon esprit vagabonder vers cette avenue.

— Oui, Madame, répondit-il en continuant pendant quelques minutes à se livrer contre moi à ses mouvements corporels irréguliers.

— Alors, est-ce que je peux te poser quelques questions? dis-je, avant de respirer à fond et d'attendre sa réponse.

— Oui, je m'appelle Jakob; oui, je suis célibataire; oui, j'aime le sexe; non, je ne suis pas un monstre; et non, je ne prends pas de drogues; et j'aime bien prendre un verre de temps à autre.

Il parlait d'un ton désinvolte, et je ris.

— Eh bien, je suis contente qu'on ait réglé ces questions, dis-je avant de sourire intérieurement de sa loufoquerie. Mais ce ne sont pas les réponses aux questions que j'allais te poser.

— Bon, d'accord, j'avoue. J'ai déjà fumé de l'herbe. Une fois, ou peut-être vingt, ajouta-t-il.

Je hochai la tête.

— J'imagine que tu en as fait l'expérience au cours de tes études, hein?

J'entrai facilement dans son badinage, puis je m'en voulus de m'être laissé distraire.

— Mais ce n'est pas non plus ma question. J'essaie de comprendre ce qu'on fait ici. On doit avoir quelque chose en commun. Je ne peux pas croire qu'on ait été kidnappés ensemble par hasard.

— À part le fait que l'homme qui t'a suivie est venu me voir en me demandant de quoi on avait parlé ? À part le fait que je lui ai dit de se mêler de ses affaires, et qu'il m'a répondu de prendre garde de ce que je disais et à qui je m'adressais ? Je croyais m'être fait avoir au café. Maintenant, je me dis que non. Mais bon, voyons si on a autre chose en commun. Tu peux me poser toutes les questions que tu veux.

— D'accord, je réfléchis.

Je fixai l'océan en espérant qu'il me fournisse des questions profondes à poser, mais tout ce à quoi je pouvais penser, c'était le fait qu'il était célibataire.

Nous restâmes assis là en silence alors qu'il tentait d'enlever le bandeau et que je réfléchissais à des questions à lui poser sans trop révéler ma propre histoire. J'essayai de contempler davantage mon paysage pour pouvoir l'ignorer autant que possible. Nous étions sur une plage, j'en étais certaine. Le sable était d'un blanc jaune pâle, avec quelques coquillages. C'était le genre d'endroit où j'aurais aimé prendre des vacances, si j'en avais eu l'occasion. L'eau était d'un magnifique bleu translucide, et les vagues étaient calmes. Le ciel était d'un bleu pâle et doux, avec des nuages somptueux et floconneux, et je voyais le soleil se moquer de moi à l'horizon.

Même si notre section de la plage était partiellement ombragée, il faisait tout de même une chaleur effrayante. Tout mon corps se sentait en feu, et j'avais soif. Je fermai les yeux pendant quelques secondes et respirai à fond à quelques reprises.

Je lui posai la première question qui me vint à l'esprit :

— Où étais-tu quand on t'a kidnappé ?

— Je quittais le travail, je marchais jusqu'à mon auto quand deux hommes se sont approchés de moi.

Sa réponse paraissait logique.

— Ils m'ont demandé leur chemin, je leur ai répondu, puis j'ai senti une piqûre à mon bras. Par la suite, je me suis réveillé dans le coffre arrière d'une auto.

— Avec moi ?

— Non.

Son ton changea.

— Quand ils t'ont cueillie, j'étais déjà dans l'auto.

— Alors, ça veut dire qu'il y avait d'autres gens dans le coup.

Je mordis ma lèvre inférieure tout en réfléchissant.

— Je pense que ce type du café me surveillait, ce soir-là. Je pense qu'il a dû être complice avec Billy et l'autre type.

— Je pense que cela a du sens. Je doute que ces deux imbéciles aient pu élaborer tout ça eux-mêmes. Ils ne semblaient pas très brillants.

— Je suis d'accord.

Il me vint une autre idée, et je criai en haletant :

— Je me demande pourquoi notre ravisseur les a choisis pour se charger de la tâche : on dirait presque que ça n'a pas été très bien planifié.

— Ils se sont peut-être dit que le revolver était suffisant ?

— Ouais, c'est vrai.

Je frissonnai en me rappelant le revolver. J'allais recommencer à paniquer et mon cerveau gambadait loin devant mon corps. Ma seule consolation : si nos ravisseurs avaient voulu nous tuer, ils auraient tout simplement pu nous tirer dessus. À moins qu'ils aient trouvé cela trop facile. Ils nous mettaient peut-être à l'épreuve pour voir à quel point on était désespérés. C'était peut-être un test pour voir à quel point des humains pouvaient devenir déplacés. *Réfléchis, Bianca.* Je savais que ce n'était pas le moment pour mon imagination hyperactive de passer en cinquième vitesse.

Soudain, mon estomac se mit à gargouiller, et je sentis la morsure de la faim. Je tentai d'ignorer les tiraillements et les envies qui montaient soudain en moi. Comment allions-nous manger et boire ? Je repensais à un film que j'avais regardé dans mon adolescence, intitulé *Les survivants*. Un avion s'était écrasé dans les Andes, et pour survivre, l'un des hommes avait mangé la chair de son ami mort. Le film était inspiré d'une histoire vraie, et je me rappelais encore avoir vu, dans un documentaire, une entrevue avec l'homme qui avait mangé la chair de son ami. Il avait le regard hagard en parlant de son geste, mais il l'avait posé pour survivre. Mes yeux étaient grands ouverts, et je frissonnai en pensant à ce qui pouvait arriver. Qu'allions faire pour survivre ?

— Du calme, Bianca, me dis-je tout bas alors que mon cerveau se livrait aux scénarios les plus fous.

— Pardon, qu'est-ce que tu disais ? demanda Jakob tout en continuant à bouger.

— Rien, murmurai-je, les larmes aux yeux.

— Oh non, est-ce que ça va ?

Sa voix changea, et il paraissait inquiet.

— Ne pleure pas. Ils ne nous ont pas tués. On est sains et saufs. Je pense que j'ai presque enlevé le bandeau. Quand ce sera fait, on pourra défaire ces liens et faire le point.

— Non, je ne suis pas bien, dis-je avec une boule dans la gorge.

Un goéland plongea dans l'océan. Je me renfrognai en le voyant remonter avec un poisson dans le bec.

— Vas-y, moque-toi de moi, pourquoi pas ? criai-je à l'oiseau, rongée par la jalousie en pensant ardemment au poisson dans son bec.

Le corps de Jakob s'immobilisa.

— Es-tu en train de perdre les pédales ?

— Non.

— Reste calme, Bianca.

— Bof.

— Je suis surpris que mon charme ne t'ait pas encore conquise, dit-il doucement.

— De quoi tu parles ?

Ses paroles me firent froncer les sourcils. Une chose qu'il avait dite avait déclenché une alarme dans ma tête, mais je ne savais pas trop ce que c'était.

— J'essaie de papoter, c'est tout.

— Eh bien, ne papote pas, dis-je brusquement. Occupe-toi seulement de ton bandeau.

— C'est ce que j'essaie, rétorqua-t-il avant de redevenir silencieux.

Je bougeai la tête de côté autant que je pus, mais je ne voyais que le sable, l'océan et quelques arbres au loin. J'essayai de ne pas penser à ce qui nous attendait pendant qu'on se débattait avec les cordes.

— Je pense qu'il bouge ! s'exclama-t-il avec enthousiasme.

Il se mit à bouger avec de plus en plus d'énergie. Son dos se frotta contre le mien, et je gardai la bouche fermée, même si je voulais lui dire que de bouger tout son corps n'allait pas l'aider à déplacer le bandeau sur son visage.

— Alors, Bianca, as-tu l'habitude de porter un bandeau?

— Est-ce que ta question porte sur mes pratiques sexuelles, Jakob? lui répondis-je, le corps en alerte alors qu'il frottait son dos contre le mien.

— Je ne t'ai pas demandé ce que tu as mangé hier soir, en tout cas.

— Tu es con.

— Je sais. Tu me l'as déjà dit, répondit-il en riant. Mais oui, vas-y, continue de parler de ce que tu te rappelles d'hier soir, et on pourra essayer de découvrir ce qu'on fait ici.

— Hier soir, j'attendais une amie dans un bar. Je ne l'avais pas vue depuis un bon moment. Je voulais lui parler de certaines choses qui étaient en train de se passer.

En pensant à Rosie, je me mordis la lèvre inférieure.

— Je me rappelle avoir regardé le menu. J'allais commander un steak.

Je soupirai en repensant à la veille au soir. En tout cas, au soir qui était, pour moi, la veille. Je ne savais pas du tout combien de temps s'était écoulé depuis.

— J'attendais que Rosie arrive avant de commander. Je voulais qu'on passe une belle soirée.

Je marquai un temps d'arrêt, car je ne voulais pas aborder tout ce dont je voulais parler à Rosie.

— J'ai commandé un verre de muscat.

— Tu aimes le vin doux? dit-il à voix basse, même s'il était encore en train de bouger.

— Ouais, j'aime ça.

Je figeai en me rappelant quelque chose.

— Mais je n'ai pas bu de muscat.

— Oh?

— Le barman m'a envoyé une autre bouteille.

Je fermai les yeux en essayant de me rappeler.

— C'était une bouteille de pinot noir. Il a dit que c'était aux frais de la maison.

Je rouvris les yeux.

— Un nouveau vignoble de l'État de New York avait demandé à des bars locaux de servir le vin.

— Intéressant.

— En tout cas, le serveur a apporté une bouteille de vin et m'en a versé un verre pendant que j'attendais Rosie. Je lui ai texté en lui demandant où elle était, et elle est arrivée quelques minutes plus tard.

Je marquai une pause en essayant de me rappeler autant de détails que je pouvais.

— Elle s'est dépêchée de venir me trouver en s'excusant. Je me rappelle qu'elle était en colère parce que le serveur n'est pas venu prendre sa commande assez vite. Elle m'a parlé de son travail, puis...

Je fronçai les sourcils.

— Je ne me rappelle pas vraiment. Elle devait aller aux toilettes, et j'ai vu un type. Celui qui me suivait.

— Pourquoi te suivait-il, d'après toi? De quoi avait-il l'air?

— Je n'arrive pas à me rappeler.

Je poussai un long soupir.

— Je le revois debout dans le coin en train de me surveiller, mais je vois seulement son ombre. Je ne me rappelle pas son visage.

— Qu'est-ce qui est arrivé ensuite?

— Quelqu'un est arrivé à la table.

Je secouai la tête, comme si ça allait m'aider à me rappeler d'autres détails.

— Je ne me rappelle pas qui. Tout ce qui me revient ensuite, c'est de m'être réveillée dans le coffre arrière de la voiture.

— Qu'est-ce qui est arrivé à ton amie Rosie?

— Je ne sais pas.

Je figeai, les yeux grands ouverts.

— J'ai laissé quelque chose dans son sac. J'espère qu'elle va bien.

— Je pense qu'elle va bien. Je pense que s'ils s'étaient intéressés à elle, elle serait ici avec nous. De toute évidence, ils voulaient seulement nous kidnapper tous les deux.

— Ouais. J'aimerais bien savoir pourquoi.

Mais ce n'était pas tout à fait exact. J'étais plutôt certaine de savoir pourquoi j'avais été kidnappée, seulement, j'ignorais pourquoi il l'avait été, lui aussi. J'étais plutôt certaine d'avoir été enlevée à cause de mon enquête sur la société Bradley, mais quel lien Jakob avait-il, s'il en avait un?

— Connais-tu la société Bradley?

Je parlais lentement, comme si la réponse à sa question n'avait pas plus d'importance que la couleur de ses yeux.

— J'en ai entendu parler, dit-il aussitôt. Je ne peux pas dire que je la connais bien. Pourquoi?

— Aucune raison.

Je me léchai les lèvres. Je commençais à me sentir déshydratée.

— Bon, je n'aurais pas dû prendre ce vin, hier soir. J'imagine que je n'aurais pas si soif si je m'étais contentée de boire de l'eau.

— Je trouve bizarre que tu aies reçu une bouteille de vin gratuite plutôt qu'un verre.

Il parlait pensivement.

— Crois-tu que ça ait quelque chose à voir avec mon enlèvement?

Je me mordis la lèvre inférieure.

— Je n'arrive pas à me rappeler grand-chose par la suite.

— Je ne sais pas, dit-il en soupirant. Je n'ai pas pris de vin hier soir. Je préfère la bière.

— Étonnant.

— Pourquoi donc?

— Tu as l'air plutôt du genre à aimer le whisky, répondis-je rapidement. Je t'imagine dans une salle de travail avec une carafe de cristal.

Je grognai intérieurement. J'avais tendance à parler sans réfléchir. Je ne voulais pas qu'il croie que je m'intéressais à lui.

— J'aime vraiment le whisky... Oui! s'exclama-t-il.

— Wow, tu aimes vraiment le whisky.

— Non, non, je peux voir.

Il était emballé.

— Merde!

— Ouais.

Je soupirai. Je savais exactement pourquoi il disait *merde*.

— Où est-ce qu'on est, bon sang?

Il semblait inquiet, et je savais qu'il pensait la même chose que moi. Comment donc allions-nous sortir de cette île?

— Alors, ce whisky?

J'essayais de faire une blague alors que nous étions assis là en silence. Après tout, je n'aimais pas Jakob, mais j'étais contente de ne pas être là toute seule. Si j'avais été seule, j'aurais déjà été en train de sangloter.

— D'après toi, est-ce que c'est comme dans ce film ?

— Quel film ? me demanda-t-il finalement. *Les Robinson des mers du Sud* ?

— Non, ce film ridicule où ce type fait semblant d'être mort, mais en réalité, il attend de voir ce qui va se produire.

— Je ne sais pas du tout de quel film tu parles.

— *Saw.* C'est le titre du film.

— Est-ce qu'ils n'étaient pas dans une chambre fermée à clé ?

Il paraissait perplexe.

— Ouais.

Je hochai la tête.

— Alors ?

— Au cas où ça t'échapperait, on n'est pas dans une chambre.

— Je *sais* cela, dis-je en râlant. Je voulais dire : crois-tu que quelqu'un nous a laissés ici pour pouvoir nous observer, comme dans une sorte d'expérience ?

— Tu veux dire *Un monde fou, fou, fou, fou* ?

— Quoi ?

Sa réponse me prit par surprise. Je ne connaissais pas beaucoup de gens qui avaient regardé ce film. En fait, je ne connaissais pas beaucoup d'hommes qui aimaient les films dépourvus de sexe et d'explosions.

— Ils ont fait un remake. Hum, je pense que ça s'appelle *Course folle.*

— Le film avec Whoopi Goldberg ?

— Ouais. Ces hommes riches envoient une bande d'idiots faire une recherche à travers le pays et parient sur ce qui va se passer.

— Je sais. Je l'ai vu.

Je souris intérieurement. Je parie que j'ai vu chaque film auquel il peut penser.

— Alors, tu crois qu'on nous observe ? D'après toi, est-ce qu'il y a des caméras qui surveillent tous nos mouvements ?

— Merde, on dirait *The Truman Show* ! m'exclamai-je. Ou *Hostel*.

Je frissonnai.

— Merde, si c'est *Hostel*, on est morts. Ce film est tellement effrayant. Je pensais que j'allais...

— Bianca, bien que je sois fort impressionné par ta connaissance cinématographique, j'ai bien peur d'avoir des soucis plus pressants à l'esprit.

En me coupant la parole, sa voix m'apparut hautaine. Je tirai la langue en direction de l'océan.

— Pour ta gouverne, je ne crois pas qu'il y ait de caméras braquées sur nous.

— Pour ta gouverne, moi non plus je ne crois pas. Oui, je connais pas mal de films. Parce que je suis une critique de cinéma.

Bon, je n'étais peut-être pas tout à fait une critique. Je voyais beaucoup de films gratuitement et j'écrivais des synopsis, mais je n'étais pas sur le point de l'avouer.

— Oh ?

Pendant une seconde, il parut impressionné.

— Pour le *New York Times* ?

— Non, marmonnai-je. Il n'y a pas que les journaux qui commentent les films.

— D'accord.

Je devinais qu'il essayait d'être patient avec moi.

— Essayons de nous concentrer sur le problème actuel, et on pourra parler de cinéma quand on aura défait nos liens.

Je sentis mon visage s'enflammer quand il dit ces mots. Quel abruti arrogant !

— Essayons de nous lever, poursuivit-il.

— Pour aller où ?

— Il faut marcher et essayer de trouver une pierre.

— Je t'ai déjà dit que tout ce que je vois, c'est du sable et de l'eau.

— Et alors ?

— Et alors, ça veut dire que je ne vois pas de pierres.

— Eh bien, si on continue de rester assis sur notre gros derrière, on ne verra rien du tout.

— Tu me trouves grosse ?

— Oh, mon Dieu, tu ne vas pas faire cette fille-*là*.

— Quelle fille ?

— Penche-toi vers moi et essayons lentement de nous lever.

— Quelle fille ?

— Bianca, grogna-t-il. S'il te plaît, essaie juste de te lever.

— Tu n'es pas tellement ça, tu sais, bafouillai-je.

Il rit.

— Un, deux, trois.

Il s'appuya sur moi et s'efforça de se lever.

— Tu dois tenter de te redresser en même temps.

— Tu n'as pas dit « c'est parti ».

— Quoi ?

— Tu n'as pas dit : un, deux, trois, c'est parti.

— Tu veux rire ?

Il parut exaspéré, et je souris.

Prends ça dans les gencives, Jakob. Tu n'es pas le seul à pouvoir faire des chichis.

— Fais plutôt : un, deux, trois, c'est parti.

Je m'appuyai contre lui et essayai de me lever. Au début, je croyais qu'on n'allait pas y arriver, mais ensuite, il plaqua fortement son dos contre le mien, sans bouger.

— Adosse-toi à moi. Laisse-moi te servir de soutien. Fais-moi confiance, Bianca. Tu dois me faire confiance.

Son ton de voix était bienveillant.

— C'est ça. Appuie-toi de tout ton poids contre moi. N'essaie pas de te maintenir en équilibre sur tes deux pieds.

— Si je n'étais pas aussi empotée, je me sentirais insultée par ta phrase, répondis-je en m'appuyant de nouveau contre lui et en jouant des épaules pour me redresser.

À un moment donné, je crus que j'allais retomber tout à fait, mais Jakob parut le sentir, car il changea de position pour soutenir davantage mon poids.

— Ça y est ! J'y suis arrivée !

Exubérante, je me redressai sur mes deux pieds. Pendant quelques minutes, j'oubliai ma méfiance envers lui.

— Oui, *on* y est arrivé. Bon travail.

Sa voix était pleine d'humour, et je souris malgré moi.

— Merci, dis-je. Oui, *on* y est arrivé.

— Ça va. C'est incroyable à quel point je peux être utile au besoin.

Puis, il commença à bouger.

— Allons-y. Voyons ce qu'on peut trouver.

Je restai silencieuse alors qu'on boitillait sur la plage. Je me retournai légèrement pour voir ce qu'il y avait de l'autre côté, et mon estomac s'enfonça. Derrière nous, il n'y avait que la jungle.

— Alors, crois-tu que ce soit une île déserte, ou sommes-nous à l'orée d'une région sauvage ? demandai-je doucement, le regard tourné vers la végétation luxuriante derrière moi.

C'était magnifique, vraiment spectaculaire, et si j'avais été en train de regarder une photo du décor, j'aurais été impressionnée. J'aurais même fait un commentaire en disant que j'aimerais bien visiter l'endroit. Maintenant que j'y étais, cependant, il n'y avait pas d'endroit au monde où j'aurais préféré *ne pas* me trouver.

— Je n'en ai aucune idée.

Il secoua la tête, et ses fesses se frottèrent contre mon dos.

— Désolé pour ça.

— Ça va.

— Alors, on a deux choix, dit-il en s'arrêtant de marcher. On peut s'aventurer dans la brousse et voir ce qu'on peut y trouver, ou on peut aller dans l'océan.

— Tu crois qu'on devrait se noyer ?

Troublée, je haussai le ton.

— Non.

Il marqua un temps d'arrêt.

— Il y a peut-être des pierres au fond de l'océan.

— Oh.

Je fixai l'océan en hochant la tête.

— C'est vrai. Je n'y avais pas pensé. Mais j'aurais dû. La dernière fois que je suis allée à la plage, je me suis fait une coupure au gros orteil sur une pierre. J'ai eu si peur, car il s'est mis à saigner, et j'avais peur qu'un requin capte l'odeur du sang et vienne vers moi...

Ma voix s'éteignit quand je m'aperçus que je babillais. C'était un autre de mes traits négatifs : trop me confier quand j'étais nerveuse. Je sentis mes lèvres trembler de peur en me disant à quel point je connaissais peu Jakob. Ce n'était pas le moment de laisser tomber la garde.

— Alors, Jakob, demandai-je en hésitant. Tu sembles en savoir long sur la façon de se défaire des cordes.

— Ouais, je joue beaucoup avec.

— Tu joues avec des cordes ?

— Ça peut être amusant, dit-il en baissant la voix. Même sexy. La texture est une bonne façon de...

— Je ne te demande rien sur ta vie sexuelle.

— On apprenait bien des choses sur les cordes quand j'étais scout, et quand j'ai suivi des cours de navigation à voile.

Il continua comme si je ne venais pas de me mettre dans l'embarras en parlant de sexe.

— D'un autre côté, j'aimerais bien les essayer au lit.

Mon corps réagit involontairement à son commentaire. Je pense que la combinaison du soleil, de la déshydratation, de la faim et de la proximité faisait son effet. J'avais les jambes qui tremblaient alors qu'on était là, debout, appuyés l'un contre l'autre. Je ne me donnai pas la peine de lui répondre. Je n'avais rien à dire, et je craignais de dire quelque chose de trop dragueur. Je ne voulais pas flirter avec cet homme. Je ne savais même pas qui il était. Je ne savais pas ce qu'on faisait ici ensemble. Je savais que, même si ma garde était partiellement baissée, je ne pouvais pas la baisser tout à fait, pas avant d'avoir réglé l'énigme de notre présence ici.

— Alors, ouais, poursuivit-il. On peut soit essayer l'océan, ou voir ce qui nous attend dans la brousse. Je crois bien voir des cocotiers. Ils ont des coquilles pointues qui tombent tout le temps. On peut s'en servir pour essayer de couper la corde.

— Je ne sais pas.

Je frissonnai en regardant les grands arbres sombres.

— Et s'il y avait quelque chose là-dedans ?

— Quelque chose comme quoi ?

— Je ne sais pas.

Je me mordis la lèvre inférieure en pensant à l'émission *Les disparus*. Comme j'ai grandi avec un père inventeur et que je suis devenue une cinéphile invétérée, j'avais une vive imagination.

— Bianca, dis-moi à quoi tu penses.

— Comment sais-tu si je pense à quelque chose ? m'exclamai-je.

— Je le sens.

Sa voix changea.

— Alors, dis-moi.

— Je ne veux pas que tu ries ni que tu me dises que je regarde trop la télé.

— Bon, dit-il d'un ton sec.

— As-tu déjà vu la série *Les disparus* ?

— Ne me dis pas que tu crains de voir des ours polaires ou des monstres fumants ici ?

Il paraissait incrédule.

— Bon, on ne sait jamais.

— Alors, tu veux essayer l'océan ?

— Euh, je ne sais pas.

Je regardai longuement l'eau calme et soupirai.

— Et si le courant devient agité, ou qu'un requin arrive ?

— Il va falloir courir le risque.

— Essayons l'océan, décidai-je après avoir regardé la jungle mystérieuse derrière nous. Je peux toujours donner un coup de pied à un ours polaire, mais je ne sais pas quoi faire devant un monstre fumant.

— Ni devant une hyène, un sanglier ou un singe, je suppose.

— Merci bien, crachai-je tout en frissonnant.

Il rit, et au son de sa voix, je me sentis m'adoucir de l'intérieur.

— Je suis contente de ne pas être seule, dis-je doucement alors qu'on marchait vers l'océan.

Je n'étais pas tout à fait honnête. L'autre partie de moi était en train de calculer. Je voulais qu'il croie que je lui faisais confiance. Je voulais qu'il croie que j'étais contente qu'il soit là. S'il croyait que j'avais baissé la garde, il allait peut-être baisser la sienne aussi.

— Je suis content aussi que tu ne sois pas seule, approuva-t-il. La solitude est tellement surfaite.

Je ne savais pas s'il se sentait plus proche de moi. Nous continuâmes à nous traîner les pieds sur le sable, puis nous nous arrêtâmes au bord de l'eau.

— Bon, es-tu prête ?

— J'imagine, dis-je en faisant un signe de tête, puis en m'arrêtant. Oh, merde. Je viens de réaliser qu'on va se mouiller.

— Et alors ?

— Si nous gardons nos vêtements humides, nous risquons d'attraper le rhume. Et nous serons vraiment mal à l'aise dans des vêtements mouillés : ils sont tellement lourds sur le corps.

— Il doit faire cent degrés, Bianca. Je suis sûr que nos vêtements vont sécher rapidement. Sinon, on peut tout simplement les enlever et les laisser sécher.

— Quoi ? Je ne peux pas enlever mes vêtements.

Je tremblais à la pensée de me déshabiller devant lui. Il m'était inconnu. Il ne pouvait pas me voir presque nue. Même s'il était beau.

Je respirai à fond en songeant à la note. Est-ce que cela faisait partie du plan d'ensemble ? Je pensai alors à David. À ce beau David pas vraiment déluré. Il serait tellement en colère s'il savait que j'étais sur le point de me montrer presque nue devant un type que je venais de rencontrer. Nous avions passé six mois ensemble et il ne s'était même pas rendu là. Même s'il savait que je voulais de l'information sur l'entreprise de sa famille, il ne savait pas que notre rencontre et toute notre relation avaient été orchestrées par moi.

— Faisons ça. D'accord, Bianca ?

— D'accord.

Nous barbotâmes dans l'eau et marchâmes en essayant de trouver une pierre avec nos pieds.

— Alors, parle-moi de toi, dit-il après quelques minutes de clapotis.

Le fond de l'océan était doux et sablonneux, et je me sentais frustrée. Mais où étaient les pierres au moment où j'en avais besoin ?

— Qu'est-ce que tu veux savoir ?

— Décris-toi.

— Tu m'as déjà vue.

J'étais hésitante et trop gênée pour en dire davantage.

— Deux fois, maintenant.

— Je t'ai à peine vue, dit-il d'un ton détaché. Je ne me rappelle pas vraiment à quoi tu ressembles.

— Je suis plutôt moyenne, dis-je en haussant les épaules.

— Dis-moi.

— Eh bien, tu sais déjà que je mesure environ 1 mètre 68 et que je n'ai pas la minceur d'un mannequin.

Je fis une pause et attendis qu'il me réponde quelque chose, mais il ne dit rien.

— J'ai les cheveux brun vraiment foncé et les yeux verdâtres.

— Verdâtres ?

— Bon, disons brun-vert.

— Noisette ?

— Non.

Je m'arrêtai et plongeai le gros orteil dans le sable.

— Attends. Je pense avoir senti quelque chose, marmonnai-je.

Puis, je retins mon souffle.

— Fausse alerte, dis-je en soupirant. En tout cas, mes yeux ont parfois l'air verts, et parfois brun pâle.

— Est-ce que c'est possible ?

— Oui, dis-je en riant. C'est ton tour.

— Mon tour ?

— Parle-moi de toi.

— Mais tu m'as vu. Et le fait que tu m'as reconnu depuis le café, ça veut dire que tu te rappelles de quoi j'ai l'air.

— À peine. Je ne m'en souviens pas vraiment, mentis-je alors qu'une image de son beau visage me passait par l'esprit. J'ai tout simplement reconnu tes yeux bleus, c'est tout.

— Eh bien, comme tu le sais, je suis grand, j'ai les cheveux foncés, et je suis beau. Le médecin dirait peut-être que je mesure deux mètres. J'ai un poids respectable de 90 kilos. De muscle, surtout.

Je roulai des yeux en entendant son commentaire. Il n'était certainement pas modeste.

— J'ai les cheveux brun foncé, presque noirs, et les yeux bleus qui scintillent dans la lumière du soleil.

— Tu blagues? grognai-je.

— Bien, tu me l'as demandé.

Il rit.

— Je ne t'ai pas demandé de me donner ton profil pour des rencontres en ligne.

— Je ne fais pas de rencontres en ligne.

— Bien sûr que non.

Je fis une grimace et baissai les yeux vers l'eau.

— Et toi?

— Quoi, moi?

— Est-ce que tu fais des rencontres en ligne?

— Dans le passé, j'en ai fait, dis-je avec honte. Mais il y a trop de maniaques sur les réseaux.

— Ouais, mais je suis sûr qu'il y a de chics types, aussi. Mon frère fait des rencontres en ligne.

— Tant mieux pour lui.

— Il ne semble pas avoir de problèmes.

— Eh bien, je pense que c'est plus facile pour les hommes. Ils ont le choix. Nous, les femmes, il faut qu'on fasse des pieds et des mains.

— Il faut être prudent en ligne. On ne sait jamais qui on va rencontrer.

Ses paroles semblaient désinvoltes, mais j'entendis un sens caché.

— On ne sait jamais qui on va rencontrer dans la vraie vie, non plus.

— C'est vrai. On ne connaît jamais les intentions d'une personne, n'est-ce pas ?

— Non, acquiesçai-je. Non, c'est vrai.

Je repensai à Matt et à la façon dont ma vie avait pris un tournant troublant après lui avoir parlé. Je n'avais aucune preuve qu'il était relié à l'un ou l'autre des événements dingues qui étaient survenus, mais j'avais mes soupçons. J'espérais vraiment que Rosie avait fait attention quand je lui avais lu les courriels qu'il m'avait envoyés. Si elle était saine et sauve, c'était de l'information essentielle qu'elle pouvait donner à la police, maintenant que j'avais été kidnappée.

— Je suis sûr que tu te débrouilles très bien, dit Jakob en interrompant mes pensées. Une belle fille comme toi doit avoir tous les hommes à ses pieds.

— Merci.

— Je veux dire : avec ta personnalité engageante, ton amour de tous les films et des émissions de télé monstres, ainsi que tes yeux vert-brun, eh bien, je ne sais pas comment un type pourrait te repousser.

— Très drôle, dis-je en riant légèrement. Tu as oublié d'ajouter que je suis si captivante qu'on a choisi de me kidnapper.

— Ce doit être parce que tu es une riche héritière.

— Crois-moi : je ne suis pas une riche héritière, soupirai-je. Alors, ou bien ils ont kidnappé la mauvaise personne, ou bien ils m'ont enlevée pour une autre raison.

— Ouais, qui sait, dit-il avec curiosité. Pourquoi crois-tu qu'on t'a suivie ?

— Je ne sais trop, mentis-je, car je ne voulais pas tout lui dire. Je pense que ça a quelque chose à voir avec un projet de recherche dans lequel j'étais impliquée.

— Oh, une enquête politique ? Ce genre de chose ? Est-ce que le maire est corrompu ?

— Non, rien de tel.

Je ricanai légèrement. Jakob semblait avoir une imagination encore plus grande que la mienne. Je dis :

— Pourquoi crois-tu qu'ils nous ont enlevés ?

— Tu veux dire à part pour ma beauté ? blagua-t-il en soupirant. Ou à part du fait qu'ils croient que je te connais ?

— Ouais, à part pour ta beauté, Don Juan.

— Je ne sais pas, soupira-t-il. Je ne sais vraiment pas. À moins que tu aies orchestré tout ça pour t'adonner à tes fantasmes avec moi.

— Ouais ouais, dis-je en riant. C'est sûrement ça.

— Tu n'avais pas à me kidnapper, poursuivit-il. J'aurais accepté sans toute cette intrigue élaborée.

— Accepté quoi ?

— Le fait que tu me séduises.

— Tu peux toujours rêver, dis-je en haletant et en rougissant.

— Je blague.

Sa voix devint sérieuse.

— Je suis riche. Très riche. Si je n'ai pas été kidnappé à cause de toi, je suis plutôt certain que c'est parce que j'ai de l'argent.

— Je savais que tu étais riche! m'exclamai-je.

Puis, je me souvins de ce qui m'avait fait marquer un temps d'arrêt plus tôt.

Il se qualifiait de charmant. Cela me rappela la lettre que j'avais reçue à mon appartement, ce soir-là. Qu'est-ce qu'elle disait, encore? *Charme et beauté. L'un survit. L'autre meurt. Quelles sont tes chances?* Cela me vint à l'esprit, et je me demandai si cela avait été un avertissement.

— As-tu un avion privé? demandai-je d'une voix douce, mon esprit s'égarant rapidement en essayant d'établir des liens.

— Pourquoi me demandes-tu ça?

Sa voix était très monotone, et je sentis de la tension dans son dos.

— J'étais curieuse, c'est tout, répondis-je nonchalamment.

— Comment savais-tu que j'étais riche?

— Tu portes une Rolex, non?

Je fronçai les sourcils en me disant que je devais exprimer mes pensées avec plus de prudence. Je ne voulais pas l'amener à me soupçonner et je ne voulais rien révéler, au cas où ça aurait été un coup monté. J'étais inquiète de poser les mauvaises questions. Je le soupçonnais de me prendre pour une croqueuse de diamants, et je craignais que mes questions en disent trop long.

— Je ne m'étais pas aperçu que tu l'avais remarqué.

— Désolée. Je me rappelais seulement l'avoir vue quand tu es sorti de l'auto.

Je repensai à ce moment. Cela semblait si lointain, à présent.

— Je me rappelle qu'elle brillait, expliquai-je. J'ai remarqué le cadran, mais je crois que je suis en train d'inventer. Mon ex aussi avait une Rolex.

— Oh, il était riche ?

— J'imagine, soupirai-je. Ça ne comptait pas pour moi.

— J'étais juste étonné que tu aies remarqué que ma montre était une Rolex, soupira-t-il. Ce n'était pas personnel.

— Je n'avais pas l'intention d'être cassante. C'est un sujet délicat, c'est tout.

Un silence malaisé s'installa entre nous. Je me demandai si cela se passerait toujours ainsi pendant que nous serions ici. Est-ce qu'on allait rire à un moment donné et marcher sur des œufs ensuite ? Et si nous étions coincés ici à jamais ? Et s'il essayait de me tuer ? Je secouai la tête pour dégager mes pensées. S'il projetait de me tuer, Jakob n'aurait pas été aussi soucieux de me rassurer afin que je n'éprouve pas de commotion.

— De toute évidence, c'était un crétin.

La voix de Jakob rompit le silence et je l'écoutai avec curiosité.

— Qui ?

— Ton ex, dit-il d'une voix bourrue. C'est un con s'il laisse partir quelqu'un comme toi.

— Oh.

Mon cœur palpita en entendant ses paroles, et un sourire satisfait traversa mon visage.

— J'imagine qu'il n'avait tout simplement pas assez de chance pour être avec moi.

— Même la Rolex luisante n'a pas pu te garder à ses côtés.

Il rit, et cette fois, je ne craignais pas que ses paroles soient suggestives ou malicieuses.

— Il faut plus qu'une Rolex pour me garder.

— Bien sûr.

Nous continuâmes à marcher sur le sable, et je ne pouvais penser à autre chose qu'à ses muscles contre moi. Ils étaient si durs et si forts. Bien que chaud et en sueur, son dos me semblait délicieux contre le mien. Il était réconfortant et sensuel, et je n'en avais jamais senti de semblable auparavant. Sa chaleur me réchauffait à l'intérieur et je savais que nous jouions avec le feu.

— Aïe! criai-je lorsque mon orteil se cogna contre quelque chose d'acéré. Oh, mon Dieu, Jakob, glapis-je. Je viens de me cogner l'orteil. C'est une pierre! Oh, mais elle est trop grosse pour que je la ramasse.

— Je la vois. C'est bon.

De nouveau, sa voix était grave et autoritaire, et je frissonnai. Quelque chose attirait mon attention chez un homme qui prenait les commandes.

— Il va falloir nous baisser.

— Ah, non. Vraiment?

Le simple fait de songer à essayer de m'abaisser accroissait ma sensation de fatigue.

— Vois-tu une autre façon dont nous pourrions couper les cordes?

— Non, j'imagine.

— Je vais essayer de libérer d'abord mes mains. Ensuite, je peux essayer de couper la corde qui nous ligote à la taille, puis de te libérer les mains.

— Pourquoi mes mains en dernier?

— Veux-tu être la première, alors? demanda-t-il en soupirant.

— Non, ça va.

— D'accord. Un, deux, trois, on descend! cria-t-il, et nous plongeâmes dans l'eau en faisant un éclaboussement, et en gardant nos têtes au-dessus de la surface.

Je haletai légèrement en essayant de ne pas avaler d'eau salée.

— Dieu merci, l'eau est chaude.

— Ça va, je plonge.

— D'accord, marmonnai-je.

Mon corps s'immobilisa lorsque je m'aperçus que cela voulait dire que je descendais, moi aussi.

Je fermai rapidement la bouche et tentai de retenir mon souffle alors que ma tête était submergée. Les yeux presque exorbités, je m'aperçus que nous étions entourés par un banc de petits poissons. J'étais sur le point de manquer d'air lorsque je me sentis de nouveau soulevée hors de l'eau.

— Je ne l'ai pas attrapée.

Il paraissait en colère contre lui-même.

— La prochaine fois, donne-moi un avertissement quand tu m'emmèneras sous l'eau, dis-je en crachant l'eau salée. J'ai failli me noyer.

— Oui, Bianca.

— Quand on est descendus, tout un…

— D'accord, on descend dans un, deux, trois, m'interrompit-il.

Avant même que je sache ce qui se passait, nous plongeâmes une autre fois.

Cette fois, je m'assurai de fermer la bouche et de rester le plus immobile possible en rebondissant contre le dos de Jakob. Je sus exactement à quel moment il trouva la pierre, car son corps fit un aller-retour frénétique qui me fit danser sur l'eau comme une sorte de bouée.

Je gardai les yeux et la bouche fermée alors que nous dansions sous l'eau. Je craignais de m'évanouir, et une part de moi-même se demandait si c'était la fin pour moi. Pourquoi lui avais-je fait confiance au point d'entrer dans l'océan avec lui? Son poids était supérieur au mien, sa force aussi. S'il voulait me garder sous l'eau et me noyer, il le pouvait. Ma vie défila rapidement sous mes yeux alors que je fixais les poissons qui nageaient à quelques centimètres de mon visage. Au moment même où j'étais sur le point de lui donner un coup de coude, il revint à la surface. Je pris une grande bouffée d'air et fis une rapide prière de reconnaissance.

— Tu es resté plongé trop longtemps, cette fois! criai-je, furieuse. J'ai failli manquer d'oxygène!

— Je suis désolé, dit-il d'une voix contrite. J'ai failli couper la corde, ajouta-t-il en haletant, emballé. J'aurais dû remonter plus tôt. Seulement, je voulais tellement l'enlever.

— C'est bon, dis-je d'une voix faible, soudainement épuisée.

— Ça va?

Son ton enthousiaste changea, et il parut sincèrement préoccupé.

— Ouais, ça va. La journée a été difficile, et je ne veux pas la finir en me noyant.

— Je sais. Ça va aller. Tu verras.

Je sentis ses muscles se tendre contre moi, et nos épaules et nos culs se frottèrent mutuellement pendant quelques secondes sans que nous tentions de nous écarter.

— Pourvu que Dieu t'entende.

— Oui, madame. Es-tu prête à redescendre ?

Je soupirai.

— Laisse-moi d'abord prendre quelques bouffées d'air.

J'aspirai de grosses bouffées d'oxygène comme si c'étaient mes dernières. J'essayai de rester calme, mais mon esprit était distrait par la sensation de ses jambes appuyées contre les miennes. Il était fort. Je le sentais dans ses mouvements. Il était fort et puissant. Je me demandai comment il était dans un lit : un géant doux, ou un dominateur ? Ma peur et mon inquiétude firent place à l'émerveillement et au désir. Il bougea contre moi, et je sentis de nouveau ses fesses frôler les miennes. Une partie de moi se demandait s'il ne se frottait pas délibérément contre moi. J'étais sur le point de le lui demander lorsqu'il se secoua légèrement.

— Bon. Un, deux, trois, on descend ! cria-t-il.

Et nous redescendîmes.

Cette fois, ce fut plus facile. J'étais habituée à me faire balloter contre son dos. Je fixai maintenant les poissons sans me sentir appréhensive ni craintive. Ils étaient si petits et si magnifiques. J'étais émerveillée par les couleurs et les formes différentes.

L'un d'eux semblait aussi fasciné par moi que je l'étais par lui, et il semblait tout simplement nager sur place en me regardant. Il avait une forme étrange, avec une queue jaune vif et des nageoires jaunes. Je remarquai que les bords du poisson étaient également jaunes. Il avait aussi des lèvres bleu marine foncé et des taches sur les écailles. Je n'avais rien vu de tel. J'étais si captivée par le poisson que je fus prise par surprise lorsque Jakob remonta à la surface.

— Je l'ai ! s'exclama-t-il ; et je sentis bouger ses épaules alors qu'il étirait ses bras.

— Quelle chance !

Je lui enviais sa liberté, car mes poignets étaient irrités dans l'eau.

— Je vais maintenant essayer de casser la corde qui nous relie à la taille.

Il marqua un temps d'arrêt.

— Je vais essayer de la casser devant moi.

— Bien sûr. Occupe-toi de toi en premier.

— Ce sera plus facile.

— Bof, marmonnai-je. Un, deux, trois, c'est parti ! criai-je.

Puis, je pris une grande bouffée d'air, m'attendant à ce qu'il descende dans l'eau.

Cette fois, je me retrouvai étendue sur son dos, et j'essayai de ne pas crachoter alors que l'eau me couvrait le visage. C'était étrange de regarder le ciel à travers l'eau alors que j'attendais qu'il coupe la corde. Le fait d'être attachée à lui me paraissait contraignant, mais d'une certaine façon, réconfortant. Je sus aussitôt qu'il avait coupé la corde, car mon corps se mit aussitôt à s'écarter du sien. Je voulus m'arrêter de bouger, mais trouvai difficile d'atteindre le sol avec les pieds. Je commençai à paniquer légèrement, mais ensuite, je sentis les mains fortes de Jakob qui saisissaient ma taille et m'attiraient à la surface.

— Eh, ça va.

Il me regarda en me serrant dans ses bras.

— Je ne vais pas te laisser dériver.

Ses mains étaient fermes autour de ma taille, ses doigts s'enfonçaient dans ma chair. Il m'attira doucement vers lui et je sentis son corps appuyé contre le mien alors que je bougeais les bras de côté.

— Je suis contente de te l'entendre dire, crachotai-je avec reconnaissance.

— Je vais t'aider à retirer la corde de tes mains.

Ses yeux fixèrent les miens, et je hochai lentement la tête, absorbée par ses iris bleu vif, des iris qui rivalisaient avec le magnifique bleu-vert de l'eau qui nous entourait. Ses lèvres étaient si près des miennes, pulpeuses et roses, et je me demandai soudainement ce qu'elles goûtaient. Étaient-elles salées et sucrées comme sa peau ?

— Je peux le faire.

Je tentai de m'écarter de lui, mais il me retint fortement.

— Je vais t'aider, soupira-t-il. Laisse-moi t'aider.

Ses doigts s'attardèrent à ma taille pendant quelques secondes, puis le long de mes bras jusqu'à mes poignets. Il saisit mes mains et joua avec la corde pendant quelques secondes, puis revient à moi, à mes yeux.

— Je te tiens dans la paume de mes mains, murmura-t-il en se penchant vers moi.

— Qu'est-ce que tu veux dire ? murmurai-je à mon tour, l'estomac caracolant alors que ses doigts frôlaient mes cheveux humides en les écartant de mon visage.

— Rien, dit-il en secouant la tête. Je veux dire tout simplement que je pourrais faire ce que je veux avec toi, maintenant, mais je ne fais que te sauver. J'espère que tu me feras confiance après.

— Détache-moi et je te ferai confiance, dis-je sans sourciller en hochant la tête.

— Puis-je aussi avoir un baiser ?

Ses yeux scintillaient lorsque ses lèvres s'approchèrent dangereusement des miennes.

— Quoi ? dis-je en fermant les yeux et en attendant de sentir ses lèvres sur les miennes.

— Ouvre les yeux, Bianca, murmura-t-il contre mes lèvres.

Je sentis son souffle glisser sur ma peau et j'ouvris lentement les yeux. Je déglutis péniblement en le fixant.

— Nous allons de nouveau descendre, maintenant.

Il regarda en direction de l'eau, puis revint vers moi.

— Très bien, dis-je en essayant de ne pas me sentir déçue.

— Bon, je vais te tirer vers le bas par les bras. Essaie de ne pas trop bouger.

— Je ne peux pas vraiment arrêter.

— Essaie.

Sa voix était sévère, et je roulai des yeux. C'est alors que je remarquai le rouge sur les côtés de ses poignets.

— Mon Dieu, qu'est-il arrivé à tes bras ? m'exclamai-je, les yeux écarquillés en m'apercevant qu'il s'était écorché.

— Je me suis cogné à une pierre acérée, dit-il en souriant. Plusieurs fois.

— Merde, dis-je en me mordant la lèvre inférieure. Ça a dû faire mal.

— Ça va, mais maintenant, tu sais pourquoi je t'offre mon aide.

— Ouais, n'égratigne pas mes poignets, s'il te plaît.

Je lui fis un faible sourire et tentai de ne pas regarder ses poignets ensanglantés.

S'il avait été capable de s'enlever autant de peau des poignets afin de se libérer, il devait être plutôt résistant à la douleur. Cela voulait dire que le moment venu, je devrais songer à une meilleure façon de lui échapper que celle de lui donner un coup de pied dans les parties.

— Je ferai ce que je peux. Maintenant, accroche-toi. Prends une grande bouffée d'air.

Il me fit un clin d'œil, et aussitôt, nous descendîmes de nouveau sous l'eau.

Cette fois, Jakob s'accrocha à mes bras alors que nous descendions. Il saisit mes poignets, et je sentis qu'il faisait faire des allers-retours à mes mains, soigneusement et rapidement, contre la pierre. Je fermai les yeux alors que la pierre grinçait contre l'intérieur de mon poignet. Je n'allais pas pleurer. Je n'allais pas avoir mal au cœur. Je me sentis étrangement privée de la chaleur de Jakob derrière moi.

Je tentai de penser à d'autres choses alors que Jakob s'occupait de détacher la corde de mes poignets. Je repensai à la journée précédente. J'avais été tellement excitée de parler à Rosie de la boîte que j'avais trouvée dans l'appartement de mon père après sa mort. Mon père était décédé depuis un an, et j'avais trouvé sa lettre. J'aurais maintenant voulu lui dire ce que j'avais trouvé au début. J'aurais voulu par-dessus tout lui avoir parlé au téléphone des papiers que je lui donnais pour qu'elle les mette en sûreté. Je ne pouvais qu'espérer qu'elle ait remarqué le sac de plastique rempli de papiers dans son sac à main, et qu'elle ait eu la curiosité de les lire. Si elle les lisait, elle allait savoir qu'il se tramait quelque chose à la société Bradley. Elle allait savoir que les inventions de mon père avaient permis à la compagnie de gagner des milliards. Et que mon père avait été sur le point de quitter la compagnie avec ses brevets, juste avant la mort de ma mère. Dès que j'avais vu les dates, je savais que cela ne pouvait être une coïncidence. Je n'avais pas voulu en parler à Rosie au téléphone, car j'avais peur que ma ligne soit sous écoute. C'était irrationnel, mais après l'incident avec l'agent de police, je ne me sentais plus en sécurité chez moi. Je savais que les Bradley étaient à mes trousses. Je savais parce que j'avais dit à David une partie de la raison pour laquelle je voulais en apprendre sur sa compagnie. Je voulais que les Bradley sachent que je savais quelque chose. Je voulais qu'ils le sachent parce que cela faisait partie de mon plan. À la guerre, le gagnant n'était pas l'armée qui attaquait à l'insu de l'ennemi, mais l'armée qui attaquait et ne laissait filtrer que l'information qu'elle voulait donner à l'ennemi. David savait que je voulais en savoir davantage sur les brevets de mon père, car après sa mort, j'avais des questions. Il ne savait pas que je croyais que son père avait un rapport avec la mort de ma mère. Ni que si selon les papiers de mon père et les résultats de ma recherche, j'étais une actionnaire majoritaire de la compagnie. Mon seul problème, c'était que je jouais au jeu du chat et de la souris avec le chaton. Le pilier de la société Bradley n'était pas David, mais son frère Mattias. C'était ce dernier que je soupçonnais d'envoyer les notes et d'orchestrer ce kidnapping. Il voulait que je cesse d'enquêter. Il voulait m'effrayer. La seule question tournait maintenant autour de Jakob. Je ne savais pas du tout qui il était, ni quel rôle il jouait dans cette énigme.

Alors que Jakob bougeait mes mains dans un aller-retour, je me dis qu'il serait tellement facile pour lui de me noyer. S'il travaillait pour Mattias, il pouvait facilement me faire taire, même si je devais croire que ce n'était pas le cas, et j'essayai de me tourner vers des pensées plus positives, car je ne voulais pas que la tristesse et la paranoïa m'envahissent l'esprit. Il y avait un fait qui, je le savais, était vrai. Peu importe qui était Jakob, il était l'homme de main de personne. Il était trop autoritaire, trop direct, trop fort. C'était un homme habitué à donner des ordres, et non à les recevoir.

Jakob était le genre d'homme qu'était, je crois, mon père avant le décès de ma mère. Alors que Jakob bougeait mes mains dans un va-et-vient, j'essayai d'ignorer les petites piqûres douloureuses. Elles n'arrivaient pas à la hauteur de la douleur au cœur que je ressentais chaque jour. J'avais grandi avec mon père veuf depuis l'âge de cinq ans. Mon père ne s'était jamais remarié. On aurait dit qu'une partie de lui était morte avec ma mère. Il ne parlait jamais de sa douleur, mais son regard ne s'éclairait que lorsqu'il parlait de ma mère. Quand j'avais lu la lettre de mon père, j'avais été incrédule, puis en colère. J'avais voulu venger mon père, mais cela s'était rapidement transformé en quête de la vérité. Je voulais découvrir ce qui était vraiment arrivé à ma mère le jour de sa mort. Cet accident n'avait pas seulement tué ma mère, mais aussi mon père, intérieurement. Je n'avais aucune idée de ce que j'allais faire après avoir découvert la vérité. Je me disais qu'il me fallait d'abord la trouver.

— Ça va ? me demanda Jakob alors que nous émergions rapidement.

Il se retourna vers moi et je sentis l'inquiétude dans ses yeux.

— Oui, dis-je en haletant.

Je ne lui parlai pas de la douleur ni de la brûlure de mes poignets égratignés.

— Je crois bien y arriver à la prochaine tentative.

— D'accord, dis-je faiblement en faisant un signe de la tête.

— J'essaierai de ne pas trop te cogner les poignets, cette fois-ci.

Il me fit un clin d'œil et sourit.

— Bon. Un, deux, trois, c'est parti ! cria-t-il, avant de redescendre.

Je restai aussi immobile que possible alors qu'il me bougeait les bras dans un va-et-vient. Je sentis se dégager la tension dans la corde, et mon enthousiasme commença à monter. J'étais presque libérée. Dès que la corde se cassa, je me détachai de Jakob et bondis pour prendre une grande bouffée d'air et étirer mes bras. Jakob fit surface juste derrière moi, et nous nous sourîmes comme des fous.

— Merci, dis-je en lui souriant de reconnaissance, alors que j'étirais les bras. C'est merveilleux.

Puis, je plongeai dans l'eau et nageai. C'était incroyable de pouvoir bouger librement les mains et les bras. Même si l'eau était chaude, elle était tout de même rafraîchissante.

— Je ne me suis jamais senti aussi libre ! glapit Jakob, alors que je me retournais sur le dos en commençant à flotter de façon à pouvoir le regarder.

Il me fit un immense sourire, et je le regardai rapidement déboutonner sa chemise et la lancer sur la plage. Mon cœur se mit à bondir lorsque je regardai son torse nu et lisse. Ses pectoraux étaient prononcés, et ses abdominaux bien découpés m'attiraient. Je sentais presque sa peau sous mes doigts. Elle était peut-être douce et soyeuse au toucher... je le sentais.

— Vas-tu dans un salon de bronzage? demandai-je en fixant sa peau baignée de soleil.

— Non, dit-il en riant. J'ai un bronzage naturel. Ma mère était italienne.

— Oh, vraiment?

Je regardai ses cheveux dorés et ses yeux d'un bleu vif.

— Tu parais surprise, déclara-t-il en riant de nouveau. La famille de ma mère était du nord de l'Italie. Il y a beaucoup de blonds, par là.

— Je ne savais pas.

Je renversai la tête et laissai mes oreilles s'enfoncer dans l'eau alors que je fixais le ciel.

C'était si tranquille, et tout était tellement calme. Je ne voyais même pas d'oiseaux. J'avais l'impression d'être quelque part à la limite du monde, et que Jakob et moi étions les derniers humains sur Terre. Nous étions comme Adam et Ève, sauf que nous n'arrivions pas au commencement, mais à la fin. Je frissonnai à la morbidité de mes pensées. C'était une chose que je n'aimais pas à propos de moi. Mon esprit courait toujours à toute vitesse. Je cessai de nager et commençai à pousser de l'eau en repoussant ma tête vers l'arrière afin de pouvoir sentir la lumière du soleil sur mon visage.

Soudain, je sentis les bras de Jakob qui saisissaient ma taille.

— Qu'est-ce que tu fais là? haletai-je en le repoussant.

Dès que mes doigts touchèrent son épaule nue, je sentis un petit élan de désir.

— Je t'appelais.

Il me sourit. Ses cils étaient humides, et ses yeux bleus semblaient rayonner.

— Je ne t'ai pas entendu.

Je le fixai alors qu'il tendait les bras et m'attirait vers lui. Cette fois, je ne le repoussai pas. Sa main droite agrippa ma taille et son torse nu paraissait ferme contre moi.

— C'est pourquoi je suis venu te trouver.

Il essuya de l'eau sur son front.

— Nous devrions explorer et voir ce que nous allons faire ce soir.

— Qu'est-ce que tu veux dire?

— Nous devons chercher de la nourriture, une source d'eau douce, un abri, un endroit où dormir.

— Ça me paraît astucieux, dis-je en soupirant. Combien de temps allons-nous passer ici, d'après toi?

— Aussi longtemps qu'ils le voudront, je suppose.

Ses yeux sondèrent les miens, et son expression devint neutre.

— Mais comment saurons-nous combien de temps ce sera?

— Je n'en ai aucune idée, dit-il en secouant la tête. Absolument aucune.

— J'aimerais qu'on ait quelques réponses.

Mes mains appuyèrent contre son torse, et nous passâmes quelques secondes à nous fixer silencieusement. Je sentais son cœur battre sous mes doigts, et je tentai d'ignorer à quel point son torse paraissait chaud et soyeux.

— Ou du moins, quelques indices.

— Nous avons toutefois un indice.

Sa main gauche me caressa le dos, et j'avalai lorsqu'elle s'arrêta au bas.

— Nous avons cette note que tu as déjà lue, et nous savons qu'on te suivait. Nageons jusqu'à la rive et voyons si nous avons autre chose en commun. De toute évidence, nous sommes tous les deux ici pour une raison.

Sa bouche s'approcha de la mienne, et j'étais certaine qu'il allait m'embrasser. Je levai le visage et attendis de sentir ses lèvres sur les miennes, mais plutôt, il me relâcha et flotta sur le dos. Je le regardai pendant quelques secondes en fixant son corps magnifique qui se déplaçait dans l'eau comme Michael Phelps. Une image de la note que j'avais vue sur la plage me vint à l'esprit alors que je le regardais s'éloigner de moi à la nage. La dernière ligne disait : *Vos corps ne font plus qu'un, à présent, mais ils ne sont pas aussi unis qu'ils le seront lorsque j'aurai fini.* J'avais besoin de comprendre ce que voulait dire cette phrase. La note faisait-elle référence au fait que nos corps étaient unis parce que nous étions ligotés ensemble ? Ou à quelque chose de plus intime ? L'homme du café m'avait fixée pendant un bon moment. Peut-être avait-il vu le regard de désir et d'appréciation que j'avais lancé à Jakob à la table. Peut-être Jakob s'était-il vraiment trouvé au mauvais endroit au mauvais moment. Je commençai à nager vers la rive en continuant à penser à la raison pour laquelle Jakob se trouvait ici. Peut-être sa présence n'était-elle pas une coïncidence. Et peut-être n'était-ce pas une coïncidence s'il s'était trouvé au café, non plus.

Nous nageâmes jusqu'à la rive et en sortîmes lentement, soudainement dégonflés. Nous avions résolu notre premier problème, mais maintenant, tout le reste semblait insurmontable.

— Alors.

Je restai debout là, maladroite, et me passai les mains dans mes cheveux trempés. Mes vêtements collaient à mon corps comme des poids, et j'avais l'impression de ressembler au retour du monstre du loch Ness.

— Qu'est-ce qu'on fait ?

— Je pense que nous devrions enlever nos vêtements et les laisser sécher.

Il parlait d'un ton désinvolte et défit le haut de son pantalon.

— Si nous les gardons, nous risquons de devenir malades. Nous pouvons les étendre sur le sable. Le soleil devrait les assécher assez rapidement.

— J'imagine, dis-je d'un ton hésitant alors que mes doigts saisissaient le bas de ma chemise. Peut-être sècheront-ils alors qu'on les porte ?

— J'en doute, déclara-t-il en abaissant la fermeture éclair de son pantalon qu'il commença à enlever. Et je ne veux pas me sentir mal à l'aise en marchant, non plus.

— Ouais, marmonnai-je en le fixant, fascinée, alors qu'il ne lui restait plus que son caleçon boxeur. Son caleçon qui laissait peu de place à l'imagination. Je m'obligeai à détourner les yeux et à regarder plus bas sur son corps. Il avait les jambes poilues, robustes et bronzées. « Merde, il devenait de plus en plus sexy. » J'avalai péniblement alors que mes yeux remontaient et que je voyais ses attributs dans son caleçon blanc.

— Je te suggère d'enlever tes vêtements, toi aussi.

Il me regarda comme si c'était la chose la plus naturelle au monde pour lui de me dire de me déshabiller.

— Ne regarde pas, dis-je en rosissant alors que je commençais à enlever ma chemise.

— Tu ne changes vraiment pas, hein ? dit-il avec un regard scintillant. Dans un moment, je vais te voir en sous-vêtements. Veux-tu vraiment que je ferme les yeux maintenant ?

— Non, j'imagine.

Je plissai le nez et retirai rapidement ma chemise. Je baissai les yeux vers ma poitrine, un peu gênée, reconnaissante de ne pas porter mon soutien-gorge de dentelle blanche transparente. Celui que je portais me couvrait entièrement la poitrine, avec de la dentelle noire et sexy que je trouvais mignonne.

— Ton soutien-gorge paraît humide, dit-il en fronçant les sourcils. Tu devrais l'enlever, aussi.

— Pas question que j'enlève mon soutien-gorge, lui dis-je avec un regard furieux.

— Eh, bon, j'aurai au moins essayé.

Il sourit, et je secouai la tête.

— T'es un pervers sexuel.

Je plissai les yeux et ignorai le rapide battement de mon cœur alors que j'enlevais mon pantalon.

— Est-ce qu'on n'en est pas tous ?

J'essayai de me rappeler quel genre de petite culotte je portais. Au moins, ce n'était pas un string. Je n'en portais que pour aller à des rendez-vous amoureux, pour me donner l'impression d'être sexy. Ils étaient bien trop inconfortables pour que j'en porte tous les jours. Je baissai la fermeture éclair de mon pantalon et poussai un soupir de soulagement en m'apercevant que je portais une petite culotte blanche ordinaire, et non mon slip de grand-mère Hanes à fleurs verte et jaune.

Il plissa les yeux en me regardant enlever rapidement mon pantalon. Je fixai le sol, debout en soutien-gorge et petite culotte.

— C'est joli, affirma-t-il d'une voix douce.

Je levai les yeux vers lui. Il ne souriait pas et me fixait en silence. Il y avait un sentiment très primal sur tout. Soudain, nous n'étions plus seulement deux inconnus kidnappés sur une île. Nous étions les deux derniers humains. Mon estomac gargouilla alors que je fixais son corps presque nu. Cette fois, je n'étais pas affamée de nourriture, mais de lui. Il fit un pas vers moi et ses doigts enlevèrent de l'eau de mon épaule. Ma peau semblait avoir été marquée au fer par son toucher. Ses yeux se plissèrent alors qu'il fixa mon corps des pieds à la tête, en laissant chaque parcelle de ma peau fourmiller sous son regard. L'eau commençait à sécher sur sa peau et je voyais les subtils restes de sel séché sur ses bras et son torse. Je voulus me pencher et le lécher pour voir à quel point il goûtait salé.

— Tu es magnifique.

Sa voix était rauque alors que ses doigts parcoururent mon ventre. Je savais que je devais respirer, mais le moment paraissait tellement surréel que je ne voulus rien faire pour l'arrêter. Nous restâmes debout là pendant quelques minutes en nous regardant, puis en regardant nos alentours. Le soleil commençait à se coucher, et le silence autour de nous nous fit sentir davantage à quel point nous étions seuls, coupés de la civilisation.

— Tout ira bien, Bianca, dit-il en prenant ma main. Si quelqu'un essaie de te faire du mal, il devra d'abord passer par moi.

— J'ai peur, dis-je d'une voix tremblante en levant les yeux vers lui. Nous ne savons pas ce qui va arriver.

— Nous ne savons pas ce qui va arriver, mais je parie qu'aucun monstre ne va nous attaquer.

Il se baissa et me frotta le dos avec sa main. Je sursautai légèrement en le sentant contre ma peau nue.

— Ouais, murmurai-je. C'est quelque chose.

— Je pense que nous devrions attendre à demain avant de chercher de la nourriture et de l'eau, si tu crois pouvoir tenir le coup. Il fera bientôt nuit, je crois, et je ne sais pas à quelle heure le soleil se couche ici. Je préfère ne pas aller en exploration et risquer de rester coincés dans l'obscurité, dit-il en soupirant. Je peux aller chercher des noix de coco pour l'instant. Nous devrions tenir le coup ce soir avec la gelée et l'eau.

— J'imagine, soupirai-je. Nous n'allons pas déjà nous déshydrater, n'est-ce pas ?

— Je crois que ça ira, dit-il avec une expression sérieuse. Les noix de coco nous permettront de tenir le coup pour la nuit. J'espère en trouver avec une gelée molle.

— Comment vas-tu les casser ? lui demandai-je en fronçant les sourcils.

— Je n'ai pas songé à cela.

Il soupira et je vis un éclair de colère dans ses yeux.

— Ces crétins auraient dû nous laisser de la nourriture et de l'eau, marmonnai-je.

— Ouais.

Il regarda en direction de l'océan, le visage résolu et les poings serrés.

— Si j'avais l'occasion de parler à ces deux énergumènes, je leur botterais le derrière.

— Ouais, soupirai-je. Et alors, on ne serait pas ici, mais je ne te blâme pas de ne pas avoir essayé, Jakob. Ils avaient un revolver. Une arme est plus forte qu'un poing.

— Je ne mettrais jamais sciemment ta vie en danger, Bianca. J'espère que tu le sais. Je sais que nous ne nous connaissons pas vraiment, mais tu dois savoir que je ne voudrais jamais qu'il t'arrive quelque chose.

— Merci, Jakob. J'apprécie.

Je lui fis un signe de la tête et je souris brièvement. Il y avait quelque chose dans son regard qui me poussait à lui faire confiance, mais il y avait trop de questions sans réponses. Avant de pouvoir pleinement lui faire confiance, j'avais besoin de comprendre pourquoi nous étions tous les deux ici.

— Je suis contente de ne pas être seule, dis-je pour être gentille, sachant que ces mots étaient vrais dès que je les eus prononcés. Me trouver toute seule sur cette île aurait été un cauchemar.

— Moi aussi, je suis content de ne pas être seul ici, dit-il avec un faible sourire. Maintenant, allons trouver des noix de coco, et dormons afin de pouvoir nous lever tôt et explorer à la lumière du soleil.

— Bonne idée, dis-je en bâillant et en lui retournant un rapide sourire.

— J'espère seulement pouvoir dormir.

Ses yeux s'assombrirent lorsqu'il regarda mon corps, qui tressaillit sous son regard, et je tentai d'ignorer son allusion.

— On pensera à dormir après avoir trouvé des noix de coco, marmonnai-je en m'éloignant de lui en direction des arbres.

Je l'entendis derrière moi alors que nous nous écartions de l'océan.

— Alors, quel livre étais-tu en train de lire ? demandai-je en m'arrêtant, en tournant la tête et en le regardant avec curiosité.

— Hein ?

Il me regarda avec un air perplexe et je lui fis un doux sourire.

— Dans le café, tu lisais un livre. Qu'est-ce que c'était ?

— Ah ouais, dit-il avec un signe de la tête. Je lisais *Le Conte de deux cités*.

— Ah, c'est intéressant.

Je ne savais pas trop pourquoi j'étais surprise de sa réponse.

— Tu t'intéressais à la Révolution française, ou es-tu seulement un admirateur de Dickens ?

— Les deux, je suppose. J'ai toujours été intéressé par les romans et les essais qui parlent de la révolte. Plus précisément, des humains qui vont aux extrêmes pour redresser des torts ou trouver des réponses.

Il parlait d'un ton désinvolte, mais une part de moi se figea. En savait-il davantage qu'il n'en laissait paraître ?

— Qu'en penses-tu ?

Il me toucha l'épaule et je sursautai. Il me fit un regard inquiet, mais je ne savais pas quoi dire.

— Ce que je pense de quoi ?

Je le regardai droit dans les yeux, prête à découvrir ce qu'il savait.

— Du livre ? L'as-tu lu ? Quand tu as mentionné la Révolution française, je tenais pour acquis que tu avais lu le livre. J'ai toujours été fasciné par les structures sociales et l'équilibre du pouvoir entre l'aristocratie et la plèbe, si je peux utiliser ces termes.

— Ah ouais.

Je me passai la main sur le front en tentant de calmer mon cerveau hyperactif.

— Je l'ai lu. J'ai étudié l'histoire à l'université.

— Intéressant, tu devras m'en parler davantage plus tard.

Ses yeux s'agrandirent et il s'empressa de désigner quelque chose.

— Regarde, il y a des noix de coco sur le sol.

Il courut devant moi, et je le regardai cueillir les noix de coco et les secouer.

— Elles sont molles à l'intérieur, me cria-t-il en souriant. J'entends le liquide.

— C'est super ! lui répondis-je en criant.

— Du moins, nous savons que nous allons survivre au moins une nuit.

Il revint vers moi en courant et je fis un signe d'assentiment. Il s'arrêta devant moi, ses yeux azur étincelant d'un enthousiasme sincère, et je savais alors que, peu importe ce qu'il faisait ici, il n'était pas venu pour me tuer. Je savais aussi que j'allais trouver très difficile de lui résister, s'il continuait à me lancer des regards qui faisaient fondre mes membres.

Chapitre 4

— **A**lors, ce soir, on dort sur la plage, c'est tout?

Je lançai à Jakob un regard horrifié.

— Désolé, princesse. Il n'y aura pas de draps 800 fils en coton égyptien.

— Je me fiche des draps de luxe. Je n'en ai même pas à la maison.

J'ignorai son expression étonnée, et je continuai.

— Et si un cochon sauvage vient nous attaquer?

— Un sanglier.

— Quoi? dis-je en regardant autour de moi.

— Un sanglier pourrait nous attaquer. Pas un cochon sauvage.

— Crois-tu vraiment que je me soucie de la sémantique de la situation?

Ma voix monta, et il rit doucement. Je regardai son visage passer de son aspect mûr plus naturel à une expression plus légère et plus gamine. Je ne pus m'empêcher de lui rendre son sourire.

— Ce n'est vraiment pas si drôle, continuai-je d'un ton calme.

— Ne t'en fais pas, Bianca. Je vais te protéger.

— Hon hon.

Je fixai son torse nu et ses biceps saillants, puis détournai le regard.

— Comment as-tu l'intention de le faire ?

— Je vais te surveiller, répondit-il en haussant les épaules, au cas où quelque chose essaierait de t'attaquer.

— Merci, marmonnai-je doucement.

Puis, je m'assis sur le sable, m'étendis et fermai les yeux. J'entendis Jakob s'étendre lui aussi, et nous nous laissâmes gagner par nos pensées.

Le silence était assourdissant, surtout pour quelqu'un comme moi qui ai grandi avec le bourdonnement constant de la circulation et des sirènes de New York. Le gros sable était dur, et j'avais une conscience incroyablement aiguë de ma proximité par rapport à Jakob. Je roulai à quelques reprises dans le sable et soupirai.

— Tu ne t'endors pas non plus ? murmura-t-il.

Je choisis de faire semblant de dormir. Sans attendre ma réponse, il continua à parler :

— Quand j'étais plus jeune, tout ce que je voulais, c'était du silence. Maintenant, je me demande pourquoi.

— Moi aussi, je voulais du silence. Le silence me donnait une impression de sécurité. Oui, bon, le silence nous fait parfois nous sentir seuls, répondis-je en fixant le ciel clair et sombre. Mais parfois, il nous faut cet espace tranquille pour nous retrouver avec nos pensées. À d'autres moments, comme celui-ci, eh bien, on ne veut pas être seul avec ses pensées, non ?

Je marquai un temps d'arrêt, puis tentai de détourner la conversation.

— Je n'ai jamais vu autant d'étoiles.

— Ni moi non plus, dit-il d'une voix bourrue. Le ciel est magnifique, ce soir.

— J'ai l'impression de me trouver dans un tout nouveau monde, dis-je avec un signe de la tête, les yeux levés. Un monde tout nouveau, magnifique, mais complètement désolé.

— Pourquoi ne m'as-tu pas lu la note au complet?

Son ton était différent, et je figeai.

— Quelle note?

Mon souffle s'arrêta.

— La note que tu as lue plus tôt.

— Je ne comprends pas, marmonnai-je alors qu'il se dressa et baissa les yeux vers moi en me faisant un regard interrogateur.

Comment savait-il qu'il y avait une troisième ligne? J'avais regardé la note s'éloigner sur la plage.

— Tu ne l'as pas lue en entier, n'est-ce pas?

— Comment le sais-tu?

— Je ne le savais pas jusqu'ici, se dit-il en se rallongeant. J'avais le sentiment qu'il y en avait davantage que ce que tu as lu. C'était ta façon de la lire, puis de faire une pause avant de dire que c'était tout. J'étais plutôt certain que ce n'était pas le cas.

— Ouais, dis-je en grimaçant. Désolée.

— Alors, qu'est-ce qu'elle disait?

— Quelque chose comme : «Nos deux corps ne font qu'un, mais nous ne serons peut-être pas aussi unis.»

— Tu n'avais pas à me le cacher, dit-il en se rapprochant de moi et en passant un doigt sur ma joue. Je veux que tu me fasses confiance, Bianca.

— Je veux te faire confiance aussi.

Je m'immobilisai alors que ses doigts frôlaient légèrement mes lèvres, puis il retira sa main et se passa les doigts à travers ses cheveux. Je voulus tendre la main et lui toucher les lèvres, pour voir si elles étaient aussi douces qu'elles le semblaient.

— Tu as un problème avec l'intimité, non ?

Il changea d'approche de questionnement, et je détournai les yeux de lui en plissant les sourcils.

— Les humains sont des êtres tellement amusants, dit-il d'une voix douce.

Je le regardai de nouveau. Son visage était éclairé par la lune, et son expression avait quelque chose d'impénétrable.

— Je ne sais pas trop ce que tu veux dire, dis-je en frissonnant.

— Dans le coffre arrière, tu as fait remarquer qu'on était intimes. Puis, tu étais vraiment troublée du fait qu'on était ligotés ensemble.

— Qui ne serait pas troublé ?

— Je dis seulement ce que j'ai remarqué. Tu as des problèmes avec l'intimité.

— Je n'ai pas de problème.

Ma voix baissa, et mes mains restèrent comme des blocs de bois à mes côtés.

Soudainement, je pris conscience du fait que j'étais si peu vêtue — et lui aussi. Je voulais me couvrir, mais n'avais pas à donner encore plus de poids à son argument. Je savais qu'une partie de ce jeu que nous jouions était mentale autant que physique. Il était en train de me mettre à l'épreuve et de me harceler pour voir s'il pouvait me casser en me rendant mal à l'aise. Il ne savait pas trop s'il pouvait me faire confiance, non plus. Je n'allais pas le laisser voir mes faiblesses. Je ne pouvais pas. Surtout si je ne savais pas ce qu'il avait derrière la tête. J'étais attiré par lui plus que je ne l'avais jamais été par un autre homme. Le magnétisme animal que je ressentais envers lui m'incitait à vouloir le renverser sur le sable et à l'embrasser. Je devais me rappeler que je ne savais pas pourquoi il avait été placé avec moi sur l'île. Si les raisons étaient viles, j'allais devoir être en alerte. Je ne pouvais laisser mon corps m'induire en erreur en m'incitant à lui faire trop confiance. Pas encore.

— Tu parais nue.

Sa voix devenait rauque alors qu'il me contemplait.

— Si j'étais plus naïf, je te prendrais pour une sirène qui essaie de me séduire.

Sa voix dériva alors qu'il regardait l'eau.

— Ou une nymphe. Tu pourrais être une nymphe aquatique.

— Je ne suis pas en train d'essayer de te séduire.

— Je sais, dit-il en se grattant le torse. Que dirais-tu si je te touchais, maintenant ?

— Je ne dirais rien, dis-je en m'éloignant légèrement de lui. Je te donnerais une claque sur la main.

Je respirai à fond en essayant de me calmer les nerfs.

— Tu n'as pas à avoir peur, dit-il en baissant la voix. Je ne touche que les femmes qui le veulent.

— C'est bien.

— Me trouves-tu attirant, Bianca ?

— Je n'y avais pas pensé.

— On dit que le diable s'habille de cuir et que ses maîtresses s'habillent de satin…

Sa voix s'estompa.

— C'est une chose étrange, le fait qu'on soit ici tous les deux.

— En effet.

Je soupirai, la tête tournante et les yeux somnolents. Je voulais tellement dormir, mais je ne voulais pas baisser la garde près de lui. Pas maintenant qu'il se comportait bizarrement.

Le silence se fit, et il se leva en s'étirant. Ses abdominaux ondulaient lorsqu'il les fléchissait, et je l'observai soigneusement. Je sentis un étrange frisson en le fixant. Une partie de moi avait peur de sa force évidente, et l'autre me séduisait par son charme. J'étais déçue par ma vile attirance envers lui. Il était sexy, et mon corps le remarquait, même si mon cerveau me hurlait de ne pas lui faire confiance. Je voulais sentir la force de son corps me plaquer au sol alors qu'il m'embrassait partout. Je voulais sentir le toucher de sa langue sur ma peau déjà ultrasensible. J'avais la tête enfiévrée par le souvenir de son corps appuyé contre le mien dans l'eau. Il n'avait qu'à baisser les mains et à me prendre les bras, et je serais comme de la pâte à modeler entre ses mains.

— Es-tu souple, Bianca ?

Sa voix se trouva soudainement au-dessus de moi, et je clignai des yeux dans sa direction, tout en déglutissant difficilement.

— Pourquoi ?

— J'ai une idée.

— Laquelle ?

— Me fais-tu confiance ?

Il s'agenouilla et me regarda dans les yeux.

— Ça ne fonctionnera pas à moins que tu me fasses confiance.

— Je ne sais pas.

Je fixai ses yeux clairs et ouverts, et je sentis faiblir une part de moi.

— Quelle est ton idée ?

— Il faut d'abord que je sache que tu me fais confiance.

Il parlait doucement, mais son regard était intense.

— Je te fais confiance, mentis-je avant de bâiller.

— Tu es fatiguée. Tu devrais dormir. On en reparlera au matin.

— Je vais bien, dis-je en secouant la tête. Dis-moi.

— Je me préoccupe de ta sécurité, Bianca. Je veux connaître la vérité autant que toi.

Mon corps figea à ces mots. Que savait-il de la vérité ? De quelle vérité parlait-il ? La vérité sur notre présence dans cette île, ou celle sur la mort de ma mère ? Je savais que toutes mes pensées divaguaient de façon incohérente et que je n'avais aucune raison de croire qu'il savait quoi que ce soit sur ma mère. Je fermai les yeux un instant et tentai de me calmer. Je ne voulais rien dire qui put éveiller des soupçons en lui, s'il était ici pour de basses raisons. Je devais me rappeler que j'étais la seule à connaître les soupçons de mon père. Même David ne savait pas toute la vérité. Je devais faire très attention à ce que je disais.

— Je veux qu'on demeure en sécurité, tous les deux, dis-je en ouvrant les yeux et en m'assoyant.

Je tentai de repousser mes cheveux en le regardant.

— Alors, tu es très riche, non ?

— J'ai de l'argent, oui, dit-il en faisant un signe de la tête et en me regardant à la manière d'un oiseau de proie. Pourquoi ?

— Par curiosité, c'est tout. J'essaie de découvrir si tu as été kidnappé à cause de moi ou si on a voulu t'enlever pour une autre raison.

— Ce serait très utile à savoir. D'abord, avant que je te voie et que tu me rappelles qui tu étais, je tenais pour acquis que c'était parce que j'avais de l'argent.

— Ouais, il aurait été plus raisonnable que tu sois kidnappé pour de l'argent. Je ne sais tout simplement pas pourquoi le même ravisseur nous a pris tous les deux. Je ne suis pas riche.

— À moins que ce soit une sorte de service expert. *Nous kidnappons qui vous voudrez, en sous-traitance*, dit-il à la blague avant de me faire un sourire ironique. Désolé, ce n'était pas drôle, n'est-ce pas ?

— Pas vraiment, dis-je en lui faisant un court sourire. Quelle importance accordes-tu à ton argent ?

— Pas autant d'importance qu'à la vérité.

— Et la vie ?

— Crois-tu que l'argent soit plus important que la vie ? Est-ce ce que tu me demandes ?

Il pencha la tête et me scruta le visage.

— Oui. Que céderais-tu pour de l'argent ?

— Je ne céderais pas ma chance d'être vraiment heureux.

Son ton de voix était tendu.

— Je ne céderais pas ma vie.

— Céderais-tu l'amour ?

— Est-ce que je céderais l'amour pour de l'argent ?

Son visage se tordit.

— À quoi rime ce genre de question ?

— J'étais curieuse, tout simplement, dis-je en haussant les épaules. Je me demandais seulement à quel point l'argent compte pour quelqu'un qui est riche.

— Je vois. L'argent n'est-il pas important pour tout le monde ? Pour moi, il n'est pas plus important que la vie. Quant à l'amour, je ne sais pas. Est-il plus important que l'amour ? Je ne pense pas. Mais alors, quel est le coût de l'amour ?

Son ton changea.

— Combien vaut un cœur brisé ?

— Je ne sais pas, dis-je en haussant les épaules.

— Vaut-il une vie ?

— Je ne pense pas…

— Jusqu'où irais-tu pour te venger ? D'après toi, sommes-nous responsables des péchés de nos pères ?

Une touche de colère transparaissait dans sa voix.

— Pour moi, oui.

Je fis un signe affirmatif de la tête, et mon ton était sincère.

— À ce stade de ma vie, je le crois.

— Je suis d'accord. Mais je me demande si la question est aussi blanche ou noire.

— Je ne sais pas.

Je déglutis avec difficulté en m'apercevant que Jakob avait pris un air absent. Soudainement, l'air du soir me semblait très frais.

— Mais je suis trop sérieux, non ? me dit-il en faisant un petit sourire. Je devrais te laisser dormir.

— C'est bien. Je suis perplexe, c'est tout. Tu allais me dire quelque chose, puis tu viens de changer de sujet. Pourquoi m'as-tu demandé si je te faisais confiance ?

— Je crois que tu retiens quelque chose, et je suis moi-même dérouté. Je ne comprends pas pourquoi quelqu'un te suivait. Je ne comprends pas pourquoi un homme est venu me voir pour m'interroger après que je suis resté assis à une table avec toi pendant quelques secondes, et je ne comprends pas pourquoi on est ici tous les deux. Je t'ai demandé si tu me faisais confiance parce que je crois que ce sera la seule façon pour nous de découvrir des réponses.

— Je ne sais pas quoi penser.

Ma réponse était sincère. Ses paroles étaient logiques. Et peut-être me serait-il utile, à d'autres égards, de lui dire ce qui se passait. Je ne savais tout simplement pas quoi faire. Comment lui dire que ma mère avait peut-être été assassinée par l'ancien associé de mon père ? Comment lui dire que je détenais peut-être une entreprise milliardaire ? Comment lui dire que mon ex-copain était le fils de celui qui, selon moi, avait tué ma mère ? Comment lui dire que j'avais mené une enquête sur l'une des plus grandes compagnies du monde, pour fraude et meurtre ? Comment le lui dire, alors que personne d'autre ne le savait ? Je songeais aux brevets et aux papiers d'incorporation que j'avais placés dans le sac à main de Rosie, le soir de mon enlèvement. Je savais que ceux qui me cherchaient voulaient avoir ces papiers. Ils voulaient savoir quelle information je possédais. J'avais commis l'erreur de révéler à David que mon père avait travaillé pour la société Bradley. J'avais cherché à avoir un plus grand accès à la compagnie. J'avais voulu rencontrer son frère, l'insaisissable PDG, Mattias Bradley. Tout ce que j'avais obtenu, en retour, c'était une série d'avertissements qui m'intimaient de rester à l'écart. J'avais eu une surprise et de la chance : David m'avait appelée pour me parler du plan de Mattias. Comme je n'avais pas le choix, j'avais accepté. Je devais faire confiance à David. Cependant, je ne m'étais pas attendue à ceci. Je ne m'étais pas attendue à Jakob.

— Je pense tout simplement qu'il vaudrait mieux qu'on mette les choses au clair, annonça-t-il.

Je le fixai en tentant de deviner qui était cet homme et quel rôle il jouait dans tout.

— Mais remettons ça à demain matin. Nous pourrons parler davantage. Essayons de dormir un peu.

— Difficile de dormir ici, dis-je, essayant de sortir de mon malaise et de ma confusion. Je trouvais New York humide, mais cet air-ci est tellement chargé.

— Oui, c'est vrai.

Il montra son accord par un signe de tête et se rassit à côté de moi.

— Dis-moi, Bianca. Tuerais-tu quelqu'un, si tu devais le faire ?

— Quoi ? dis-je en avalant ma salive, le corps figé. Que veux-tu dire ?

Il me fixa pendant quelques secondes d'un regard dur et brillant, puis il se mit à rire.

— Rien. Je suis trop sérieux, dit-il en secouant la tête. Dormons un peu.

Je m'étendis de nouveau sur le sable et fermai les yeux. Même si j'étais physiquement épuisée, mon cerveau refusait de me laisser dormir. Chaque poil de mon corps était en alerte alors que j'étais étendue là, attendant de voir ce qui se passerait. Ma peau picotait tellement j'étais conscience du regard soutenu de Jakob. Je voulais me retourner ou aller me cacher.

Je ne savais pas trop où était passée l'agréable camara-
derie de la journée, mais étendue là en attendant la lumière
du jour, j'étais plus perplexe que jamais. Mon instinct me
commandait de lui faire confiance. Mon corps me disait de
le toucher. Cependant, mon cerveau m'ordonnait de faire
attention. Certains de ses commentaires avaient semblé un
peu déplacés, et je n'étais pas certaine si mon réflexe ins-
tinctif de lui faire confiance était influencé par mon attirance envers lui.

Je frissonnai en songeant à son dernier commentaire.
Crois-tu pouvoir tuer quelqu'un si tu devais le faire? Quelle
question bizarre! Était-ce un avertissement? J'aurais dû lui
demander : « Et toi? » J'avais voulu, mais je craignais sa
réponse. Son visage avait paru si sérieux, si différent. Je
m'imaginais son visage tel qu'il était plus tôt, quand nous
avions nagé dans l'océan et à quel point il avait été prudent
envers moi en coupant la corde de mes poignets. Ses yeux
bleus avaient montré une préoccupation à mon égard. Ses
lèvres avaient été agréables. Ses bras avaient été forts et
musclés, et son torse, parfait. Un spécimen d'une perfection
absolue.

Je rougis en m'apercevant que mes pensées recommen-
çaient à suivre une voie différente. J'étais sexuellement
attirée vers lui; c'était incontrôlable et cela m'effrayait. Je ne
voulais pas que mon attirance me pousse à baisser la garde.
Je l'avais déjà fait un peu. Je savais que mon masque glissait
et que, peu à peu, je m'ouvrais à lui. Je devais me souvenir de
me concentrer sur la raison pour laquelle j'étais ici. Je devais
découvrir la vérité sur la mort de ma mère. Je fus soudain
frappée par le fait que si sa présence ici n'était pas une coïncidence; il en savait peut-être davantage qu'il n'en laissait

paraître. Peut-être que si je divulguais un peu d'information, il me ferait confiance. Je ne savais pas s'il savait quoi
que ce soit, mais cela valait le coup. À moins, bien sûr, qu'il
se soit trouvé ici pour une tout autre raison.

Ma respiration s'arrêta un instant alors que je m'aperçus
que la vérité crevait peut-être les yeux. Et si j'étais condamnée
à ne jamais sortir de l'île ? Et si Jakob n'avait aucunement
l'intention de m'aider à trouver la vérité ? Et si Jakob était
venu pour me tuer ?

Le soleil qui me tapait sur le visage me réveilla,et je bondis
sur mes pieds, anxieuse et désorientée. Je regardai sur la
plage, mais Jakob n'était visible nulle part. J'allai vers l'océan
pour laver mon visage et mouiller mes cheveux. Mon
estomac gargouillait alors que j'aspergeais ma peau d'eau
froide, et j'avais le gosier sec. Si je ne trouvais pas bientôt de
la nourriture et de l'eau, j'allais bientôt m'effondrer. La chaleur du soleil avait déjà commencé à saper mon énergie, et
des taches noires et blanches dansaient devant mes yeux.
J'étais sur le point de m'évanouir et j'avais peur. Quand
David m'avait avertie que j'allais disparaître pendant un
moment, je ne m'étais pas imaginé que ce serait ainsi. Je ne
m'étais pas attendue à être kidnappée et emmenée dans
une île déserte.

Je sortis de l'océan et revins à la plage en ralentissant
pour ne pas dépenser trop d'énergie. Je restai debout pendant cinq minutes, m'asséchant au soleil avant de mettre
mon haut. En regardant mon pantalon, je savais que même
dans mon état modeste, je n'allais pas le remettre. Mon haut

m'arrivait juste sous la taille, et je choisis d'ignorer le léger sentiment de gêne qui venait du fait de me promener en petite culotte. Le nouveau jour m'avait apporté un sentiment renouvelé et encore plus complexe de peur, de perplexité et d'embarras.

Je fixai la grande chemise blanche de Jakob et j'eus une idée. Je retirai rapidement mon haut et mis sa chemise, laissant mon haut sur le sable pour m'y asseoir. Sa chemise était si grande qu'elle me couvrait les fesses et me faisait me sentir plus à l'aise en marchant. Je restai là quelques instants à essayer de me figurer quoi faire. Je n'étais pas certaine de vouloir partir chercher Jakob ou d'aller chercher de la nourriture. Je ne voulais pas boire d'eau salée, mais je mourais de soif.

— Ça te va bien, cria Jakob derrière moi.

Je sentis mon corps se détendre. Il était encore en vie, alors.

— Eh, j'espère que ça ne te dérange pas.

Je bondis et fis un faible sourire alors qu'il marchait vers moi. Il paraissait encore plus magnifique à la lumière d'une nouvelle journée.

— Ce qui est à moi est à toi, dit-il en haussant les épaules. On n'est que deux, ici.

— Merci.

C'est alors que je remarquai les bananes qu'il avait à la main.

— Tu as trouvé de la nourriture?

— J'ai vu des bananiers dans la jungle.

Il fit un signe de la tête en direction des arbres.

— Je me suis dit que tu étais peut-être affamée.

— Je le suis, dis-je en hochant la tête. Merci, dis-je encore alors qu'il me tendait quelques bananes.

— Je n'ai pas trouvé d'autres noix de coco vertes au sol, dit-il en fronçant les sourcils. Ni de source d'eau naturelle.

— Oh.

Je pelai une banane et m'empressai de la manger.

— Alors, on n'a rien à boire.

Il passa ses mains sur le dessus de sa tignasse foncée et luisante, et fronça les sourcils.

— Qu'est-ce qu'on va faire?

À ce stade, je savais qu'il valait mieux collaborer. Je n'avais qu'à surveiller chacun de ses gestes.

— Il va falloir chercher de l'eau naturelle ou espérer qu'il pleuve.

— Qu'il pleuve? dis-je en fronçant les sourcils. Qu'est-ce qu'on va faire? Tirer la langue?

— Quelque chose comme ça, dit-il avec un sourire. L'eau de pluie ici sera bonne à boire. Elle sera pure. Nous devrions trouver un objet qui servira de contenant.

— Euh, c'est une perte de temps, tu ne crois pas? déclarai-je en levant les yeux vers le ciel clair. Je ne pense pas qu'il pleuve bientôt.

— La météo peut changer en un instant, Bianca. La météo, c'est comme les gens. Les choses changent au moment où on s'y attend le moins.

— Alors, tu veux dire que les apparences peuvent être trompeuses?

— C'est exactement ça.

Ses yeux se plissèrent alors qu'il me regardait, et son expression changea.

— Tout ce qui brille n'est pas or.

Je détournai les yeux et me concentrai à manger ma banane. Je la dévorai avidement, soucieuse d'avoir de la nourriture dans l'estomac. Je pelai rapidement une deuxième banane et commençai à la manger tout aussi voracement.

— N'en mange pas une troisième, dit Jakob en m'enlevant de la main le reste des bananes. Tu en as assez pour ta subsistance. Si tu en prends une autre, tu auras plus soif.

— J'ai encore faim, dis-je en fixant les bananes qu'il tenait à la main.

— N'en prends plus. Pas maintenant.

Il secoua la tête et je me demandai si j'avais assez d'énergie pour le pousser et m'emparer des bananes.

— N'y pense même pas.

Ses yeux se plissèrent et il fit un pas vers moi.

— Je te plaquerais au sol en cinq secondes, et je te mettrais hors d'haleine sans remords.

— Je ne sais pas de quoi tu parles.

Je m'éloignai de lui en reculant, rougissant à la pensée qu'il me plaque au sol.

— Je suis très fort, Bianca.

Il sourit en se penchant pour murmurer à mon oreille.

— Et je ne serais pas hostile à l'idée de t'avoir sous moi.

— Eh bien, *je* serais très hostile à cette idée.

— Es-tu prête à aller chercher de l'eau?

Il fit un pas en arrière, et je remarquai que ses poings étaient serrés. Ce n'était pas un bon signe. Son langage corporel me déstabilisait. Je ne pouvais pas du tout le saisir. Était-il un ami ou un ennemi?

— Chut!

Il se retourna, les yeux agrandis et les narines palpi-
tantes. Il tendit les mains vers moi, et ses doigts m'agrip-
pèrent les épaules.

— Entends-tu?

— Quoi? murmurai-je en essayant d'écouter
attentivement.

Tout ce que j'entendais, c'était le bruit des vagues et
quelques oiseaux au loin. Le corps tendu, Jakob était debout
à côté de moi, les yeux fermés.

— Il y a quelqu'un d'autre ici.

Ses yeux s'ouvrirent de nouveau, et j'y voyais de la colère
et une émotion proche de la peur.

— Que veux-tu dire?

— Il y a quelqu'un d'autre que nous sur l'île.

Il relâcha mes épaules et regarda à la hâte autour de
nous.

— Il ne devrait y avoir personne d'autre.

Il secoua la tête en faisant les cent pas.

— Es-tu certain? dis-je en marchant vers lui, le cœur
battant. Je n'entends rien.

— Je suis certain, affirma-t-il avec un hochement de
tête. Ferme les yeux et écoute attentivement.

Je fermai les yeux et écoutai. Au début, je n'entendais
que le bruit de mon cœur qui battait rapidement. Puis, j'entendis Jakob respirer près de moi. Puis, je le sentis. Masculin,
viril, en sueur. J'ignorai l'odeur et tentai de me concentrer.
C'est alors que j'entendis le bruit d'un insecte que je ne
connaissais pas. On aurait dit un bourdonnement très
grave. Je tentai de me concentrer davantage. J'entendais les
oiseaux siffler et pépier. L'attente. Je figeai. Les oiseaux

pépiaient, mais quelque chose d'autre sifflait. Ce n'était pas un oiseau. Mes yeux s'ouvrirent d'un coup et se jetèrent dans ceux de Jakob.

Il me fixait directement, le nez à quelques centimètres du mien.

— Nous ne sommes pas seuls.

Je déglutis avec difficulté. Mes doigts le touchèrent de leur plein gré en s'accrochant à ses bras. Il se rapprocha de moi, me prit dans ses bras, et me frotta le dos. Sa poitrine était chaude et réconfortante. Soudain, il ne paraissait pas être l'ennemi. J'avais vu le regard dans ses yeux. Il avait été aussi décontenancé que moi. Il y avait quelqu'un d'autre avec nous sur l'île. Et aucun de nous ne savait qui, ni pourquoi.

— Qu'est-ce que tu fais là ? demandai-je en lui prenant le bras alors qu'il s'écartait de moi.

— Nous devons aller voir qui est ici avec nous.

— Est-ce qu'on ne devrait pas se cacher et attendre de voir qui vient vers nous ?

— Les lâches attendent de devoir se défendre. Les braves savent que la victoire dépend de l'offensive.

— Hein ? dis-je en le fixant d'un air ébahi. Étais-tu dans l'armée ?

— Non, répondit-il en secouant la tête. As-tu entendu parler de *L'Art de la guerre* ?

Je secouai la tête.

— Non, qu'est-ce que c'est ?

— C'est un livre. Il a été écrit par Sun Tzu. C'était un général militaire et un philosophe chinois. Un grand philosophe. Sun Tzu a dit : «Si tu ne connais ni ton ennemi ni toi-même, tu es sûrement en péril.»

— Nous ne savons pas si la personne est notre ennemie.

— Nous ne savons pas si elle ne l'est pas.

— Qu'est-ce qu'on fait?

— Viens.

Il me prit par la main, puis m'immobilisa.

— Tu dois me faire confiance, Bianca. On va devoir faire semblant de se connaître, comprends-tu? On ne peut permettre à personne de savoir que nous sommes aussi des étrangers. Cela nous rendra faibles et plus faciles à abattre.

— Mais on ne se connaît pas.

Mes yeux s'agrandirent à cause de l'urgence de sa voix.

— Je ne te connais pas, murmurai-je.

— On ne peut montrer aucune division, dit-il en me serrant plus fort avec les doigts. Il est plus facile d'abattre deux ennemis que deux amis.

— Sun Tzu, encore?

— Non, ça, c'est de moi.

Il fit un vague sourire, et je regardai son visage se transformer alors que ses yeux s'illuminaient pour une brève seconde. Il avait l'air d'un homme complètement différent lorsqu'il n'était pas entièrement sérieux.

— Je vois.

— Et ma réponse est oui, en passant, murmura-t-il en me relâchant.

— Ta réponse à quoi?

— Ta réponse muette d'hier soir.

Il se redressa et se tint debout, tout droit, les épaules redressées, fortes.

— Je pourrais tuer quelqu'un, si c'était nécessaire.

Il me regarda d'un air de nouveau assombri.

— Il y a bien des choses que je pourrais faire si ma vie et la vérité en dépendaient. Il faut que tu me promettes une chose, Bianca.

— Laquelle?

— Il faut qu'on se reparle. Tu dois me dire tout ce que tu sais sur notre raison d'être ici.

Il se pencha à l'avant et murmura à mon oreille :

— C'est peut-être notre seule chance de survie.

Puis, il se dirigea vers la jungle.

Je ne savais pas quoi faire. Je n'étais pas certaine de vouloir le suivre. Une partie de moi se demandait si j'allais mourir en le suivant. Comment savais-je vraiment qu'il y avait quelqu'un d'autre dans la jungle? Tout ce que j'avais entendu, c'était quelques sifflements. C'était peut-être un oiseau, après tout. Ou peut-être un perroquet? Les perroquets sont capables d'imiter la voix humaine. Je restai là, figée, incertaine de ce que j'allais faire. Cependant, le temps n'attend pas toujours que nous prenions une décision. Ma décision à moi était prise lorsque je vis figer Jakob. Je regardai ses mains et les vis se serrer. Je fis quelques pas à reculons, effrayée. C'était tout. Nous étions sur le point de découvrir qui était sur l'île avec nous.

— Salut, cria d'une voix suave une autre voix masculine. Êtes-vous égarés, vous aussi?

— Quelque chose comme ça, répondit Jakob, et je regardai derrière lui pour voir à qui il parlait.

Mes yeux s'écarquillèrent lorsqu'il fixa l'autre homme. Il paraissait discret et pâle. Un peu plus grand que moi, il avait des cheveux brun foncé. À cette distance, je ne voyais pas la couleur de ses yeux, mais un sourire agréable sur son visage. Il avait l'air d'un type ordinaire. Je me demandai comment il était arrivé sur l'île et pourquoi il ne nous avait pas accostés plus tôt. Comme je n'avais pas vu d'embarcation ni d'avion nulle part, il n'y avait aucune chance qu'il ait débarqué sur l'île après nous. Je me hâtai d'aller trouver Jakob, et le visage de l'homme se changea en un immense sourire alors qu'il me regardait.

— Eh bien, salut.

Il sourit et marcha vers moi.

— Ça fait du bien de vous rencontrer tous les deux.

Il avait un léger accent et il boitillait.

— Ça va? dis-je en m'avançant vers lui.

Mais Jakob me prit le bras. Je le regardai et il secoua intensément la tête, mais je l'ignorai. Il n'y avait pas de quoi être effrayé avec ce nouvel homme. J'étais suffisamment forte pour abattre un homme qui boitillait, s'il fallait en venir aux mains.

— Je me suis blessé à la jambe.

L'homme continuait de me sourire. Il avait les yeux vifs et bleus. Il était plus beau qu'il ne le paraissait de loin.

— Je suis tellement content de vous avoir rencontrés. Je croyais que j'allais rester coincé seul ici.

— Nous sommes contents de vous avoir trouvé, nous aussi.

Jakob s'avança et posa son bras autour de mon épaule. Le caractère possessif de son geste m'agaçait, et j'essayai de me dégager de lui, mais sa poigne était serrée sur mon épaule.

— Ce doit être effrayant d'être seul sur l'île. Comment vous appelez-vous ?

— Je m'appelle Steve.

Il me présenta sa main et je la serrai. J'étais étonnée de voir à quel point sa poigne était ferme. J'avais tenu pour acquis qu'il avait une poignée de main molle, comme la plupart des hommes discrets. Sa poigne ferme ne correspondait pas à son apparence. Et la lumière de ses yeux bleus semblait en quelque sorte artificielle. Je sus immédiatement que je ne lui faisais pas confiance.

— Bianca.

Je lui souris en essayant de lui montrer que j'étais une amie et que je ne le jaugeais pas. Mon père m'avait toujours dit de ne pas laisser une personne voir que j'étais en train de l'évaluer. Si un inconnu savait ou sentait qu'on l'examinait, il se repliait et devenait plein de ressentiment. Je ne voulais pas que Steve ait de mauvais sentiments envers moi. S'il croyait que je lui faisais confiance, il pouvait être plus disposé à me donner de l'information. J'étais presque certaine que cette rencontre n'était pas un hasard.

— Un beau nom pour une femme magnifique.

Ses yeux flirtèrent avec moi, et mon sourire hésita, car je devenais légèrement mal à l'aise devant son audace, étant donné que Jakob me tenait à la taille et que toute sa posture était extrêmement possessive.

— Je m'appelle Jakob, dit-il d'une voix légère tout en ignorant la main tendue de Steve. Comment êtes-vous arrivé ici ?

— Je ne suis pas sûr, dit Steve en fronçant les sourcils. Je me suis endormi sur la plage à la station balnéaire et je me suis réveillé dans la jungle.

— La station balnéaire? dit Jakob en souriant. Il y a une station balnéaire sur l'île?

Son sourire ne se rendit pas jusqu'aux yeux, et il me repoussa légèrement derrière lui.

— Vous devez faire erreur.

— Il doit y avoir une station balnéaire, non? dit Steve en lui rendant son sourire. Autrement, comment serais-je arrivé ici?

— Bonne question, dit Jakob, me regardant une seconde et revenant à Steve. Pardonnez-moi si je ne suis pas aussi convaincu par votre histoire que vous l'auriez espéré, mais j'ai beaucoup de difficulté à accepter le fait que vous vous croyez encore sur la même île que votre station balnéaire.

— Je ne sais vraiment pas où je suis, dit Steve en se frottant la tête, le regard de plus en plus inquiet. J'ai chaud et soif, et je suis légèrement désorienté. Tout ce que je me rappelle, c'est d'avoir pris un verre, puis de m'être endormi. Je me sens très mal à présent, j'ai peut-être une gueule de bois.

— On dirait que vous avez passé un mauvais quart d'heure.

— Comment êtes-vous arrivés ici, vous deux?

— Bianca et moi avons été kidnappés, et nous ne savons pas vraiment comment nous sommes arrivés ici; et d'ailleurs, nous ne savons même pas où nous sommes.

— Vous avez été kidnappés? Ensemble?

Steve parut surpris, et son sourire faiblit un peu. Sa réaction était étrange. Ce n'était pas ainsi que je m'attendais à ce que quelqu'un réagisse à la nouvelle que quelqu'un avait été kidnappé.

— Oui, répondit Jakob en même temps que je disais « non ».

— Laquelle de vos réponses est la vraie ? dit Steve en nous regardant l'un et l'autre.

— Ils nous ont tous les deux kidnappés à des moments différents, dit Jakob d'une voix ferme. Aucun de nous deux ne sait pourquoi, mais nous sommes tellement contents d'être ici ensemble.

— Alors, vous vous connaissez mutuellement ?

Le regard de Steve était posé sur moi, et je voyais qu'il cherchait des réponses dans mes yeux. Je voulais être franche avec lui, mais je ne voulais pas que Jakob soit furieux.

— Oui, dit Jakob en faisant un signe affirmatif de la tête. Nous sommes des amants.

— Oh ! dis-je en haletant et en rougissant.

Je me sentis rougir en entendant les paroles de Jakob, mais j'essayai d'ignorer les papillons de mon estomac à la pensée qu'il me touche, ou que ses lèvres me parcourent le cou. Ses doigts appuyèrent sur mon dos et descendirent de façon suggestive jusqu'à mon postérieur. Je ne savais pas trop si cela faisait partie de son jeu, mais je ne voulais pas qu'il arrête. Je voulais sentir ses mains sur tout mon corps. Je voulais lui toucher et sentir son érection entre mes jambes. Je voulais…

— Vous devez lui pardonner.

Jakob ricana et me prit dans ses bras, changeant soudainement mes pensées en réalité alors que mes seins s'écrasaient contre son torse.

— Bianca est un peu timide quand je parle de notre intimité en public.

— Jakob.

Je tentai de l'écarter, et une fois de plus, sa main descendit rapidement sur mes fesses et les serra fermement. Je me débattis pour lui échapper, mais sa poigne devint plus ferme et je ne pus bouger.

— Plus tard, ma chère.

Il me sourit doucement, ses yeux me lançant un avertissement alors qu'il me rapprochait de lui. Je sentais son érection appuyer contre mon ventre, et je savais que sa petite comédie l'excitait également.

— J'imagine que je suis la cinquième roue du carrosse.

Steve avait complètement perdu le sourire, et je me méfiais de la rapidité avec laquelle son comportement avait changé. Il était passé d'amical à maussade en quelques instants, et je commençais à réaliser que son comportement désinvolte et amical était carrément factice.

— Heureusement que nous avons de la compagnie, dit Jakob sur un ton qui me semblait tout sauf heureux. Peut-être qu'à trois, nous pourrons trouver exactement ce qui se passe ici. Pour ma part, je ne veux pas passer le reste de mes jours sur cette île.

— Oui, je serai heureux de rester avec vous deux ici, dit Steve en hochant la tête. Je veux vraiment me figurer une façon de sortir de l'île. Bien sûr, je veux savoir ce que je fais ici. Ce que nous faisons tous ici. Ce serait bien de le savoir. Ce serait vraiment bien.

Il me regarda alors, les yeux légèrement plissés et les lèvres serrées. Quelque chose dans sa façon de parler me mettait mal à l'aise. Il ne semblait pas craintif. Il paraissait beaucoup trop calme pour quelqu'un qui s'était prétendument réveillé sur une plage d'une île déserte.

— Je suis d'accord.

Je frissonnai à côté de Jakob. J'étais encore dans ses bras, et j'étais soudainement contente pour plus d'une raison qu'il avait revendiqué sa mainmise sur moi.

Tant je m'interrogeais sur les intentions de Jakob, tant je savais que la présence de Steve représentait un malheur. Je ne pouvais m'empêcher de sentir qu'il était là pour une raison plus sinistre.

— Devrions-nous nous asseoir? dit Jakob en faisant un signe de tête en direction de nos pantalons. Pour faire connaissance?

— Ça me paraît une bonne idée, acquiesça Steve en hochant la tête. J'ai besoin de me reposer un peu.

Et nous marchâmes tous vers le sable.

— Je ne lui fais pas confiance, murmurai-je à l'oreille de Jakob alors que nous nous en retournions.

Son regard me disait qu'il était d'accord avec moi.

— Ne le laissons pas s'en apercevoir.

Le souffle de Jakob me chatouilla l'oreille lorsqu'il me répondit en un murmure. Je ne savais pas trop si j'étais d'accord avec lui. Une partie de moi croyait qu'il vaudrait mieux laisser tout de suite savoir à Steve que nous ne lui faisions pas confiance.

— J'imagine que je ne suis plus à l'hôtel de luxe, dit Steve en me lançant un regard. C'est bien fait pour moi : j'ai passé tout mon temps à boire, assis sur la plage.

Quelque chose clochait dans l'histoire de Steve. Il avait dit qu'il s'était endormi sur la plage. Puis, qu'il s'était réveillé dans la jungle. Je le regardai de nouveau et lui fis un faible

sourire avant de baisser les yeux vers le sable et de réfléchir. Il portait un pantalon et une chemise bleue. Pourquoi
aurait-il porté un pantalon et une chemise sur la plage ?
L'autre pensée qui me frappa, c'est à quel point il paraissait calme et serein. Il était si calme qu'il avait sifflé d'un air
désinvolte. Si je m'étais éveillée en pleine jungle après m'être
endormie sur la plage, je ne serais pas en train de siffloter
comme si je ne m'en faisais pour rien au monde. Je serais
dans tous mes états. Quelque chose ne cadrait pas. Et nous
le savions tous. Les seuls bruits autour de nous étaient ceux
des vagues qui s'écrasaient dans l'océan et quelques pépie-
ments d'oiseaux.

Je fixai Steve, puis Jakob. Ils se jaugeaient mutuellement,
et je sentis la soudaine tension dans l'air. Steve me regarda
de nouveau et passa les mains sur le devant de sa chemise.

— Je suis content d'être ici, Bianca. Je peux aider à vous
protéger.

Puis, il regarda ostensiblement Jakob.

— Elle n'a pas besoin de votre aide. Je suis là pour ça,
répondit Jakob d'un ton menaçant.

Je me demandai jusqu'à quel point c'était vrai.

Les deux se retournèrent pour me regarder, puis je les
regardai et leur offris un petit sourire maladroit tandis qu'à
l'intérieur, je bouillonnais. Je me sentais comme Le Petit
Chaperon rouge, mais je ne savais aucunement lequel de
mes supposés sauveurs était en réalité le loup.

Chapitre 5

— Il y a quelque chose qui cloche chez ce Steve, murmurai-je à Jakob alors que nous nous assoyions sur le sable. Je ne suis pas certaine de lui faire confiance.

— J'aurais pu te le dire dès que je l'ai vu.

— Qu'est-ce qu'on fait ?

Je mordis ma lèvre inférieure et tentai d'empêcher mon corps de trembler.

— Nous allons dormir ensemble, ce soir, murmura Jakob à mon oreille alors que nous regardions Steve boitiller vers l'océan.

— Quoi ?

Ma voix monta, et mon estomac se renversa.

— Nous allons dormir ensemble, dit-il en m'attirant vers lui. Nous devons jouer nos rôles.

— Je ne sais pas si je veux jouer un rôle.

Je déglutis avec peine alors que nos jambes se frôlèrent. Je sentis une petite étincelle électrique me parcourir.

— Je ne lui fais pas confiance, dit-il à voix basse. Nous devons montrer un front uni.

— Nous ne le connaissons pas.

Et je ne sais pas non plus si je te fais confiance.

— Son récit ne s'explique pas, dit-il en plissant les yeux alors que nous regardions Steve s'éclabousser le visage d'eau. Il ne peut pas s'être endormi dans une station balnéaire.

— Je pensais la même chose, mais qu'est-ce qu'il fait ici, alors ?

Je m'étendis sur le sable. Je ne savais pas trop pourquoi je discutais avec lui, alors qu'il soulevait les mêmes points que j'avais relevés intérieurement.

— Qu'est-ce que tu fais ici ? Qu'est-ce que je fais ici ? Il a peut-être été drogué comme nous ?

— Il ne faisait pas partie du plan, déclara-t-il en secouant la tête. J'en suis certain. Ceux qui veulent nous voir ici n'avaient pas l'intention de voir cet homme ici aussi.

— Tu ne penses pas ? dis-je en frissonnant.

— Quiconque a orchestré notre enlèvement avait tout planifié jusqu'au moindre détail. Il avait fait ajouter quelque chose dans ton verre, pour l'amour du ciel. Il ne voulait tout simplement pas qu'une troisième personne apparaisse. Pas comme ça. Ça n'a aucun sens.

— Alors, qu'est-ce qu'il fait ici ?

— C'est ce que j'ai l'intention de découvrir.

Ses yeux se plissèrent et il regarda vers l'océan. Je voyais fléchir ses muscles alors qu'il tendait les bras. Je déglutis avec peine en contemplant son corps ferme. S'il devait se battre, Jakob pouvait carrément vaincre Steve.

— Tu ne penses pas que c'est lui qui manipule tout cela, non ? murmurai-je alors que Steve revenait vers nous en boitant.

Je savais que je ne le pensais pas, mais j'étais curieuse d'entendre ce que Jakob avait à dire. Mentalement, je commençais à me sentir déroutée. Vraiment déroutée.

— Je ne sais pas, dit-il en baissant les yeux vers moi.

Puis, il marqua un temps d'arrêt.

— Aucun d'entre nous ne le sait vraiment.

— Je dois te dire pourquoi je crois être ici, dis-je rapidement alors que je décidai soudainement de lui faire confiance. Il faut que tu saches ce que j'ai vécu.

— Dis-le-moi plus tard, dit-il en hochant la tête. Attendons qu'il se soit endormi avant de discuter. Il s'en revient, maintenant.

Il regarda vers la plage et je vis Steve boitiller dans notre direction.

Nous passâmes le reste de la journée assis sur la plage à bavarder vaguement de la raison pour laquelle, selon nous, nous nous trouvions sur l'île. J'étais plutôt certaine qu'aucun d'entre nous n'était franc ou direct à propos de notre passé. Je savais que je ne l'étais pas. Je marmonnais sans cesse sur les dangers de la vie en ville et la raison pour laquelle les femmes comme moi étaient menacées par l'augmentation du trafic humain. Les deux hommes hochèrent la tête en signe de compréhension, mais je savais qu'ils devaient se dire que ça n'avait rien à voir avec la raison de notre présence ensemble sur l'île.

Jakob ne nous emmena pas explorer la jungle, et je ne lui demandai pas, non plus. Je ne savais pas trop si l'un ou l'autre d'entre nous était désireux d'explorer, maintenant que Steve faisait partie de notre bande. Il y avait quelque chose en lui qui me rappelait un tueur en série. C'était peut-être sa façon de suivre des yeux chacun de mes mouvements. Ou peut-être sa façon de me regarder les seins en se léchant les lèvres. Ses doigts aussi paraissaient trop bien manucurés. Je voyais à ses ongles que ce n'était pas un travailleur manuel. Et puis, son accent changeait continuellement. Il passait du britannique à l'australien, et je ne savais pas s'il faisait semblant ou non.

— Je suis un adepte des loisirs, dit Steve étendu sur le sable. Je vais et je viens à mon gré.

— Ça doit être agréable, répondis-je poliment, alors que Jakob se contenta de le fixer.

— Ce n'est pas mauvais comme mode de vie, me dit-il en souriant.

Puis, il regarda Jakob.

— Je me sens parfois comme un nomade qui s'occupe de petits travaux ici et là, mais c'est une belle façon de voir le monde.

— J'aimerais bien parcourir le monde, un jour.

— C'est un joli rêve, me répondit-il.

Je plissai les sourcils, ne sachant trop comment interpréter ses commentaires. *C'est un joli rêve?* Croyait-il que je n'irais plus jamais nulle part?

Steve parut sentir mon agacement, car quelques secondes plus tard, il tira un flacon de sa poche et en pris une longue gorgée.

Je tendis avidement la main lorsqu'il me le tendit.

— Qu'est-ce que c'est? me dit Jakob en fronçant les sourcils dans ma direction et en secouant la tête alors que j'étais sur le point d'en prendre une gorgée.

— Du gin, dit Steve en souriant. Je porte toujours un flacon sur moi.

— Redonne-le, Bianca.

Il m'enleva le flacon de la main et le remit à Steve.

— Eh, j'avais soif, lui dis-je en le regardant d'un air furieux.

Il me tapa vite sur les nerfs. Je savais que nous tentions de collaborer, mais je ne voulais pas qu'il se croie autorisé à me prendre en charge. Je pouvais m'occuper de moi-même.

— L'alcool ne va pas t'aider, déclara-t-il en secouant la tête et en levant les yeux au ciel. Je ne pense pas qu'il pleuve aujourd'hui.

Je résistai à l'envie de lui répondre « Je te l'ai dit ».

— Alors, qu'est-ce qu'on fait ?

— Il faut trouver de l'eau, dit-il en baissant les yeux.

Je le vis réfléchir.

— Nous devons aller à l'océan.

— Quoi ? Nous ne pouvons pas boire l'eau. Même moi, je sais que ça va nous tuer.

— Non, nous n'allons pas boire l'eau.

Il bondit.

— Nous devons ramasser les pierres.

— Les pierres ? demandai-je en figeant. Pourquoi ?

Je l'imaginai en train de s'en prendre à Steve — et peut-être à moi. Je voyais presque les flaques de sang rouge vif dans le sable. Je frissonnai à cause de ces pensées morbides et secouai la tête.

— Je crois savoir comment obtenir de l'eau.

Jakob me regarda d'un air inquisiteur, et je sus qu'il avait vu trembler mes épaules.

— Avec des pierres ? dis-je en fronçant les sourcils.

Comment allions-nous tirer de l'eau des pierres ?

— Tu as déjà entendu le proverbe qui dit qu'on ne peut tirer de sang des pierres, non ? Je suis sûr qu'on ne peut pas en tirer d'eau minérale non plus.

À la dérive

— Bianca, me dit-il avec un sourire ironique. S'il te plaît, commence à ramasser des pierres dans l'océan.

— Qu'est-ce que tu vas faire ? dis-je en râlant. Je ne suis pas ton esclave.

« Tu peux m'annoncer le plan ; je ne suis pas trop bête pour comprendre », me dis-je.

— Je vais montrer à Steve ce qu'il a à faire.

Il me fit un sourire, puis baissa les yeux vers Steve, qui nous regardait avec une expression de curiosité.

— Tu es bien d'accord qu'il ne serait pas juste de notre part de demander à Steve de transporter des pierres, vu qu'il boite.

— Je ferai tout ce que je peux pour aider, affirma Steve en fronçant les sourcils.

Je vis bien qu'il était agacé du fait que Jakob avait souligné son infériorité.

— J'ai peut-être un petit handicap, mais je vous assure que je peux tout de même faire du bon travail.

Son ton était narquois alors qu'il s'adressait à Jakob. Puis, il me regarda et sourit.

— Je peux vous assurer, Bianca, que je suis fort capable de terminer le travail.

— Venez avec moi, dit Jakob en prenant Steve par la main et en le poussant fort. Je vais vous demander de creuser un trou.

— Un trou ? m'exclamai-je, l'esprit une fois de plus absorbé par la pensée que quelqu'un se fasse écraser la tête avec une pierre géante.

— Bianca, pourquoi est-ce que tu ne vas pas chercher les pierres ? dit brusquement Jakob.

Et je courus vers l'eau.

140

Le cœur me manqua alors que j'atteignis l'eau et que je regardai en arrière. Je vis Jakob et Steve s'éloigner de l'eau en direction des dunes. J'arrivai à l'eau et pataugeai dans le fond de l'océan. Pourquoi voulait-il que je trouve des pierres? Et pourquoi Jakob voulait-il que Steve creuse un trou? Avait-il l'intention de tuer l'un d'entre nous, puis d'enterrer son corps? Je regardai au loin l'horizon désert, et je frissonnai. Qu'est-ce que je n'aurais pas donné, à ce moment, pour voir filer un yacht sur les eaux lisses, ou même un jeune homme sur une motomarine? Je me serais sentie mal de laisser derrière moi Steve et Jakob, mais je serais allée chercher de l'aide.

— As-tu trouvé des pierres?

La voix suave de Jakob me fit sursauter alors qu'il entra dans l'océan derrière moi.

— Pas encore, dis-je en secouant la tête et en faisant courir mes mains sur le fond marin. Combien nous en faut-il?

— Nous en aurons besoin de plusieurs. Plus elles sont grosses, mieux c'est.

— Pourquoi donc?

— Pour la survie.

Il s'éloigna de moi. Il revenait encore à ce mot. J'aurais voulu qu'il cesse de le dire. Le mot *survie* me faisait songer à la mort, et à présent, je ne voulais surtout pas me préoccuper de ma propre mortalité.

Je fixai son dos pendant quelques secondes avant de me retourner.

— Alors, tes parents ont connu un mariage heureux? me cria Jakob alors que nous cherchions des pierres.

— Je crois bien, répondis-je sans savoir comment réagir.
Mon père adorait ma mère. Il était inconsolable lorsqu'elle
est morte.

Je ressentis une douleur à la poitrine en me rappelant
mon père assis sur le divan en train de regarder longuement une photo de ma mère.

— Après son décès, il n'a été amoureux d'aucune autre
femme.

— Alors, c'était l'amour vrai?

— Oui, je crois bien.

— C'est ironique, ce que l'amour peut nous faire,
non?

Il se rapprocha de moi. Je vis une pierre assez grosse
dans ses mains, et je m'immobilisai.

— Que veux-tu dire?

— L'amour peut nous faire être aux anges, mais peut
aussi nous écraser. Il peut nous écraser au point de nous
enlever le goût de vivre.

— Je crois que l'amour varie en fonction de ce qu'on en
fait, dis-je en me mordant la lèvre inférieure. Il ne nous
contrôle que si on le lui permet.

— Et si des forces extérieures prennent ces décisions?

— Idéalement, les adultes devraient prendre eux-
mêmes leurs décisions en ce qui concerne l'amour, dis-je en
haussant les épaules. Sinon, ce n'est peut-être pas vraiment
de l'amour.

— Il est facile de parler d'amour avec philosophie, non?

Son ton changea et il détourna les yeux de moi.

— J'imagine.

Je regardai la pierre qu'il avait dans la main, et je songeai à lui parler de mon père et de la façon dont il s'était

laissé envahir l'esprit par la perte de ma mère. J'aimais mon père plus que quiconque, mais j'étais encore tellement en colère contre lui pour avoir permis que la mort de ma mère dicte le reste de nos vies. Surtout s'il avait négligé de voir des signes reliés à sa mort parce qu'il était obsédé par sa perte.

— Alors, qu'est-ce que tu vas faire avec ça ? demandai-je d'une voix douce, en m'éloignant de lui.

Je savais que le moment n'était pas venu de lui parler de la lettre de mon père. En reculant, je vis ses yeux se plisser et un petit sourire se former sur son visage.

— As-tu peur, Bianca ?

Sa voix baissa, et quand il fit un pas vers moi, il avait un éclat dans les yeux.

— Non, dis-je en fixant son visage, mais je mentais pour ne pas lui montrer mon ambivalence.

— C'est dommage. Tu devrais.

Son regard descendit vers mes jambes, puis revint à mes yeux. Il fit passer la pierre dans sa main droite, et tendit sa main gauche vers mon visage. Ses doigts parcoururent ma joue, et il soupira.

— Je crois qu'il y a de quoi être effrayé sur cette île.

Il passa son pouce sur mes lèvres tremblantes, puis baissa le bras.

— Tu ne devrais pas avoir autant confiance, Bianca.

— Ce n'est pas ce que je fais.

Les lèvres tremblantes, je le regardai intensément. Mes yeux ne voulaient pas se détourner de son visage ni de son torse, et je sentais monter la chaleur dans mes veines.

— Continue de chercher des pierres. Je reviens tout de suite.

Il recula d'un pas et je le regardai s'éloigner dans le sable jusqu'à l'endroit où il avait laissé Steve.

Je secouai la tête et me passai les doigts sur les lèvres. Je fermai les yeux pendant un moment, en me rappelant la sensation de ses doigts sur mes lèvres. Je grognai en m'apercevant que j'étais dans le pétrin. Ma langue darda hors de ma bouche, et je léchai l'infime goût qu'il avait laissé sur mes lèvres. Je me retournai et grognai de nouveau. J'étais vraiment dans le pétrin. Je continuai à chercher des pierres et tentai de me distraire de mon attirance envers Jakob.

Ses questions étaient étranges. Pourquoi se souciait-il autant du mariage de mes parents ? Savait-il sur quoi portait mon enquête ? Je fermai les yeux et priai pour qu'en les ouvrant, je sois revenue dans mon appartement. Tout devenait si confus. Au départ, lorsque j'avais parcouru les papiers que j'avais trouvés dans la boîte de mon père, cela m'avait ennuyée. Puis, je les avais parcourus encore une fois, et ma nature curieuse était entrée en jeu. Il devait y avoir une raison pour laquelle mon père les avait trouvés importants. Il y avait des documents concernant une entreprise dont mon père avait été partiellement propriétaire et fondateur, des brevets pour une foule d'inventions, et de la paperasse dans laquelle il était proposé que la compagnie soit dissoute et que ses trois fondateurs s'en dégagent avec ce qu'ils y avaient apporté au départ. Mon père avait voulu récupérer ses brevets, Bradley devait prendre son argent, et le troisième individu — un dénommé Maxwell — devait ne recevoir qu'un pourcentage des profits de l'année précédente. La dissolution n'avait jamais été signée, mais elle avait été rédigée une semaine avant la mort de ma mère, s'il fallait en croire la date du tampon. Il y avait également un rapport d'un détective privé à propos de l'accident d'auto de ma mère. Ce rapport suggérait que ma mère n'était pas morte dans un accident, mais ce rapport se terminait par une réponse peu concluante.

Je repensai à la compagnie dont mon père avait fait partie : Bradley, London et Maxwell. J'étais certaine que c'était la compagnie maintenant appelée Bradley Inc. J'avais trouvé les Bradley, mais pas les Maxwell. Le fait de rencontrer David et d'attirer son attention avait été ma meilleure étape, jusqu'ici, au cours de l'enquête, mais je m'étais bien vite aperçue qu'il ne connaissait rien de l'entreprise familiale. C'était son frère Mattias qui dirigeait maintenant la compagnie. C'était son frère qui avait accès à tous les secrets de la compagnie. C'était le frère que je n'avais pas encore vu. Je ne trouvais aucune information sur lui, pas même sur Google. C'était la raison pour laquelle j'avais divulgué mon identité à David. Je voulais — non, il me fallait absolument — rencontrer Mattias. Mais ça ne s'était pas déroulé ainsi. Je commençais à me demander si le destin avait changé ses intentions à mon égard et me livrait quelque chose sur un plateau d'argent. Je respirai à fond en tentant d'empêcher mes doigts de trembler. À cet instant, plus que jamais, j'aurais voulu discuter avec David. Peu importe ce qui était arrivé dans le passé, il aurait su exactement quoi dire pour me calmer.

— Bon, j'en ai trouvé deux autres, dit Jakob en arrivant vers moi avec deux autres pierres dans les mains. Tu prends celle-ci et tu me suis jusqu'à Steve.

— Qu'est-ce qu'on va en faire ? lui demandai-je encore, à la fois agacée et curieuse.

— Tout sera bientôt révélé, répondit-il en me tendant une pierre d'assez grosse taille. Allons-y.

— J'arrive.

Je roulai des yeux et le suivis sur la plage.

Nous retournâmes jusqu'à Steve, dont le visage luisait d'un rouge vif. Je voyais bien qu'il allait avoir une terrible insolation au visage et je grimaçais en réalisant que j'étais probablement aussi brûlée que lui. Ma peau n'était pas habituée à un ensoleillement aussi direct.

— Il a l'air de quoi, ce trou ? demanda Jakob en laissant tomber la pierre sur le sol, à quelques mètres de l'endroit où Steve était en train de creuser avec frénésie.

— Pas si bien que ça, répondit Steve, l'air maussade et fatigué.

— On va t'aider. Viens, Bianca, dit Jakob en tombant à genoux et en levant les yeux vers moi. Commence à creuser.

— À creuser ? soupirai-je en m'abaissant à côté de lui. Pourquoi est-ce que nous creusons ?

— Tu verras.

— Je suis fatiguée, grognai-je en essuyant une épaisseur de sueur sur mon front.

— Il faudra que ce trou soit profond d'un à deux mètres. Mettons-nous au travail.

Il se mit aussitôt à jeter du sable derrière lui, et je me mis à la tâche. Les grains de sable étaient frais sur le bout de mes doigts, et je creusai rapidement.

— Le sable est de plus en plus froid, commentai-je à haute voix.

— C'est parce que nous nous approchons de l'eau, répondit Jakob en me faisant un petit sourire.

— Quelle eau ? demanda Steve.

Et je désignai l'océan. On aurait dit qu'il voulait poser une autre question, mais il ne le fit pas. Je levai les yeux et vis que Jakob me faisait un autre petit sourire.

Je lui souris et continuai à creuser.

— Passe-moi les pierres, ordonna Jakob au bout d'une dizaine de minutes pendant lesquelles nous avions creusé frénétiquement.

— D'accord.

Je me levai et les lui tendis en l'interrogeant du regard. Je le regardai poser les pierres au fond du trou que nous avions creusé.

— Qu'est-ce que tu fais ?

— On est en train de créer un filtre naturel, me dit-il avec un sourire. Il nous faut du bois d'épave.

— Où est-ce qu'on peut en trouver ? dis-je en me levant. Devrais-je aller en chercher ?

— Je vais y aller avec toi, déclara Steve en se relevant d'un bond et en me faisant un grand sourire.

— Non, dit Jakob en secouant la tête. Bianca ira seule. Vous m'aiderez à tapoter les parois du puits pendant qu'on attend le bois. Nous ne voulons pas que le sable tombe dans notre trou d'eau.

— Un trou d'eau ? dis-je en haletant et en regardant au fond du trou.

— Si ça fonctionne convenablement, l'eau salée va monter dans ce trou, expliqua Jakob en souriant. Les pierres serviront de filtres et devraient retirer la plus grande partie du sel.

— Wow, dis-je, ébahie. C'est génial. Je n'en savais rien.

— J'ai déjà suivi un cours de survie, dit-il en haussant les épaules. À l'époque, je trouvais l'information inutile. Maintenant, je suis content de l'avoir fait.

— Bien sûr.

Steve plissa les yeux.

— Tapotez les parois du trou, dit Jakob en lui jetant un regard moqueur.

Puis, il se leva en ajoutant :

— Es-tu certaine de pouvoir y aller seule, Bianca ? Je peux venir avec toi.

— Ça va aller, dis-je en hochant la tête.

— Va plus loin par là, suggéra-t-il en pointant du doigt vers la gauche. Tu n'as pas à aller seule dans la jungle.

— Ça ne me dérange pas.

— Moi, oui. Tu n'iras pas là-bas seule.

Son visage prit une expression sérieuse.

— Je vais rester avec Steve pour solidifier les parois.

— D'accord, dis-je en lui lançant un regard dur.

— Bonne chance.

Il se pencha et posa un léger baiser sur mes lèvres. Ses yeux rirent de moi lorsque je me reculai, troublée.

Je m'éloignai rapidement, le cœur battant. Ses lèvres avaient un goût de sel, mais aussi, elles étaient chaudes et tendres. Je ne m'étais pas attendue à recevoir son baiser. Je ne m'étais pas attendue à ce qu'il soit si bon. Tout mon corps fut parcouru de picotements alors que je marchai vers l'orée de la forêt à la recherche de bois.

Le plan de Jakob avait fonctionné, et nous avions de l'eau potable. Elle était encore légèrement salée, mais nous en avions filtré suffisamment pour qu'elle ne soit pas insupportable, et elle étanchait notre soif.

— Une autre banane ?

Il m'en tendit une alors que nous regardions le soleil se coucher.

— Merci, lui dis-je en la prenant avec reconnaissance. En voudriez-vous une, Steve ?

— J'aimerais un bon gros steak juteux avec un gratin de pommes de terre et une jardinière de légumes, dit Steve en me souriant. Et comme dessert, une grosse part de gâteau au fromage avec des cerises.

— Arrêtez, grognai-je. Ça semble tellement bon.

— N'est-ce pas ? dit-il en me souriant et en prenant une banane que lui tendait Jakob. Ça n'est pas vraiment ça, hein ?

— Non, pas vraiment.

Je pris une bouchée de ma banane et m'adossai.

— Mais c'est si joli, ici. Ceux qui nous ont kidnappés ont vraiment choisi un endroit magnifique.

— Nous devrions vraiment parler pour comprendre autant que possible.

Steve changea d'expression, et il nous regarda soigneusement, Jakob et moi.

— J'aimerais savoir si nous avons des points communs.

— J'aimerais bien le savoir, moi aussi.

Je fis un signe de la tête et repensai aux commentaires antérieurs de Jakob.

— Demain, déclara Jakob en se levant. Nous sommes tous fatigués, à présent. Nous pourrions rater quelque chose. Parlons demain matin, quand nous serons en forme.

— J'aimerais mieux parler... commençai-je.

Mais Jakob me prit les bras et m'attira dans les siens. Je trébuchai contre lui, et il sourit avant que ses lèvres s'écrasent sur les miennes. Je me fondis contre lui, et mes mains se collèrent à son visage alors qu'il me donna un profond baiser.

— J'aimerais mieux faire l'amour, murmura-t-il contre ma bouche alors qu'il se retira légèrement.

— Jakob! haletai-je.

Puis, je baissai les yeux vers Steve, qui nous fixait en plissant les yeux.

— Ne t'en fais pas, Steve. Bianca et moi, on ne te scandalisera pas ce soir. Mais je ne vous mentirai pas : il me sera très difficile de ne pas la toucher.

— Je ne vous fais pas de reproche, dit Steve en se levant. Moi-même, je ne sais pas trop si je pourrais résister, dit-il en regardant vers l'océan. Je vais aller plus loin sur la plage et je dormirai là, pour vous laisser de l'intimité.

— Oh, vous n'avez pas à faire ça, lui criai-je alors qu'il commençait à marcher.

Mais il ne s'arrêta pas.

— Laisse-le partir, dit Jakob en me frottant le dos. Nous avons des choses à faire, ce soir.

— Je n'aime pas le sexe occasionnel, murmurai-je en tentant de ne pas fixer l'avant de son caleçon boxeur.

Bien sûr, je ne pouvais détourner le regard devant l'immense renflement. Je changeai de position et levai les yeux pour voir qu'il me fixait avec une expression intense.

— Je ne parlais pas de sexe, dit-il lentement, d'une manière séduisante, alors que son regard baissait vers mes seins.

Il me fallut beaucoup d'effort pour ne pas couvrir mon minuscule soutien-gorge avec mes mains. J'avais presque oublié que j'étais en sous-vêtements. J'avais enlevé la chemise après qu'elle s'était mouillée dans l'océan. De nouveau, je voyais pleinement ma quasi-nudité, ainsi que la sienne. Je déglutis avec peine en sentant un changement imperceptible de l'ambiance. Elle n'était plus légère, mais remplie de tension sexuelle.

— Je vois, dis-je en cherchant à dissiper l'anticipation qui flottait dans l'air.

— Qu'est-ce que tu vois ?

Il s'étendit, et je le vis tendre les bras. Les muscles de son torse ondulèrent, et je déglutis avec peine en me félicitant de ne pas courir vers lui pour passer mes doigts sur son torse.

— Euh, quoi ? marmonnai-je alors qu'il s'ajustait.

— Bianca, je crois que nous devrions dormir côte à côte afin de pouvoir rester bien au chaud, et pour que Steve croie que nous formons un couple. Comme nos vêtements sont encore mouillés, nous ne pouvons pas les mettre ce soir.

— Ouais, j'imagine.

Je frissonnai à la pensée qu'il soit serré contre moi. Ce serait différent de la fois où nous nous étions trouvés dans le coffre arrière, et d'hier soir, alors que nous étions étendus côte à côte. Dans le coffre, j'étais effrayée et inquiète. De plus, je ne savais pas, alors, à quel point il était sexy. Et nous étions habillés. Hier soir, j'avais craint de perdre la vie. Je ne lui faisais pas confiance, et nous ne nous étions pas touchés en dormant. Maintenant, eh bien... maintenant, c'était différent. Je me sentais déjà légèrement excitée.

Je voulus grogner. Comment pouvais-je me trouver dans cette situation? Si David avait su à quel point j'étais maintenant excitée, il serait furieux. Il m'avait toujours traitée de frigide et de prude, mais ce n'était pas le cas. Je n'avais tout simplement jamais été aussi attirée par lui, sexuellement, même s'il était très beau. Je secouai légèrement la tête en pensant à David. C'était fini, et j'en étais contente. Je ne voulais plus perdre de temps à penser à lui.

— Je vois que tu as froid.

Il sourit, et je penchai la tête de côté.

— Comment?

— Tes mamelons sont durs comme des cailloux.

— Oh! dis-je en haletant, troublée par ses paroles.

— Ou peut-être est-ce parce que tu es contente de me voir?

Ses yeux redescendirent vers mes seins qui se soulevaient, et il se lécha lentement les lèvres.

— Je ne serai pas fâché si tu dis que c'est la raison.

— Tu es dégoûtant, dis-je en lui lançant un regard furieux.

— Et tu es mouillée, constata-t-il d'une voix douce en faisant un pas vers moi.

— Je ne suis pas mouillée.

Je secouai les cheveux et sentis des gouttes d'eau dégouliner dans mon dos.

— Menteuse, murmura-t-il.

— Quoi? haletai-je alors qu'il posait une main sur mon ventre et laissait ses doigts glisser vers le bas. Qu'est-ce que tu fais là?

— Je veux seulement te montrer à quel point tu es mouillée.

Ses doigts quittèrent mon ventre et il les remua devant mon visage. Je voyais des gouttes d'humidité sur les bouts.

— Tu vois ? dit-il en souriant.

Et je le regardai lécher les gouttes.

Nous ramassâmes nos vêtements pour les étaler sur le sable, un peu plus éloignés de l'eau, en nous déplaçant en silence. J'étais encore légèrement excitée depuis notre interaction, mais aussi, j'étais agacée envers moi-même et envers lui. Je ne savais pas trop pourquoi je ne l'avais pas giflé pour son effronterie. Je voulais tellement le remettre à sa place, mais une partie de moi aimait vraiment ses allusions érotiques. Lorsqu'il flirtait avec moi, il m'était facile d'oublier où nous étions, ainsi que la situation. Je n'arrivais toujours pas à comprendre ce que nous faisions là. Cela n'avait absolument aucun sens pour moi. Malgré tout, j'acceptais de jouer sa conjointe, comme il le voulait.

— Nous devrions parler avant le retour de Steve, dit Jakob à voix basse. Je crois qu'il ne faut parler de sujets personnels que lorsqu'il n'est pas là.

— C'est vrai. Du moins, la police doit être à notre recherche, marmonnai-je alors que nous étions en train de nous asseoir sur le sable.

— Tu crois ?

Il me regarda d'un air profond.

— Bien sûr, dis-je en hochant la tête. Rosie est probablement en train de paniquer, à l'heure qu'il est. Elle sait que je ne suis pas du genre à me volatiliser. Et puis, j'ai laissé des choses dans son sac à main. Lorsqu'elle les verra, j'espère qu'elle comprendra que j'étais sur une piste.

— Quelle piste? demanda-t-il d'un air curieux. Ou peut-être ne veux-tu pas me le dire?

— Je veux te le dire.

La tête m'élança alors que je le regardais.

— Seulement, c'est difficile. Tu serais la première personne à qui j'en parle. Je n'en ai pas encore parlé à Rosie, mais je voulais le lui dire, ce soir-là.

Je figeai en me rappelant une chose.

— Oh, mon Dieu, j'ai peut-être aussi pris une photo du gars qui me suivait.

— Hein?

Il plissa les yeux.

— J'ai envoyé à Rosie une photo du barman de ce soir-là pour l'amener à se presser, car elle était en retard. Je me suis dit que la présence d'un bel homme pourrait l'inciter à se hâter.

Je revins au soir où je me trouvais dans le bar, et j'essayai de me rappeler si quelqu'un d'autre s'était trouvé dans le cadre de la photo.

— Je vois, dit-il en fronçant les sourcils. Tu sembles un peu folle des hommes.

— Quoi? m'exclamai-je en lui lançant un regard furieux. Qu'est-ce que ça veut dire?

— Tout simplement que tu sembles fréquenter beaucoup d'hommes.

Il haussa les épaules.

— C'est ce que tu penses parce que j'ai pris une photo d'un type dans un bar?

Je penchai la tête de côté, alors que mon agacement transparaissait dans ma voix coléreuse.

— C'est ainsi que tu réagis au fait que j'ai peut-être envoyé à ma meilleure amie la photo de quelqu'un qui a été impliqué dans notre kidnapping?

— J'énonçais un fait, c'est tout, après t'avoir observée. Tu as fréquenté ce type riche, puis tu étais en ligne à la recherche d'un autre, et maintenant, tu séduis des gars dans les bars.

J'étais bouche bée. Il avait une meilleure mémoire que moi, mais il déformait vraiment mes propos.

— Je n'ai jamais dit que j'avais séduit quelqu'un au bar, dis-je en secouant la tête. Tu aimes vraiment sauter aux conclusions, non?

— Je sais que je ne laisse pas aller mes femmes, dit-il d'un regard perçant. Lorsqu'une femme est avec moi, elle est avec moi seule.

— Je ne trompe personne, dis-je en le regardant dans les yeux. Si c'est ce que tu veux dire.

— Quand une femme est avec moi, elle ne pense même pas à un autre homme, poursuivit-il en s'adossant.

J'essayai d'ignorer les muscles qu'il fléchissait.

— Tant mieux pour toi. Je suis sûre que c'est difficile pour elles.

— Je ne fais pas de réponses impertinentes, non plus.

— On dirait un vrai prince à fréquenter, dis-je en roulant des yeux. Es-tu un amant ou un enseignant?

— Les deux, dit-il en souriant. Mais je m'écarte du sujet. Si tu as une photo de cet homme, tant mieux. Cependant, à présent, ça ne nous aide pas vraiment, n'est-ce pas?

— Non, j'imagine.

Je fixai son visage pendant quelques secondes, étudiant son regard, puis examinant son langage corporel. Je savais que j'allais devoir lui faire confiance ou non, mais je devais prendre une décision. Ce faisant, je sentais la nervosité qui me tenaillait le ventre.

— Mon père m'a laissé une lettre en mourant, dis-je enfin, en laissant tomber les mots sans aucun naturel.

— D'accord…

— Je pense qu'on me suivait à cause de la lettre, dis-je, mon regard rivé sur l'océan. En fait, ce n'est pas tout à fait vrai. On me suivait à cause de ce que j'ai fait après avoir lu la lettre.

— Que disait-elle, et qu'as-tu fait ?

— Tu dois comprendre que ce n'est pas moi, dis-je en fronçant les sourcils. Si tu m'avais dit, il y a cinq ans, que j'allais jouer une sorte d'Alice Roy en plus âgée, je t'aurais contredit.

— Alice Roy, hein ? dit-il en soulevant un sourcil. Ce devait être toute une lettre.

— C'est vrai.

Avant de continuer, je mâchouillai quelques secondes ma lèvre inférieure. Je devais m'assurer de prendre la bonne décision, mais je savais que c'était impossible. Entre Jakob et Steve, c'était à Jakob que je faisais le plus confiance.

— Alors, veux-tu me dire autre chose ?

— Mon père était pauvre à son décès. Il n'a pas laissé de testament, car il n'avait rien à léguer. Il n'avait pas d'argent. Sauf qu'il aurait dû avoir des millions. Il a inventé la machine à peinture automatique, le cuiseur de trente minutes, et le prototype de la minivoiture.

— Vraiment ?

Son regard neutre m'étonna. La plupart des gens étaient ébahis en apprenant que mon père avait créé autant de produits qui avaient changé le mode de vie de millions de gens.

— Oui, vraiment, répliquai-je d'un ton brusque, agacée par son manque de réaction et ne sachant pas pourquoi je me sentais aussi vexée.

Je savais que c'était en partie parce que je lui confiais quelque chose que je n'avais jamais dit à personne, et qu'il ne réagissait pas comme je l'avais espéré.

— Alors, quand il est mort, il m'a laissé une lettre qui me disait qu'il ne faisait pas confiance à ses anciens associés. Il m'a laissé des papiers qui m'ont amenée à croire qu'il devait posséder les droits sur ces produits et en recevoir les redevances.

— Je vois, dit-il en serrant les lèvres. Alors, tu essaies de récupérer ton dû, non?

— Ouais.

Je hochai la tête et détournai de nouveau les yeux. Je ne savais pas trop pourquoi je ne lui parlais pas de l'accident de voiture de ma mère et du fait que mon père avait cru à un assassinat. Je ne lui dis pas que la vraie raison pour laquelle j'enquêtais, c'était pour obtenir justice pour ma mère. Je n'étais pas certaine qu'il comprendrait. Je repensai à la lettre que mon père m'avait laissée; la lettre pour laquelle on m'avait kidnappée et coincée sur cette île.

Ma très chère Bianca,

Ma fille chérie, alors qu'alité, je t'écris cette lettre, il y a tant de choses du passé que je voudrais changer. Tout d'abord, permets-moi de m'excuser. J'ai passé trop d'années à entretenir mon chagrin après la mort de ta mère qu'à maintes reprises, je n'ai pas pleinement apprécié la vie qu'il nous restait.

Ta mère était tout pour moi, et je la revois vivante en toi. Elle serait si fière de l'historienne que tu es devenue. Reste curieuse et magnifique, ma chérie. Je suis si désolé de ne pas pouvoir te laisser quoi que ce soit dans mon testament. J'ai gaspillé ma vie et il y a tant de choses que je voudrais t'avoir dit auparavant.

Il faut que tu saches une chose. Je me suis tourmenté longtemps en hésitant à te la dire. Je ne pense pas que la collision de ta mère soit un accident. En parcourant mes papiers et en me rappelant diverses conversations qui remontaient aux jours qui avaient précédé sa mort, il m'est venu à l'esprit que bien des gens voulaient me voir frappé d'un handicap. Des gens qui savaient que la mort de ta mère changerait ma vie au complet.

Ma chérie, même si je ne peux rien te laisser à la banque, lis les documents que contient la boîte et tu découvriras peut-être la vérité. Celle-ci te donnera de quoi faire vivre tes enfants et rendra justice à la mort de ta mère. Le fait d'écrire cette lettre et de savoir à quel point tu es forte me console beaucoup de la tristesse de mes derniers jours. Tout ce que je te demande, c'est d'être prudente avant d'accorder ta confiance à quelqu'un. Les amis peuvent être des ennemis, et inversement. Rappelle-toi que je t'aime et que je suis désolé.

Continue de te battre comme Marie, reine d'Écosse.
Avec tout mon amour,

Papa

— Ça va, Bianca ? dit Jakob en se rapprochant de moi.

Je vis de l'inquiétude dans ses yeux.

— Tu étais distraite depuis un bon moment.

— Je pensais à mon père, c'est tout.

Mon corps trembla alors que du bout des doigts, il me caressa le bras.

— Tu penses à l'argent ?

Sa bouche se tordit et je soupirai. Jakob était vraiment préoccupé par l'argent. On aurait dit qu'il semblait irrité chaque fois que je soulevais le sujet. J'allais devoir m'en souvenir.

— Non, je me demandais seulement si on avait été kidnappés parce que les Bradley me croyaient sur le point de m'emparer de leur compagnie, expliquai-je en mordillant ma lèvre inférieure. Dernièrement, un agent de police, ou quelqu'un qui se faisait passer pour tel, est venu chez moi. Je suis plutôt certaine qu'il cherchait des papiers que mon père m'avait laissés. Certains peut-être faisaient de moi une actionnaire majoritaire de la société Bradley. Depuis que j'ai dit à mon ex que je voulais faire de la recherche sur la compagnie et rencontrer son frère Mattias, des choses étranges se sont produites.

— Ton ex, David ?

— Oui.

— Tu as dit à ton ex que tu crois être propriétaire légitime de la compagnie de sa famille ?

— Non, pas exactement. Je lui ai dit que mon père y avait travaillé et que je faisais de la recherche sur ses inventions. La machine à peindre a révolutionné la façon dont les gens font repeindre leur maison. Elle coûte moins de cinquante dollars, et applique l'apprêt et la coloration d'une pièce en une heure. La peinture qu'il a créée pour la machine à peindre n'est vendue que par Bradley Inc., et elle a rapporté à la société des dizaines de milliards l'an dernier. Même des entrepreneurs en utilisent pour des contrats.

— Je sais ce que fait la machine à peindre, dit-il d'un ton sec. Dis-moi si je comprends bien. Tu as dit à ton ex que ton père avait créé le produit, ou plutôt, plusieurs produits qui ont fait de la compagnie familiale l'une des plus grandes entreprises au monde. Puis, tu lui as dit que tu faisais de la recherche sur la même compagnie, et tu t'attendais à ce qu'il soit d'accord ?

— Je voulais seulement parler à son frère Mattias, le PDG. Je sais qu'il a accès aux dossiers. Je sais que son père avait dû lui dire où se trouvaient les dossiers privés.

Mes paroles déboulèrent de ma bouche et je m'efforçai de lui expliquer pourquoi j'avais essayé d'avoir recours à l'aide de David.

— Je voulais tout simplement que David me présente Mattias.

— Il est plutôt judicieux que tu aies arrêté de fréquenter l'héritier de la compagnie sur laquelle tu étais en train de faire de la recherche.

Son regard scruta le mien, et je ne tressaillis même pas à ses paroles.

— Oui, c'est vrai, lui dis-je avec un large sourire.

Il n'était pas question que je lui dise à quel point j'avais dû travailler pour entrer en relation avec David. J'étais gênée par certains de mes gestes. Même David ne savait pas la vérité sur les circonstances de notre rencontre.

— Alors, as-tu rencontré Mattias ?

Il s'adossa et s'appuya sur ses coudes tout en me fixant.

— Non.

Mon visage pâlit lorsque je me rappelai l'appel téléphonique au cours duquel David m'avait dit que son frère ne souhaitait pas du tout me rencontrer. Sa voix avait paru étrange, comme s'il avait été entraîné par quelqu'un.

— Je ne suis jamais parvenue à le rencontrer. En fait, je ne sais même pas de quoi il a l'air.

— Comment est-ce possible ?

— Je ne sais pas. La seule information qui le concerne, en ligne, est un bref paragraphe sur le site Web de la compagnie, disant qu'il en est le PDG. Il n'a laissé aucune trace sur le Web.

— Bizarre. J'aimerais bien savoir comment il a fait. Il y a des choses que j'aimerais bien effacer en ligne.

— Alors, en gros, c'est ça. Quelques jours après l'appel de David, j'ai commencé à me sentir surveillée. Puis, les lettres sont arrivées. Et l'incident du policier.

Je m'arrêtai et regardai autour de moi.

— Et me voilà ici. Ou plutôt, nous voilà.

Je regardai le ciel sombre et fixai les étoiles scintillantes. J'avais l'impression qu'elles communiquaient avec moi et me disaient de taire certaines choses.

— C'est tout ? demanda-t-il d'un ton plein de sous-entendus.

On aurait dit qu'il savait que je retenais une partie de l'histoire. On aurait dit qu'il savait que David m'avait fait d'autres révélations. Des choses que je n'allais sûrement pas partager.

— Ouais, c'est tout, répondis-je en passant la main dans mes cheveux emmêlés et en tentant d'éliminer les nœuds du bout des doigts.

Je grimaçai en constatant le fouillis crépu et je m'écriai « Aïe » en tirant trop fort sur quelques cheveux.

— Eh, fais attention.

Jakob tendit la main, toucha la mienne et la retira de mes cheveux.

— N'y touche pas. C'est joli ainsi.

— Bien sûr, dis-je en lui souriant. Pas besoin de me mentir.

— C'est naturel, dit-il en souriant.

Son regard s'éclaira au moment où le sujet de conversation changea.

— J'aime les femmes naturelles.

Ses doigts touchèrent le dessus de ma tête, puis glissèrent le long de mon nez.

— Tes joues sont d'un rouge rosé, et je sais que ça ne vient ni d'un fard ni d'un autobronzant.

Il se pencha à l'avant et me lécha légèrement la joue.

— Ouais, aucune trace de maquillage.

— De toute évidence, dis-je en le fixant, troublée.

Je sentais encore le bout de sa langue sur moi. Le corps en alerte, je me demandai ce qu'il allait faire.

— Alors, as-tu une petite amie ? demandai-je sur un ton doux, en faisant semblant de ne pas me soucier de sa réponse.

— Non, dit-il en riant de bon cœur. Je n'ai pas de petites amies.

— Ah, d'accord.

Je n'étais pas certaine d'être heureuse ou triste de sa réponse.

— Mais je ne veux pas que ma femme cavale.

— Que veux-tu dire ?

— Je dis seulement que lorsqu'une femme est avec moi, elle n'a personne d'autre dans sa vie. Quand je prends une amante, elle sait que je possède son corps.

— Je vois.

Je mordillai ma lèvre inférieure et me tortillai dans le sable en l'imaginant comme amant.

— Mais ce n'est ni ici ni là.

Il regarda au loin et s'étendit.

— Allons-nous dormir, maintenant ? Nous devrions nous lever tôt et explorer une partie de la jungle. Je crois que nous devrions nous réveiller avant Steve. Je veux que nous explorions la jungle sans lui. Voir s'il y a quelque chose de suspect.

— Suspect, comme quoi ?

— Je ne sais pas, dit-il, le regard sombre. Un revolver, peut-être ?

— Quoi ?

Je le regardai fixement.

— Tu crois qu'il a un revolver ?

— Je ne sais pas.

Il secoua la tête.

— Mais je crois que nous devons trouver comment il a abouti avec nous sur l'île. Et il se promène depuis très longtemps. Je me demande où il est parti. Pourquoi un homme qui boite s'aventurerait-il à marcher longuement, seul, le soir, sur une île peuplée de deux inconnus ?

Il me lança un regard perçant.

— Ça ne tient pas debout. Nous devons trouver ce qu'il fait sur l'île.

— Mais nous ne savons même pas ce que *nous* faisons sur l'île.

Je le fixai, puis vis sur la plage la silhouette sombre de Steve qui revenait vers nous.

— Il arrive.

— Changeons de sujet.

Il regarda en direction de Steve, puis se pencha vers moi.

— Je te fais confiance, dit-il d'une voix douce. Mais tu es peut-être un loup déguisé en agneau.

Il marqua un temps d'arrêt.

— De toute façon, demain, nous devrions aller explorer la jungle. Je crois aussi que ce sera notre meilleure façon de trouver de l'eau douce.

— D'accord.

Je m'étendis sur le sable et fixai les étoiles. Nos épaules se touchèrent et je fermai les yeux en me demandant s'il allait me proposer un câlin. Il ne dit rien, mais je sentis qu'il tendait le bras vers moi et m'attirait vers lui. Je m'étendis sur le côté, le dos contre son torse, et fermai les yeux alors que mon corps commença à trembler légèrement du fait d'être si proche de lui.

— Tu es trop proche.

Je me dégageai légèrement de lui. J'étais mal à l'aise à cause de cette proximité — ou plutôt, j'étais mal à l'aide de sentir son corps presque nu appuyé sur le mien. Et par « mal à l'aise », je veux dire que j'adorais cela. Surtout parce que je ne savais pas trop si j'allais pouvoir résister à la tentation de me retourner et de passer les doigts sur sa poitrine.

— C'est ça l'idée, non ? murmura-t-il contre ma nuque. C'est comme ça qu'on reste bien au chaud.

— Je suis déjà bien assez chaude, merci.

Je me retournai abruptement en sentant sa virilité pousser sur mes fesses.

— Je pense qu'il vaut mieux qu'on soit face à face, continuai-je d'une voix faible, ne voulant pas qu'il voie l'effet qu'il avait sur moi.

— Ça ne me dérange pas du tout.

Il sourit et m'attira vers lui.

— Mais pas du tout.

Je grognai intérieurement en sentant son érection appuyée contre mon ventre, et mes seins appuyés contre sa poitrine. Cette position était encore pire, encore plus intime, et je bougeai à nouveau. Cette fois, mes jambes frôlèrent les siennes et nous figeâmes tous les deux, pendant un moment, lorsqu'une petite étincelle d'électricité nous parcourut.

— Alors, parle-moi de toi.

Il parlait doucement tout en glissant nonchalamment son doigt sur mon bras.

— De cet aspect de toi qui ne songe pas à aller chercher l'argent qui te semble dû.

— Il n'y a pas grand-chose à dire, marmonnai-je.

Puis, je marquai un temps d'arrêt.

Que voulait donc dire son commentaire sur l'argent? J'étais sur le point de le lui demander, mais je savais que Steve se rapprochait. Je ne pouvais risquer de me lancer dans une discussion avec Jakob.

Je trouvais difficile de réfléchir clairement. J'avais le corps en feu, et je ne pouvais penser qu'à son odeur brute et masculine. Je voulais tellement passer mes doigts sur son torse, puis sur la barbe de trois jours qui lui couvrait le visage, mais je parvins à m'en empêcher.

— Plus nous nous connaissons, plus il nous sera facile de découvrir ce que nous faisons ici.

— J'imagine, soupirai-je en le regardant dans les yeux. Mais je ne vois pas pourquoi on voudrait nous kidnapper tous les deux. Je ne suis vraiment personne, en dehors de l'enquête. Je ne peux imaginer une raison pour laquelle on voudrait me kidnapper.

— Personne n'est personne, dit-il, et nous éclatâmes de rire tous les deux.

— Bon, je n'ai pas d'argent. Mon père était de la classe moyenne inférieure. Comme je l'ai dit, il était inventeur et n'a reçu aucun crédit malgré le grand succès de ses inventions. Ma mère est morte alors que j'étais encore bébé. Mon père ne s'est jamais remarié. Je suis allée à l'université, j'ai étudié l'histoire, j'ai trouvé un poste en recherche pour un historien bien connu qui m'a aidé à m'inscrire au programme de maîtrise à l'université Columbia. J'allais continuer pour avoir mon doctorat, mais mon père est mort, et les choses ont changé.

Je restai silencieuse pendant quelques secondes.

— J'ai trouvé sa lettre et décidé de consacrer mes énergies à la recherche de la vérité, et j'ai pris congé de mes études et de mon emploi. Maintenant, je suis travailleuse autonome, dis-je en souriant. Je gagne moins de quarante mille dollars par année, et si quelqu'un essaie de profiter de moi, il aura toute une surprise.

— Ton père ne t'a pas laissé d'argent? demanda-t-il en fronçant les sourcils.

— Ne m'as-tu pas compris quand je t'ai expliqué qu'il ne gagnait pas une fortune? répliquai-je en riant.

— Je suppose que c'est pour ça que tu fréquentes des hommes riches, alors?

— Pardon?

Je m'éloignai de lui et me relevai d'un bond.

— Qu'est-ce que c'est censé vouloir dire?

— Je dis tout simplement que dans ta situation, la plupart des femmes seraient heureuses de fréquenter et d'épouser un type riche, non? Et il est évident que tu as des goûts raffinés.

— De quoi parles-tu?

Je lui lançai un regard furieux et il se releva d'un bond et se tint debout à côté de moi.

— Est-ce que ça ne revient pas toujours à ça, en définitive? Tu essaies d'avoir accès à l'argent qu'une grande entreprise a récolté à partir des inventions de ton père?

— Non, crachai-je avec colère.

Est-ce qu'il avait si peu de respect pour moi? Je savais qu'il ne me connaissait pas bien, mais tout de même, j'étais encore blessée par ses suppositions, même si c'était ce que je l'avais amené à croire.

— Chut!

Il me prit et m'attira dans ses bras.

— Steve nous regarde.

Il m'embrassa doucement sur le cou et ses doigts glissèrent le long de mon dos pour me prendre une fesse. Ma colère diminua et lorsqu'il s'écarta de moi, je me sentis étrangement dépossédée.

J'essayai d'ignorer à quel point son corps paraissait somptueux au clair de lune. Il était tellement fort et viril. S'il voulait me prendre, il n'avait qu'à me plaquer au sol et m'embrasser. Sa force serait tellement excitante, surtout s'il m'arrachait ma petite culotte. J'éprouvai un vif désir sexuel à cette pensée. S'il me désirait, il pouvait me prendre.

— Il n'est pas mauvais du tout d'être impressionné par la richesse, Bianca. Bien des femmes et des hommes ont été aveuglés par l'attrait de l'argent. Je ne dis pas cela pour dénigrer ton caractère, mais c'est une chose que j'ai remarquée. Juste un peu plus tôt, remarque, tu as reconnu ma Rolex.

Il continua à parler d'argent comme s'il n'avait aucune idée du tourment sexuel intérieur qui m'envahissait.

— C'est seulement parce que mon ex en avait une.

— C'est justement ce que je veux dire, dit-il avec un sourire narquois.

— Comment donc?

— Tu as fréquenté un homme suffisamment riche pour posséder une Rolex.

— Tu veux rire? L'argent de David n'avait pas d'importance pour moi. Quand j'ai rencontré David, je ne savais même pas qu'il était riche.

Je secouai la tête. Cependant, ce n'était que partiellement vrai. Je savais que David était riche, mais son argent était la dernière chose à laquelle j'avais pensé en le rencontrant.

— Vraiment? Comment est-ce possible? Les filles comme toi cherchent les hommes riches.

— Les filles comme moi? dis-je, bouche bée.

— Les femmes qui essaient d'utiliser leur beauté et leur corps pour piéger un homme.

— Tu veux rire? Ce n'est pas un remake-vérité de *Comment épouser un millionnaire.*

— Quoi ? dit-il, l'air perplexe.

— C'était un film avec Marilyn Monroe et...

— Je n'ai pas besoin des détails, m'interrompit-il. Pourquoi en as-tu parlé ?

— Parce que tu as insinué que j'essayais d'utiliser ma beauté pour attraper des hommes riches, comme si je ne pouvais pas subvenir à mes besoins. Je n'ai jamais essayé de fréquenter un type pour son argent.

— Toutes mes excuses, dit-il en haussant les épaules. J'imagine que j'ai fréquenté trop de belles femmes qui ont essayé de se servir de moi, puis qui ont essayé de me piéger pour mon argent.

Troublée, je le fixai quelques moments. Je l'avoue avec une certaine gêne : une partie de moi était flattée par ce qu'il avait dit. Je ne me considérais pas comme une grande beauté, et je savais que je n'avais pas le corps le plus mince ni le plus sexy. J'étais plutôt certaine que même si je l'avais voulu, je n'aurais pas pu piéger un homme riche.

— Espèce de crétin, murmurai-je finalement. Je n'ai piégé personne.

— Alors, tu ne veux pas d'un homme riche ?

— Non.

Je marchai jusqu'au bord de l'eau et fixai le va-et-vient des vaguelettes lumineuses.

— Je suis désolé de t'avoir offensée.

Jakob vint me trouver, tendit la main et me toucha l'épaule.

— Comme je te l'ai dit, je suis habitué à me faire aborder par bien des femmes, en ville, parce que j'ai de l'argent. Je ne voulais pas projeter cela sur toi.

— Ça va.

Je haussai les épaules, mais je ne le regardai pas. J'étais tellement fâchée qu'il m'associe à une croqueuse de diamants, alors que j'étais tout le contraire. Je me sentais tellement blessée. Je lui avais fait suffisamment confiance pour lui raconter en partie mon histoire. J'avais l'impression d'avoir commis une erreur en lui disant quoi que ce soit parce que j'étais attirée vers lui. Je laissais peut-être mon attirance physique l'emporter sur mon intuition.

— Ne bouge pas, murmura-t-il. Steve nous observe. Je ne veux pas qu'il nous croie en pleine dispute.

Je fis un signe affirmatif de la tête et demeurai immobile.

— La nuit est magnifique, non ? demanda-t-il doucement.

Une fois de plus, je hochai la tête.

— J'adore l'eau.

— Moi aussi.

— C'est exactement le genre d'endroit où je choisirais de m'égarer, si j'en avais le choix, poursuivit-il.

Je le regardai un moment. Sa voix avait un ton bizarre, et je m'aperçus qu'il paraissait triste.

— Tu vas bien ?

C'était à mon tour de lui toucher l'épaule, et il me lança un regard sombre.

— C'est l'ultime question, n'est-ce pas ? dit-il avec un sourire ironique. Comment savons-nous vraiment si ça va ? Physiquement, je vais bien. Mentalement, je vais bien. Émotionnellement, je vais bien. Mais je suis coincé sur une île avec quelqu'un que je ne connais pas, et je ne sais pas du tout ce qui va se passer. Ça devrait me faire peur. Ça devrait me faire paniquer.

— Et ce n'est pas ce qui se passe?

— Je ne sais pas, dit-il en haussant les épaules. Je ne sais vraiment pas.

— Je ne comprends tout simplement pas ce que nous faisons ici. Pourquoi nous? Pourquoi toi? Pourquoi moi? criai-je. Pourquoi lui? murmurai-je en faisant un signe de tête en direction de Steve.

— Et pourquoi nous a-t-on amenés sur cette île, dit-il en plissant les yeux. Il doit y avoir une raison.

— Crois-tu qu'on va mourir?

— Pas si j'ai mon mot à dire.

Il m'attira vers lui, et je posai la tête sur son épaule en goûtant la sensation de son corps contre le mien.

Il était chaud et ferme. Il me faisait une impression de solidité, et c'est ce qu'il me fallait. Ses mains glissèrent autour de ma taille, et il me caressa doucement les fesses en me serrant contre lui. Je levai les yeux vers son visage, et il me fixait déjà avec des yeux ouverts et interrogateurs.

— Je vois ce dont tu disais auparavant à propos de tes yeux, dit-il d'une voix douce. Ils semblent passer du vert au brun juste sous mes yeux.

— C'est le clair de lune et la réfraction, dis-je en lui souriant faiblement. La façon dont la lumière rebondit sur mes iris leur donne différentes couleurs.

— Ils sont magnifiques, dit-il en se penchant et en les contemplant avec plus d'intensité.

Je sentis mon cœur battre rapidement lorsque ses mains remontèrent pour me caresser le dos. Ses lèvres se rapprochèrent des miennes, et en quelques secondes, elles se pressèrent sur les miennes.

Au début, son baiser était doux et suave, et je le lui rendis affectueusement, désireuse de profiter de l'instant. Trop tôt, ses lèvres bougèrent avec plus d'insistance, écrasant les miennes alors que sa langue exigeait d'entrer dans ma bouche. Elle était rude et salée. Il était dévorant, et je fus tout à fait dépassée lorsqu'il me suça la langue et passa les mains à travers mes cheveux emmêlés.

Je m'appuyai contre lui et passai les mains sur son dos. Il paraissait aussi magnifique que je l'avais imaginé, et je gémis en le pressant davantage. Un grognement guttural s'échappa de ses lèvres lorsqu'il s'écarta légèrement de moi. Je ne savais pas si c'était réel ou si cela faisait partie d'un jeu.

— Je me sens tellement excité, maintenant. Je veux te faire l'amour, Bianca.

Ses yeux scrutèrent les miens, sans sourire.

— Ne t'en réjouis pas autant, répliquai-je, le cœur battant.

— Ce n'est pas le moment de faire des blagues.

Il m'attira vers lui avec force.

— Je ne plaisantais pas, murmurai-je tout en me déplaçant légèrement contre lui.

Il haleta lorsque je lui frôlai accidentellement le pénis, et il me saisit la main.

— Ne m'excite pas.

Il me prit la main et je déglutis avec peine.

— Je ne suis pas en train de t'exciter.

Je secouai la tête, ne sachant pas de quoi il parlait.

— Tu sens cela?

Il guida ma main jusqu'à son caleçon boxeur et l'appuya contre son pénis.

— Je suis dur comme du roc, murmura-t-il. Je veux te pousser sur le sol et te prendre tellement fort que tu oublieras que tu ne m'as rencontré qu'il y a deux jours.

Je déglutis péniblement lorsque ma paume se pressa contre lui. Je voyais bien qu'il ne mentait pas. Son sexe était en forte érection sous mes mains, et il me fallut tous mes efforts pour ne pas le saisir et le serrer entre mes doigts.

— Alors, qu'est-ce que tu veux faire ? dis-je finalement.

Il soupira.

— On va tout simplement dormir.

Il laissa tomber ma main.

— Mais ce sera dur pour moi. Ne t'en fais pas, c'est un calembour involontaire, dit-il avec un clin d'œil.

— Alors, ce n'est pas maladroit, ni rien de tel.

Je reculai et frottai doucement mes lèvres meurtries.

— Tu as l'air tellement sexy.

Il soupira en me fixant.

— Je veux te pousser à quatre pattes et te prendre par derrière. Je vais te tirer les cheveux en te pénétrant, et tu vas crier mon nom.

Il se racla la gorge.

— Allons. Contentons-nous de dormir.

— Es-tu certain de ne pas avoir besoin de finir les choses avant ?

Je jetai un regard entendu à son entre-jambes, et il rit.

— Et toi, as-tu besoin de finir les choses ?

Il baissa les yeux vers ma fourche, et je croisai les jambes. Il n'était pas question que je lui fasse savoir à quel point ma culotte me paraissait lourde et humide.

— Je vais bien, mentis-je.

Et je retournai là où se trouvaient nos vêtements.

— Je vais dormir, à présent.

— Je vais me joindre à toi, dit-il en marchant à côté de moi. J'espère que demain nous pourrons trouver des réponses.

— Ouais, dis-je en faisant un signe de la tête. J'espère bien.

Je m'assis et m'étendis sur le sable.

Jakob s'étendit derrière moi en cuillère. Je sentis son sexe appuyé contre moi alors que ses bras m'entouraient la taille, mais cette fois, je ne m'en plaignis pas. Je ne me demandai même pas si c'était bien que d'être dans ses bras alors que je venais seulement de faire sa connaissance.

J'aurais voulu appeler Rosie pour qu'elle me dise ce qu'elle en pensait. Elle était probablement en train de paniquer. Elle s'était levée pour aller aux toilettes, et à son retour, j'avais disparu. Mon ravisseur avait dû ajouter une substance au vin qu'on m'avait servi. Autrement dit, cela avait été prémédité, et ce n'était donc pas par erreur si j'étais ici, comme je l'avais partiellement espéré. Quelqu'un avait voulu que moi, Bianca London, je me trouve sur cette île pour une raison. Une raison que je croyais savoir. Jusqu'à ce que je m'aperçoive que je n'étais pas seule. Je croyais savoir ce que je faisais ici, mais que faisaient donc Jakob et Steve avec moi ? Je n'avais aucun moyen de m'en informer.

Je frissonnai légèrement en m'apercevant de la gravité de la situation. Les mains de Jakob serraient fortement mon corps, et je me blottis dans ses bras en fermant les yeux. J'ignorais s'il me plaisait vraiment, même si j'étais fortement attirée vers lui. Mais j'étais nettement contente d'être ici avec lui au lieu d'être seule. Je ne le lui aurais jamais avoué, mais le fait d'être enveloppée dans ses bras me donnait un sentiment de sécurité — du moins, compte tenu de la situation. Je songeai à Rosie et au paquet. Je priai pour qu'elle l'ait trouvé dans son sac à main et qu'elle soit allée voir la police. Elle ne comprenait peut-être pas la signification de tous les papiers, mais quelqu'un au service de la police devait le faire. J'espérai que cela au moins les mène dans la direction de la famille Bradley.

Je m'endormis rapidement. J'imagine que la journée m'avait épuisée, et même si je voulais goûter au fait d'être blottie contre Jakob, je ne pouvais garder l'œil ouvert. Mes rêves étaient doux et délicieux, et je ne voulais pas qu'ils finissent. Cependant, une caresse sur le sein droit me tira de mon sommeil. Mes yeux s'ouvrirent lentement, et je me rendis compte que je n'avais sans doute pas dormi très longtemps. Le soleil ne s'était pas encore levé. Je restai étendue pendant un moment et sentis la main de Jakob qui me caressait le sein.

— Jakob, crachai-je alors que ses doigts me pinçaient le mamelon.

Je m'éloignai de lui et grognai en m'apercevant que j'étais fermement calée dans ses bras.

— Jakob, es-tu réveillé? murmurai-je sans toutefois recevoir de réponse.

Un moment, je restai étendue en me demandant quoi faire, puis j'entendis un léger ronflement derrière moi. Il était donc endormi — à moins qu'il faisait semblant. Mais je ne croyais pas qu'il faisait semblant. Je lui pris le bras et le descendis jusqu'à ma taille. Mon sein se sentit abandonné pendant quelques brèves secondes, mais je me remis bientôt à sommeiller.

J'étais presque endormie lorsque je sentis ses doigts me parcourir le ventre. Légèrement gênée, je sentis ses doigts me caresser inconsciemment. Je n'avais certainement pas d'abdominaux ni de ventre plat, c'était évident pour quiconque me touchait. Mais je ne bougeai pas. Je goûtai la sensation de ses doigts contre ma peau chaude. C'était inoffensif, et il n'en savait rien. Je souris intérieurement, étendue et blottie contre lui.

Je refermai les yeux en imaginant ce que ce serait de lui faire l'amour. Serait-il un amant habile ? Je supposai que oui. J'imaginais que c'était le cas, si je me fiais à son baiser. Ce serait probablement un mâle très alpha et dominateur. Il paraissait être du genre à aimer le contrôle. Je me demandai s'il était dans le sadomasochisme ou quelque autre forme de sexualité d'un goût spécial. Il m'avait déjà mentionné le Marquis de Sade. Et s'il essayait de me prendre sur ses genoux et de me donner la fessée ? Je frissonnai en m'imaginant ses mains de nouveau sur mes fesses. Sauf que cette fois, il ne caressait pas mes fesses, il était plus brusque.

Je me reculai légèrement à mesure que je me sentais excitée. Mon rêve était si vif que je sentais presque ses mains m'exciter et me titiller. Mon rêve devint plus sexuel lorsque ses doigts passèrent de mes fesses à ma petite culotte. Pendant quelques secondes, ses doigts frottèrent doucement la peau au haut de ma culotte avant de s'avancer et de se glisser entre mes jambes.

Il commença par s'en faire une idée, car il ne glissa qu'un doigt, en douce, dans ma petite culotte. Mes jambes s'écartèrent involontairement lorsqu'un autre doigt se joignit au premier et que ses mouvements devinrent plus rudes et plus urgents. Je gémis en sentant ses doigts me caresser le clitoris sous ma petite culotte. Je voulais les sentir directement sur ma peau. Je voulais le sentir à l'intérieur de moi.

J'attendis qu'il explore davantage, et je ne fus pas déçue lorsque, quelques secondes plus tard, ses doigts se glissèrent sous ma petite culotte et commencèrent à me masser doucement. J'écartai les jambes pour lui en faciliter l'accès, mais on aurait dit que sa main se trouvait dans un angle bizarre. Je fermai légèrement les jambes et y piégeai ses doigts.

Je me sentis de plus en plus mouillée alors que ses doigts bougeaient librement dans l'espace étroit. C'était si bon. Je souris intérieurement alors qu'il jouait avec moi, puis je figeai lorsque quelque chose se réveilla dans ma conscience. Je ne rêvais pas.

Mes yeux papillotèrent, et je m'aperçus que les doigts de Jakob étaient dans ma petite culotte et qu'il me caressait le sexe. Je savais que je devais le repousser et dormir seule, mais j'hésitai quelques moments, sentant monter mon orgasme. Je devais l'arrêter, mais je voulais le sentir, ne serait-ce que quelques secondes de plus.

J'étais sur le point de repousser son bras lorsqu'il se réveilla. Je sus tout de suite qu'il avait retrouvé conscience lorsque sa respiration changea et que sa main s'immobilisa.

— Bianca? murmura-t-il en retirant ses doigts de ma culotte.

Sa voix paraissait tourmentée, et je sentis qu'il avait honte de ce qui s'était passé.

— Oui? lui répondis-je en un murmure, même si une partie de moi voulait faire semblant de dormir.

— Tu es réveillée! dit-il, apparemment surpris. Je suis tellement désolé, marmonna-t-il avant de me retourner vers lui.

— J'étais sur le point de repousser ton bras, dis-je défensivement en rougissant. Je viens de me réveiller.

— Je suis désolé, dit-il, les yeux luisants. Je ne me suis même pas aperçu que je le faisais.

— C'est bien.

Je fixai ses lèvres et remarquai qu'il respirait plus fort que d'habitude.

— Est-ce que ça va?

— Je suis en érection, marmonna-t-il en grognant.

— Oh.

Je mordis ma lèvre inférieure, et je voulus regarder vers le bas, mais sans qu'il me voie.

— Tu étais encore mouillée.

Il me fit un clin d'œil, mais je ne ris pas. Ma petite culotte était complètement humide, et pas juste un peu. Il approcha ses doigts de sa bouche et les suça, les yeux encore rivés sur les miens.

— Mais tu as meilleur goût que la mer, grogna-t-il en se léchant les doigts.

Je le fixai pendant quelques secondes de plus, puis je fis quelque chose qui nous prit tous les deux par surprise. Je baissai la main, frottai l'avant de son caleçon boxeur, puis lui pris le pénis, précautionneusement.

— Tu ne plaisantais pas, dis-je en lui souriant. Ton sexe est très dur.

— Non, je ne plaisante jamais.

Ses yeux s'assombrirent lorsqu'il me regarda la main, puis mon visage.

— Je pense que nous devrions nous rendormir, maintenant.

— D'accord, dis-je en hochant la tête et en le regardant intensément, tout en éloignant ma main de son érection.

— Bonne nuit, Bianca.

Il m'embrassa le front et me prit dans ses bras.

— Bonne nuit, Jakob, murmurai-je en levant les yeux vers la plage.

Je vis Steve assis qui regardait dans notre direction. Je me demandai ce qu'il avait vu. Je frissonnai et reposai ma tête près de Jakob. Je fermai de nouveau les yeux et me blottis contre son torse. Cette fois, je m'endormis, et j'ouvris les yeux juste avant le lever du soleil.

Le lendemain matin, je me réveillai avant les deux hommes et me rendis vers l'océan pour réfléchir. Il faisait encore sombre, mais le soleil commençait tout juste à se lever. J'étais perplexe à propos de mon attirance de plus en plus grande envers Jakob. Mon corps et mon esprit réagissaient à lui comme jamais. Nous avions tout de suite senti des atomes crochus, et je ne pouvais les séparer. Chaque fois qu'il était près de moi, on aurait dit qu'un lent bourdonnement électrique allait et venait entre nous. On aurait dit qu'il me faisait me sentir plus vivante, et en général, je n'étais pas portée sur les épithètes romantiques et les pensées ridicules. Je souhaitai presque l'avoir rencontré en ligne ou dans le monde réel, d'une façon ou d'une autre. Ainsi, j'aurais pu lui faire davantage confiance, et nous aurions pu nous connaître dans des circonstances normales.

— L'océan ressemble à une bête magnifique dans la beauté du jour, n'est-ce pas?

La voix de Steve interrompit mes pensées et je hochai la tête sans le regarder.

— Il paraît magnifique la nuit aussi.

— En effet, mais le soir, ses vagues dangereuses sont noires et subtiles. Pendant le jour, son danger caché se trouve droit devant nous, mais nous échappe à cause de sa magnanimité.

— Je suppose.

J'opinai de nouveau, sans trop savoir de quoi il parlait. S'il voulait dire que l'océan était dangereux, pourquoi ne le disait-il pas tout simplement?

— L'océan entretient une illusion pour notre esprit, poursuivit-il. Il est si facile de s'y tromper.

— Que voulez-vous dire?

— En surface, l'eau paraît calme, n'est-ce pas?

Il fit quelques pas et toucha l'eau.

— Et même ici, l'eau est bienveillante.

Il remua un peu d'eau.

— Il est capable de nous tromper par sa bienveillance. Cependant, si je devais y entrer davantage, si je tentais de nager dans ses eaux gracieuses, je verrais que les apparences peuvent être trompeuses. Je serais pris au piège de ses courants. Je serais aspiré par le courant sous-marin. Je m'estimerais heureux d'en sortir vivant.

— Bien sûr, il faut rester prudent en nageant. Tout le monde sait ça. C'est pourquoi les plages sont équipées de bouées et d'écriteaux qui interdisent de nager trop loin. Vous ne savez jamais quand le courant sous-marin va vous balayer.

— Exactement. C'est l'expression qui convient, dit-il en hochant la tête. Vous ne savez jamais quand le courant sous-marin va vous balayer. Il vaut mieux éviter la possibilité, n'est-ce pas ?

— Comme je ne vais pas trop m'aventurer, ce n'est pas un problème.

— Si seulement c'était aussi simple, me dit-il en faisant un étrange petit sourire et en me regardant en face. Une longue nuit ? Vous ne semblez pas avoir bien dormi.

— C'est difficile de dormir sur le sable, dis-je en haussant les épaules. Mon dos n'y est pas habitué.

— Depuis cinq ans, je dors à même le sol. Pour moi, ici, c'est le paradis, dit-il en souriant et en s'étirant. Même si, à la lumière du jour, je me demande encore comment je suis arrivé, et pourquoi.

— Alors, vous ne pensez plus vous trouver sur la même île que votre station balnéaire ?

— Considérant la rareté des installations, je dirais que je ne suis nettement pas sur la même île.

— Alors, qu'est-ce qui s'est passé, selon vous ?

— Je crois que quelqu'un me joue un sale tour.

— Un tour ?

Je fronçai les sourcils. Qui donc jouerait un tour pareil ? Et pourquoi paraissait-il encore si calme, comme s'il était parfaitement normal de se réveiller sur une île avec deux inconnus qui avaient été kidnappés ?

— Vous savez. Un tour… un canular, si vous voulez.

Il haussa les épaules.

— Avec qui étiez-vous, à la station balnéaire ? dis-je en plissant les sourcils.

— Avec ma femme.

Il marqua un temps d'arrêt et je le vis réfléchir. J'étais presque certaine qu'il mentait, et qu'il n'était pas marié. Il ne portait pas d'alliance et le bronzage de son annulaire était ininterrompu. De plus, il me regardait avec trop d'intérêt. Je comprenais qu'il y avait partout des hommes mariés qui regardaient d'autres femmes, mais là, c'était différent. J'étais presque certaine qu'il me désirait, d'une façon très évidente.

— Êtes-vous marié depuis longtemps, alors?

— Non, c'est notre lune de miel.

Il mentait facilement, et je me demandai pourquoi il inventait une telle histoire.

— Je suis désolée que votre femme vous ait joué un tour pareil au cours de votre voyage de noces, répondis-je suavement.

Je vis alors changer légèrement l'expression de ses yeux. Il savait que je n'avalais pas son histoire. J'étirai mes bras et bâillai.

— Vous devrez m'excuser. Je crois que je vais retourner me coucher. Pour voir si je peux faire un somme avant que Jakob se réveille.

— Il a de la chance d'avoir une fille comme vous, me cria Steve alors que je m'éloignais. Je ferais à peu près n'importe quoi pour que vous soyez mon amoureuse.

J'accélérai mon pas en marchant vers Jakob; j'avais le cœur battant lorsque je m'étendis à côté de lui. Qu'avait voulu dire Steve? Était-ce une menace? Je frissonnai en me blottissant près de Jakob et je fermai les yeux. Je sentais que Steve nous observait tous les deux, et je donnai à Jakob une bise sur la joue avant de me blottir dans ses bras. Même si j'étais sur mes gardes en raison de mon attirance envers

Jakob, je savais tout de même, dans mon cœur, que des deux hommes, c'était avec lui que je me sentais la plus alignée.

Chapitre 6

S eul dans la nature, on ressent un certain vide. C'est un
sentiment de vacuité qui s'agite en soi quand on s'aper-
çoit qu'on est tout seul, même si on se trouve avec quelqu'un.
Ce sentiment apparaît parfois chez chacun de nous. Il nous
fait nous poser l'ultime question : quel est le sens de tout
cela ? C'était ainsi que je me sentais en regardant l'océan
dans sa gloire menaçante. Car malgré sa beauté, il était dangereux. Les vagues qui s'écrasaient contre les rochers me
disaient que si j'allais nager trop loin, je serais coincée dans
les courants et emportée vers la mer. Même Jakob ne pourrait alors me sauver.

Je ne voulais quand même pas qu'il me sauve. Je n'étais
toujours pas certaine de mes sentiments envers lui. Quelque
chose dans son regard bleu me rappelait l'océan : en apparence, si ouvert, mais si profond et si sombre qu'on ne pouvait lui faire confiance. Cela ne voulait pas dire que je n'étais
pas attirée vers lui. Comment ne pas l'être ? Il était splen-
dide. Il y avait en lui quelque chose de si primitif et de si
brut, mais j'imaginais que cela venait du fait de se trouver
sur une île déserte. Je me mis à rire. J'étais sûrement en train
de devenir folle. À peine quelques moments plus tôt, j'étais

bord des larmes, et maintenant, je ne pouvais penser qu'aux muscles de Jakob.

— Bianca !

Il cria mon nom comme s'il savait que je pensais à lui.

— Oui ? répondis-je, contente de m'éloigner de mes pensées.

— Où es-tu ? s'écria-t-il, sa voix semblant plus proche.

— Au bord de l'eau ! lui répondis-je en me remettant à fixer l'océan.

— Qu'est-ce que tu fais là ? dit-il en courant vers moi.

Puis, agacé, il cracha :

— Tu ne peux pas disparaître comme ça.

Il ralentit le pas en arrivant à moi, et je vis du déplaisir sur son visage sévère.

— Nous sommes sur une île déserte, dis-je en roulant des yeux. Je ne m'en fais pas tant que ça.

— Nous ne savons pas vraiment où nous sommes.

Il me saisit rudement la main et m'attira vers lui.

— Steve est sorti de nulle part ; nous ne savons pas vraiment s'il y a quelqu'un d'autre ici avec nous. Nous devons faire très attention.

Ses doigts creusèrent ma peau et je lui lançai un regard furieux. Je voyais que sa barbe forte était plus épaisse aujourd'hui. Sans réfléchir, je levai la main et passai les doigts sur sa mâchoire inférieure. Ses poils étaient piquants sous mes doigts, et il s'immobilisa lorsque je le touchai. Il relâcha mon autre main et je levai mes autres doigts pour lui toucher les lèvres. Je haletai lorsqu'il ouvrit légèrement la bouche et me suça le doigt comme un aspirateur. Il me mordit le doigt, puis le mordilla sans jamais me quitter des yeux. Mon autre main glissa de sa mâchoire à ses cheveux.

Lentement, je retirai mon doigt de sa bouche, et il me prit la tête et la releva vers lui.

— Goûte-moi, grogna-t-il.

Je le regardai avec une expression perplexe.

Puis, il fit un signe de la main vers mon doigt. Je baissai les yeux et compris soudainement son commentaire. Je rapprochai de ma bouche le doigt qui s'était trouvé dans la sienne et, lentement, j'écartai mes lèvres et le suçai. Nous restâmes là à nous regarder mutuellement alors que je suçai mon doigt, lentement et délibérément. J'étais hypnotisée par le regard de luxure de ses yeux bleus. Je reculai d'un pas, espérant qu'une petite distance empêche mes jambes de trembler et mon cœur de battre si vite. Après quelques secondes, j'enlevai mon doigt de ma bouche, puis léchai lentement mes lèvres.

— La marée monte. Tu aurais pu rester coincée.

Il finit par parler et me saisit de nouveau le bras pour m'attirer vers lui.

— Et je ne sais pas du tout qui est Steve. Je m'inquiétais pour toi. Ne disparais plus comme ça. Es-tu une imbécile?

— Lâche-moi.

Je le regardai, agacée, et tentai d'ignorer la brûlure qu'avait laissée sa poigne sur ma peau.

— Je ne suis pas une enfant.

— Je ne l'aurais jamais cru, dit-il en regardant mes lèvres. Je devrais t'embrasser et te montrer que tu ne peux pas t'en aller faire ce que tu veux.

— Es-tu venu me harceler?

Je soupirai et croisai les bras. Ses yeux descendirent vers ma poitrine et s'y attardèrent, et je sentis mon ventre brûler sous son regard fixe.

— Je me suis réveillé, et tu n'étais pas là. Je me suis dit qu'on allait se lever tôt pour explorer avant que Steve se réveille. Mais je me suis réveillé, et Steve et toi étiez partis.

Je lui lançai un regard accusateur.

— Alors, j'ai décidé d'aller marcher.

— Tu aurais dû m'attendre, dit-il en croisant les bras. Et s'il était arrivé quelque chose?

— Qu'est-ce qui va se passer? répliquai-je en roulant des yeux. Au moins, nous savons où se trouvent les pierres.

Je frissonnai en regardant les dangereuses pierres coupantes que fracassaient les vagues. L'eau n'était nettement pas aussi calme, ici.

— En passant, quand je me suis réveillée, tu dormais encore. Je n'ai pas voulu te réveiller, parce que tu avais l'air paisible.

Il soupira et ses yeux se plissèrent.

— Et Steve était déjà parti quand je me suis réveillé.

— Quoi? dis-je en fronçant les sourcils. Parti où?

— Je ne sais pas, dit-il en secouant la tête et en tendant le bras vers moi. Je l'ai cherché dans la jungle, mais je ne l'ai pas vu.

— Comment a-t-il pu tout simplement disparaître? dis-je en frissonnant.

— Comme je l'ai déjà dit, il semble s'y retrouver assez bien.

Il saisit ma main et la serra.

— C'est pour cela que je t'ai dit de rester près de moi.

— C'est toi qui m'as laissée, ce matin.

Son ton autoritaire me mettait en furie.

— On n'est pas dans *Au-delà du réel*; il ne va rien se passer. Comme tu l'as déjà dit, les monstres ne s'en viennent pas, *La dernière Mimzy* non plus.

— Il est arrivé des choses plus étranges.

Il détourna le regard et je haletai en voyant une entaille sur le côté de son visage, juste à côté de son oreille. Une grande entaille sanglante qui semblait plutôt profonde.

— Ça va?

Je fronçai les sourcils en regardant le sang séché. Je passai délicatement les doigts sur son visage.

— Tu t'es coupé.

— Ça va.

Il s'écarta de moi et passa les mains dans ses cheveux. Je regardai soigneusement ses mains. Elles paraissaient sales et meurtries. Je frissonnai en me rappelant que, la veille, ses doigts me touchaient.

— Qu'est-ce que tu as fait? lui demandai-je, ne voulant pas penser à ce qui s'était passé la veille. Pourquoi as-tu une coupure au visage? Pourquoi tes mains sont-elles meurtries? murmurai-je.

Mon cerveau hurlait la question que j'étais terrifiée de demander : *Est-ce que Steve est vraiment allé faire une longue promenade en solitaire, ou est-ce que tu lui as fait quelque chose?*

— J'étais dans la jungle et je cherchais des branches. Je me suis dit que tu aimerais dormir sous un abri convenable, ce soir, dit-il en haussant les épaules et en s'éloignant. Apparemment, j'avais tort.

— Ne me dis pas que tu as trouvé un hôtel Marriott?

Je m'efforçais de blaguer pour dissiper la tension dans l'air, mais il me lança un regard moqueur qui me fit me taire.

— S'il pleut, ce soir, nous serons trempés.

Il parla d'un ton désinvolte, et je le fixai en silence.

— Je me suis dit que nous pourrions créer un toit de fortune sous lequel nous abriter, avec des branches de palmier et de cocotier qui traînent sur le sol.

— Où ?

Je regardai vers les buissons et frissonnai. Quelque chose me faisait peur dans la jungle qui se trouvait derrière nous.

— Nous pouvons le construire dans le sable.

— Comment ? dis-je en fronçant les sourcils, ne voyant vraiment pas comment ce serait possible.

— Viens avec moi et je te montrerai.

Jakob commença à s'éloigner de moi.

Je ne pus cesser de contempler ses jambes fortes et musclées. Elles étaient tellement bronzées et poilues. Le blanc de son caleçon boxeur convenait à la couleur de sa peau, et je déglutis avec effort en regardant ses fesses. Elles paraissaient fermes, et je me demandai si elles étaient aussi bronzées que ses jambes. Ou peut-être étaient-elles d'un blanc laiteux, comme des fesses de bébé. Cette pensée me fit ricaner, et Jakob se retourna pour me lancer un regard prolongé. Il souleva un sourcil, comme pour dire « Allons », et je ris encore plus fort. Il m'était difficile de le prendre au sérieux comme un dictateur alors que je ne pouvais penser qu'à la blancheur de ses fesses.

— De quoi ris-tu, Bianca ?

Il ne paraissait pas amusé, et je tentai de ne pas rouler des yeux. C'était vraiment l'homme le plus agaçant que j'avais jamais rencontré. Il ne semblait avoir aucun sens de l'humour.

— Veux-tu vraiment le savoir ?

Je lui fis un sourire rapide, et il marqua un court temps d'arrêt. Je vis un éclair passer dans ses yeux, alors qu'il me fixait. Pendant une fraction de seconde, il parut peu sûr de lui-même, puis il plissa les sourcils. J'eus l'impression de commencer à devenir folle. D'une part, j'avais une peur bleue, et d'autre part, je ne pouvais cesser de penser à quel point il était sexy.

— Ce que je veux faire, c'est préparer l'abri.

— Je viens, soupirai-je en courant pour le rattraper. J'allais essayer de laver le sable sur mon corps.

Je le rattrapai.

— Oh.

Il me regarda, puis un éclair passa dans ses yeux.

— Je suppose que tu as du sable dans toutes sortes de fentes et de fissures.

— Je ne suis pas une vieille maison, Jakob, mais oui, j'en ai.

— Moi aussi, dit-il en souriant. Oui, c'est un peu inconfortable. Si tu veux, nous pouvons aller dans l'océan et nous nettoyer avant d'aller dans la jungle.

— Je suppose, dis-je, les sourcils froncés.

L'idée semblait bonne, mais je savais que je devais me dénuder complètement pour extirper le sable de partout.

— Qu'est-ce qui ne va pas, maintenant?

— Je me disais seulement que ce serait difficile de sortir le sable de partout.

Je haussai les épaules et détournai mon regard. Mais je ne voulais pas qu'il me voie rougir, et je supposai qu'il pouvait prendre cela pour un coup de soleil.

— Ce n'est pas un problème, dit-il en souriant et en courant vers l'océan. Tu n'as qu'à enlever tes vêtements.

Je le regardai courir et enlever son caleçon boxeur. Le souffle me manqua lorsque je regardai la pâleur d'un blanc crémeux de ses fesses bien fermes. Je ris du contraste qu'elles avaient avec son bronzage doré foncé.

— Qu'est-ce qu'il y a de si drôle ?

Il s'arrêta et se retourna, et mon souffle s'arrêta lorsque je m'aperçus qu'il était face à moi, complètement nu.

— Rien.

Je revins vers lui et le regardai bien en face. «Ne baisse pas les yeux, Bianca», me criait mon cerveau. «Ne regarde pas en bas.» Bien sûr, mes yeux n'écoutèrent pas. Je baissai les yeux et haletai. Son pénis était légèrement dressé au garde-à-vous. Je remontai les yeux vers son visage : il souriait.

— Tu aimes ce que tu vois ? me cria-t-il avec un petit rire dans la voix.

— Je ne sais pas trop de quoi tu parles, dis-je en regardant le sol. Je n'ai rien vu.

— Dommage.

Il rit et se retourna pour courir vers l'océan. Je marchai jusqu'à l'eau derrière lui et le regardai bondir dans les vagues et s'arroser. Mes yeux se plissèrent de jalousie en imaginant à quel point ce serait bon d'enlever mes sous-vêtements et d'aller moi aussi dans l'océan. Je ne lui avais pas menti. J'avais vraiment du sable partout.

— Qu'est-ce que tu attends, Bianca ? s'écria Jakob en se retournant vers moi. Allez, viens.

Je fixai sa silhouette dans l'océan et tentai de ne pas tomber amoureuse de lui, sur le champ. Il ressemblait à Poséidon, roi de l'océan, dieu de la mer, protecteur de toutes les eaux et de moi. Son torse était bâti et fort, et il scintillait comme de l'or au soleil. Je regardai les gouttes d'eau qui s'accordaient à son torse et je me sentis envieuse. À cet instant, j'aurais aimé être une goutte d'eau bien accrochée à lui.

— Je ne peux pas, dis-je en secouant la tête. Je ne cours pas nue.

— N'aie pas peur, Bianca, dit-il en me taquinant. Je ne te mordrai pas.

Son sourire montrait ses dents parfaitement blanches, et bien sûr, maintenant, je ne pouvais imaginer qu'une chose : qu'il mordait chaque petite partie de mon corps.

— Sauf si tu me le demandes.

— Je ne veux pas, et non, je n'ai pas peur, dis-je en lui lançant un regard furieux.

— Ça fait du bien d'enlever tout ce sable, Bianca. Crois-moi.

— Très bien.

J'entrai dans l'océan et m'éloignai de lui.

— Ne t'approche pas de moi, dis-je en lui faisant de gros yeux.

Puis, je me penchai pour enlever ma petite culotte. Immédiatement, l'eau bondit et je me sentis étrange, mais libérée.

— Le soutien-gorge, ensuite ? me cria-t-il.

Mais comme il ne s'était pas approché de moi, je me contentai de l'ignorer. Tandis que je tenais serrée ma petite culotte, je dégrafai mon soutien-gorge. L'eau était paradisiaque contre mes seins nus, et je soupirai de bonheur. Il avait raison. C'était absolument incroyable d'être nue dans l'eau. Je me frottai le corps. Même si l'eau y laissait un résidu de sel, j'avais l'impression que cela valait mieux que de passer toute la journée couverte de sable et de sueur. Je raclai chaque parcelle de mon corps en essayant d'en enlever chaque grain de sable et de poussière.

— *She's going to wash that man right off of her skin; she's going to wash that man right off of her skin.*

Jakob chantait.

— Qu'est-ce que c'est?

— Je t'ai composé une chanson.

— Tu ne l'as pas composée. C'est une variation d'une chanson de *South Pacific*.

— Alors, tu connais bien le cinéma.

Il souleva un sourcil dans ma direction, puis nagea vers moi. Je figeai.

— Qu'est-ce que tu fais là? dis-je en reculant d'un pas.

— Je voulais savoir si tu avais besoin d'aide pour ton dos.

— Quelle sorte d'aide?

Le cœur me manqua lorsque j'imaginai ses mains fortes sur mon dos nu.

— Je pourrais t'aider à te débarrasser des grains de sable qui restent.

Il haussa les épaules et s'arrêta à presque un mètre.

— Et tu pourrais faire de même pour moi.

— Tu es trop proche.

Je lui lançai un regard furieux et regardai dans l'eau pour m'assurer que mes seins n'étaient pas visibles.

— Ne t'en fais pas, je ne vois pas grand-chose, dit-il en riant.

— Qu'est-ce que ça veut dire?

— Je vois tes seins, mais pas tes mamelons.

— C'est déjà trop.

— Tu ne veux pas que je te frotte le dos?

Il se rapprocha et son regard bleu se moquait de moi. Il aimait me rendre mal à l'aise.

— Je ne crois pas, non.

Je secouai la tête et figeai lorsqu'il se rapprocha encore davantage. Son corps était à quelques centimètres du mien, et soudain, mon cœur bondit d'excitation. Je sentais l'électricité dans l'eau entre nous. Mon corps bourdonnait d'anticipation. Un pas de plus et je pouvais me trouver dans ses bras, mon corps nu pressé contre le sien. Si je voulais, je pouvais tendre la main et lui toucher le sexe. Je voulais voir s'il était aussi magnifique que la fois précédente.

— Retourne-toi, m'ordonna-t-il en rompant notre silence momentané.

— Pardon, qu'est-ce que tu dis là ?

— Retourne-toi et soulève tes cheveux. Je pourrai mieux te toucher le dos s'il est tourné vers moi.

Je ne sais pas trop pourquoi, mais je me retournai. Au début, il me toucha légèrement la peau. Il me frotta doucement du bout des doigts, et j'eus envie de fondre.

— Tu peux frotter un peu plus fort, marmonnai-je, voulant sentir la force de ses mains sur ma peau.

— J'y allais doucement au départ, au cas où tu aurais un coup de soleil. Je ne voulais pas te faire mal, murmura-t-il à mon oreille en s'approchant de moi.

Je déglutis avec peine en sentant quelque chose me frôler les fesses. Je ne demandai pas ce que c'était, car je le savais déjà. Il augmenta la pression de ses doigts, et je sentis trembler mon corps alors qu'il me récurait le dos. Ses doigts se déplaçaient en cercles jusqu'à ce qu'il passe à mes épaules. Je sentais ses doigts me serrer les muscles, et je soupirai alors qu'il travaillait à libérer la tension.

— J'espère que ça ne t'ennuie pas que je te donne un massage, murmura-t-il à nouveau.

Je ne répondis pas. Je sentais son torse contre mon dos, et je réalisai soudain à quel point il était proche de moi. Il me massa les épaules pendant quelques minutes, puis recommença à me frictionner le dos.

— Je pense que ça suffit, murmurai-je alors que ses mains commençaient à me masser les flancs et frôlaient accidentellement les côtés de mes seins.

— Ne t'en fais pas, Bianca. J'ai presque terminé, dit-il d'une voix souriante. Je n'ai plus qu'un endroit à traiter.

Je haletai lorsque ses doigts descendirent jusqu'à mes fesses pour les malaxer.

— Qu'est-ce que tu fais là ? criai-je en m'avançant d'un pas.

— Je m'assure que tu es débarrassée de tout le sable.

Ses mains montèrent jusqu'au bas de mon dos, qu'il frotta.

— Je croyais que c'était ce que tu voulais.

— Je ne voulais pas de tes mains sur mon derrière, répliquai-je avec colère.

— Je me suis trompé.

Ses mains montèrent de nouveau à mon dos.

— D'accord, j'ai presque fini.

— Bien.

— Il reste un dernier endroit, dit-il doucement.

Aussitôt, je sentis ses doigts glisser entre mes fesses.

— Mais qu'est-ce que tu fais là ?

Je m'écartai de lui et me retournai pour lui lancer un regard furieux.

— Je m'excuse, mais tu disais avoir du sable dans toutes tes fentes et fissures.

— Ouais, ouais, dis-je en plissant les yeux. Je m'en retourne à la plage. Je te suggère de rester ici jusqu'à ce que j'aie remis mes sous-vêtements.

— Et mon dos à moi ? dit-il en faisant la moue.

Je me mis à rire.

— Débrouille-toi, mon cher.

— Merci beaucoup.

Il fit une grimace et je l'éclaboussai avec de l'eau.

— Eh, qu'est-ce que ça veut dire ?

Il crachota et cracha une partie de l'eau de mer qui lui était entrée dans la bouche.

— C'est un avertissement. N'essaie plus de m'avoir, dis-je doucement avant de me détacher.

— C'est un avertissement plutôt minable, me cria-t-il.

Je sentis une immense vague fondre sur moi.

— Tu veux rire ? dis-je en me retournant et en lui lançant un regard furieux, le visage dégoulinant. Tu viens de m'éclabousser ?

— Qu'est-ce que tu peux y faire ? dit-il en souriant.

Je plissai les yeux.

— Ça.

Je mis les mains dans l'eau et poussai une immense vague vers lui. Il m'éclaboussa en retour, et pendant quelques secondes, nous continuâmes à nous arroser mutuellement. À mon insu, Jakob avait nagé jusqu'à moi, car je sentis ses bras autour de ma taille.

— Qu'est-ce que tu fais ? haletai-je en essayant de lui asperger le visage.

— Rien.

Il secoua la tête et se pencha vers moi. Je sentis ses lèvres appuyées doucement sur les miennes. Sa bouche était dure et salée. Il me rapprocha de lui, et je sentis mes seins écrasés contre son torse. Je gémis contre ses lèvres, et je sentis son érection contre mon ventre. Il glissa sa langue dans ma bouche, et je la suçai avidement, passant mes mains sur sa tête pour jouer avec ses cheveux. Ses mains dans mon dos me pinçaient la peau, et je m'appuyai davantage sur lui. Ses mains descendirent alors jusqu'à mes fesses et il les pressa l'une contre l'autre. Je gémis à nouveau, puis figeai en sentant ses doigts descendre entre mes fesses en tentant de s'insérer entre mes jambes. Je reculai rapidement, le cœur battant.

— Qu'est-ce que tu fais là? dis-je en déglutissant difficilement et en le regardant fixement.

— Désolé, je me suis un peu laissé emporter, dit-il en se léchant les lèvres et en me dévisageant. Nous devrions probablement sortir.

— Je suis d'accord, dis-je en hochant la tête.

— Vas-y la première. J'attendrai ici le dos tourné, pour que tu puisses remettre tes sous-vêtements.

— Merci.

Je m'éloignai rapidement en nageant et sortis de l'eau en courant. Je tordis le plus possible mes sous-vêtements et les remis. Ils étaient froids et moites, mais je savais qu'ils allaient bientôt sécher au soleil. Je savais aussi qu'il ne fallait surtout pas *ne pas* les porter.

— Je suis prête, criai-je à Jakob.

Puis, je le regardai revenir à la rive en nageant. Il avançait comme un champion de nage et son corps était fait pour l'eau. Je le regardai sortir de l'océan et, cette fois, je ne m'obligeai pas à ne pas regarder. Je haletai en voyant son pénis raide et saillant. Jakob me regarda en remettant son caleçon boxeur, et nous nous regardâmes pendant quelques secondes avant qu'il s'avance vers moi.

— Prête à aller dans la jungle ? demanda-t-il d'un ton léger.

Je hochai la tête, contente de voir qu'il ne faisait pas de commentaire à propos du fait que je l'avais lorgné.

Nous marchâmes en silence vers la jungle. Mon cœur se mit à battre la chamade lorsque je m'aperçus que j'étais sur le point d'entrer dans l'inconnu. Je repensai à l'un de mes cours d'histoire pendant lesquels nous avions parlé des tribus amérindiennes qui n'avaient jamais été en contact avec des Occidentaux.

— J'espère vraiment qu'on ne rencontrera pas de tribu indigène qui voudra nous tuer, dis-je en frissonnant.

— Ne sois pas bête, Bianca, dit Jakob en secouant la tête.

— Très bien. J'espère qu'on ne rencontrera pas de tribus indigènes qui voudront *te* tuer, lui dis-je en lui lançant un regard furieux.

— Garde l'œil ouvert et l'oreille aux aguets, alors, répondit-il d'une façon pompeuse. Si quelqu'un a l'intention de nous tuer, c'est bien Steve.

— Qu'est-ce que tu veux dire ? lui dis-je en fronçant les sourcils, me sentant encore agacée par sa nature impérieuse.

— Ne t'en fais pas. Je vais m'occuper de Steve, dit-il avec un regard condescendant. Reste à l'affût de l'eau et écoute bien.

Il parla lentement et de façon arrogante, et je me demandai comment j'avais pu me laisser intimider par lui.

— En même temps, préviens-moi si tu vois des Indiens avec des arcs et des flèches.

— Espèce de con !

— Je suis un con qui ne veut pas qu'on soit davantage déshydratés.

— Tu crois vraiment qu'on va trouver de l'eau douce ?

— On est pas mal foutus, sinon, soupira-t-il en me regardant. S'il te plaît, ne pleure pas.

Je le fixai pendant deux secondes avant de l'ignorer et d'accélérer le pas. Il était tellement crétin. *S'il te plaît, ne pleure pas* – pour qui se prend-il ? Je n'avais pas pleuré depuis mon arrivée ici.

— Attends.

Il se précipita derrière moi et me prit par le bras.

— Je t'ai déjà dit de m'attendre.

— Tu n'es pas mon patron, dis-je en me débarrassant de sa main. Et aux dernières nouvelles, nous ne sommes pas des colons. *Nous* ne sommes pas en démocratie, et je n'ai pas voté pour que tu sois gouverneur ni président, ajoutai-je d'un regard hautain. Alors, au cas où tu ne saisirais pas, je n'écoute pas ce que tu dis.

— Bianca, commença-t-il avec un demi-sourire.

— Quoi ? répliquai-je brusquement, avant de trébucher sur quelque chose et de tomber sur les genoux. Aïe !

J'atterris sur le sable avec un bruit sourd, le visage brûlant de honte.

— Ça va ?

Il me tendit la main pour m'aider à me relever.

— J'essayais de t'avertir à propos de cette branche.

— Ça va.

Je bondis, j'ignorai sa main, puis j'époussetai mes jambes pour en enlever le sable. Je levai les yeux et vis Jakob qui me fixait avec un regard noir.

— Est-ce que ce sera ainsi tout le temps qu'on sera ici ?

— Comme on n'est pas ici pour repeupler la planète, je ne m'en ferais pas à ce sujet, répliquai-je, vexée.

Puis, je marquai un temps d'arrêt.

— Oh, mon Dieu, tu ne crois pas que nous sommes ici pour un projet secret ? Peut-être qu'ils veulent nous faire commencer une nouvelle colonie et engendrer une nouvelle population pour voir si nous pouvons survivre sur une autre planète.

— Une autre planète ?

— Tu sais, ailleurs que sur la Terre.

— Nous sommes sur la Terre, Bianca.

— Sans blague. Je veux dire : peut-être qu'ils ont l'intention de nous envoyer sur une autre planète après que nous aurons eu des enfants.

Je soupirai comme s'il avait l'esprit lent, puis je me mis à rire.

— Je blague, Jakob.

Je vis trembler ses lèvres, et je sus qu'il voulait rire avec moi. Finalement, il ne put s'en empêcher et commença à rire, lui aussi. Nous passâmes quelques minutes à rire, et je sentis monter mes larmes.

— D'accord, je sais à quel point ça paraissait ridicule, dis-je enfin entre deux rires. Tu aurais dû voir ton visage quand tu m'as prise au sérieux.

— Je suis content que tu te sois aperçue que nous n'avons pas à nous en faire pour la vie sur Mars, mais je ne serais pas contre l'idée de faire des enfants, dit-il avec un clin d'œil, me faisant rougir. Qu'en dis-tu?

— Je dis non.

Je marchai d'un pas volontaire devant lui, et il me prit par le bras.

— Qu'est-ce qu'on va faire pour sortir de l'île?

Il parla d'un ton sérieux, et je sus que la partie blague du matin était terminée.

— Il faut aussi penser à la façon dont nous allons nous protéger. Juste au cas.

— Oh, mon Dieu, j'ai l'impression d'être Katniss et toi, Peeta. Seulement, je ne sais pas comment me servir d'un arc et d'une flèche. Et puis, je n'ai ni arc ni flèche, et je ne pense pas que tu saches comment faire du pain.

— Quoi? dit-il d'un ton agacé. Qui sont Katty et Peter?

— Quoi? lui répondis-je. Tu n'as jamais vu les films *The Hunger Games*? Écoute, les romans étaient meilleurs, mais je croyais que la plupart des gens avaient au moins vu les films. Le deuxième était supérieur au premier.

— Bianca, dit-il d'un ton impatient. Il faut que tu te concentres sur le problème actuel. Je ne connais pas *The Hunger Games*, et à moins que ce film ne nous fournisse des réponses utilisables maintenant, je m'en fiche pas mal.

— Eh bien, comme les principaux personnages étaient dans une situation semblable à la nôtre, j'essayais de penser à ce qu'ils pouvaient faire dans une telle situation.

— Ils ont été kidnappés et placés sur une île, eux aussi?

— Pas tout à fait, dis-je en grimaçant. Mais c'est un peu semblable. Ils savaient ce qui les attendait, et en même temps, ils ne le savaient pas, dis-je en secouant la tête. Ils n'avaient aucune idée véritable de ce qu'ils allaient affronter.

— Bianca, j'apprécie vraiment le fait que tu sois une encyclopédie ambulante du cinéma. Tu es peut-être même le prochain Roger Ebert, mais maintenant, je me fiche complètement de tes divers films. C'est sérieux. Nous devons concevoir un plan.

— Je le sais. Crois-moi, je le sais. Je ne sais pas ce qu'on va faire. Désolée que tu aies choisi de t'asseoir avec moi à une table et que tu te sois fait attirer dans mon gâchis.

Je le devançai et commençai à m'éloigner rapidement. Je n'avais pas apprécié son ton ni ses paroles. Les films me donnaient réponse à tout. Ils l'avaient toujours fait. Les films avaient été mes guides, à mesure que je grandissais. C'était facile d'y avoir recours. Je parlais souvent de personnages de films comme si je les avais connus dans la vraie vie.

— Attends, dit-il d'un ton qui n'était plus humoristique. Ne marche pas en avant de moi.

— Est-ce qu'on va…

— Bianca, ça suffit !

Son ton de voix montait.

— Quoi ?

J'étais bouche bée, en état de choc. Me parlait-il vraiment comme si j'étais une enfant ? Encore ?

— J'ai dit : ça suffit. Tu ne peux pas te contenter de…

Il se mit à me sermonner, et j'avais l'impression d'être une enfant irritable qui restait là à l'écouter en silence. Ses lèvres paraissaient si pulpeuses alors qu'il était là en train de me faire la leçon. Je n'écoutais plus ses paroles, j'admirais son torse. Ses abdominaux paraissaient si prononcés, j'avais envie de passer mes doigts sur chaque bosse. Je me demandais ce qu'il ferait si je m'avançais et si je passais mes doigts jusqu'au bas? Je m'en voulus en silence d'avoir des pensées obscènes. J'étais sur le point de l'interrompre lorsque je vis bouger quelque chose dans les buissons. Je haletai et battis rapidement des paupières pour m'assurer que ce n'était pas une illusion. Deux yeux noirs et vides me fixaient. Je criai et le visage disparut. Je vis trembler les branches devant moi; le cœur me manqua lorsque des feuilles tombèrent au sol. J'entendis un bruit sourd et fort, puis je hurlai de nouveau, en écartant Jakob pour retourner à la plage sablonneuse.

Je courus vers la plage aussi vite que je pus, à toutes jambes, tout en repensant à ce que j'avais vu dans les buissons.

— Bianca, ralentis!

Il me pourchassa et me saisit lorsqu'il me rattrapa.

— Bianca!

— J'ai vu quelque chose! haletai-je. J'ai vu deux yeux qui me regardaient.

Je le fixai, les yeux écarquillés, en tentant de retrouver mon souffle.

— Oh, mon Dieu, on va vraiment mourir.

— Bianca!

Il respira à fond et me prit dans ses bras.

— Comment puis-je me calmer quand Godzilla est sur l'île avec nous? Prêt à me manger!

Mon ton était dramatique, et je portai mes mains à mes joues.

— J'ai un sang très sucré, tu sais. Les prédateurs peuvent me sentir.

— Vraiment? dit-il, les lèvres tremblantes.

— Oui ! Je mange beaucoup de chocolat.

Je fermai les yeux et respirai profondément, à deux reprises.

— Je ne retourne pas là.

Je secouai la tête et tombai sur le sable.

— Je n'y retourne pas. Pas question, Gaston.

— Bianca, je suis sûr que tu as vu un insecte, quelque chose comme ça. Ou peut-être bien Steve en train de nous épier.

— Steve a les yeux bleus, dis-je en secouant la tête. Et j'aimerais savoir quel insecte a de grands iris blancs et les yeux noir et rouge.

— Des yeux noir et rouge ?

— Tu sais ce que je veux dire, dis-je en le regardant.

— Pas vraiment.

Il s'assit à côté de moi et se pencha en arrière.

— Alors, tu as trop peur pour retourner dans la jungle aujourd'hui ?

— Je ne veux pas mourir aujourd'hui.

— Alors, tu préfères mourir demain ?

— Je préfère ne pas mourir.

— Bianca, dit-il d'un ton sérieux. Si je pouvais aller dans la jungle et en rapporter ce qu'il nous faut sans que tu viennes avec moi, je le ferais. Si je trouvais judicieux de te laisser seule sur la plage, je le ferais. Hélas, je ne sais pas où est Steve, et j'ai peur de ce qu'il pourrait essayer de faire, surtout s'il surveille nos mouvements. Nous ne pouvons pas nous séparer. Alors, je te demande d'être une grande fille, aujourd'hui. J'ai besoin de ton aide.

— Tu es un crétin tellement condescendant.

— Merci, mais tu ne me connais même pas encore.

— Je pense que oui.

— Je pourrais être bien pire.

Ses lèvres étaient minces alors que ses yeux fixaient les miens avec une luminosité intense.

— Je pourrais être plus qu'un crétin.

Sa voix baissa, et ses doigts parcoururent mon bras.

— Ôte tes doigts.

Je me défis de lui et reculai.

— Mes doigts ne peuvent pas faire autant que d'autres parties de mon corps, dit-il d'un ton suave.

— Qu'est-ce que ça veut dire ?

Je plissai les sourcils, puis rougis.

— Tu es dégoûtant.

— Je peux l'être davantage.

Il se pencha vers moi et je fus presque certaine qu'il allait m'embrasser. Au lieu de cela, ses lèvres passèrent à mon oreille et il murmura en douceur :

— Seulement, tu ne penseras pas que je suis dégoûtant. Tu vas hurler mon nom, en me suppliant de ne jamais m'arrêter.

Je bondis et marchai vers la jungle.

— Tu es tellement indécent. Tu le sais, hein ? Je viens d'avoir la frayeur de ma vie et tu essaies de me séduire. Allons-y ! criai-je sans me retourner vers lui. Si tu as besoin de mon aide, allons-y.

— Je me suis dit que ça ferait l'affaire, dit-il en se relevant d'un bon et en riant. Rien ne te fait plus peur que le sexe, n'est-ce pas, Bianca ?

J'ignorai sa question et continuai de marcher. Mais il avait tort. Je ne craignais pas du tout le sexe. Ce qui me troublait, c'était ce qui se passait après le sexe.

— Je ne sais pas si on va trouver de l'eau, soupirai-je en continuant à marcher dans les massifs d'arbustes. J'ai soif et je suis fatiguée.

— Je peux casser des noix de coco, si tu veux, dit Jakob en me touchant le bras. Si on les frappe assez fort sur les pierres, on peut les ouvrir. Mais il faut trouver les noix de coco vertes, celles qui sont encore dans la coquille. Les brunes sont déjà dures.

— Ça va. Je peux attendre un peu, dis-je en secouant la tête. Il est étrange que nous n'ayons vu aucune trace de Steve, non ?

Je fixai l'entaille sur le visage de Jakob et me mordis la lèvre inférieure.

— J'imagine, dit-il en détournant le regard. Arrêtons-nous un moment pour que tu puisses te reposer.

— Merci, dis-je en roulant des yeux. Je suis seule ici à être épuisée, hein ?

— Arrêtons pour nous reposer tous les deux. Est-ce que c'est mieux ?

Il me lança un regard qui me fit l'impression d'être une petite fille, et je me détournai.

— Attends ici. Je vais aller…

— Jakob, murmurai-je alors que mon œil apercevait quelque chose. Jakob, répétai-je, plus haut cette fois, en prenant son bras.

Ma respiration s'accéléra, et mes paroles parurent légèrement fiévreuses.

— Oui ?

— Je vois quelque chose, dis-je en regardant droit devant moi, incertaine de ce que je voyais.

Je me frottai les yeux et regardai de nouveau.

— Pas un autre extraterrestre ou un autre gorille.

Ses yeux scintillèrent dans ma direction.

— Vraiment... pas drôle, lui dis-je avec un regard furieux. Je pense que je vois un bâtiment.

— Quoi? dit-il en me fixant, les yeux plissés. Où?

— Regarde.

Je montrai du doigt un point entre un bosquet d'arbres.

— Par là.

Son visage se retourna dans la direction que je montrais du doigt, et je vis qu'il regardait attentivement.

— Je ne le vois pas.

— Regarde entre les deux arbres, dis-je en prenant son bras. Je pense qu'il y a une sorte de cabane. Elle est recouverte d'arbustes, mais il y a une petite fenêtre. La vois-tu, maintenant?

— Je la vois, dit-il en hochant la tête et en commençant à marcher. Allons voir.

Je voulais le prendre encore par le bras et lui dire d'arrêter. Nous ne savions pas ce que c'était, ni qui était là, et j'avais peur. Je me disais que je n'aurais pas dû me plaindre. Que nous aurions dû continuer à marcher. Je me serais sentie davantage en sécurité. Maintenant, je suis angoissée et j'ai peur. Qu'est-ce qui nous attendait dans la cabane? Je respirai profondément en tentant de ne pas me mettre à hurler. Et si Steve était là avec un revolver?

La cabane devant nous était petite et en bois. Elle aurait paru confortable en plein film d'épouvante, et je me gardai de mentionner cela alors que nous marchions vers elle. Mon cœur battait la chamade, et je sentais la peur au bout de mes doigts et sous mes pieds. Mon visage était rouge de chaleur, et je suivis Jakob, effrayée de ce que nous étions sur le point de voir.

— Crois-tu que quelqu'un habite là ? murmurai-je.

— Je ne sais pas.

Sa voix était rigide, et j'avais le sentiment qu'il était tout aussi troublé que moi.

— Je suis étonné de trouver une cabane ici. Nous n'avons vu aucun autre signe de vie sur l'île, à part l'apparition de Steve.

— Et cette cabane, on dirait qu'on a essayé de la cacher. Il y a des arbustes à l'avant et à l'arrière.

— Ouais, on dirait qu'on a essayé de la camoufler.

Il se retourna vers moi.

— Reste là pendant que j'entre. Si tu m'entends crier, retourne à la plage en courant.

— Pour faire quoi ? marmonnai-je, sans obtenir de réponse.

Je le regardai ouvrir la porte de la cabane et entrer. Je le suivis lentement, car je ne voulais pas qu'il y entre seul, et je ne voulais pas non plus rester dehors seule. J'étais inquiète de ce qu'il y avait dans la cabane, et je m'en faisais aussi à propos de l'être que j'avais vu plus tôt dans les arbres.

— Jakob, dis-je doucement en entrant dans la cabane dépouillée.

— Quelqu'un a attendu que nous trouvions cet endroit.

Il me regarda avec une expression pensive.

— Hein ?

Je le regardai avec perplexité.

— Crois-tu que c'était Steve ?

— Je ne sais pas, dit-il en soupirant. Regarde.

Il désigna une table dans le coin de la pièce.

Sur la petite table de bois, il y avait deux enveloppes blanches. L'une était adressée à Jakob, et l'autre à moi, Bianca London. Je figeai en regardant les enveloppes.

— Et voilà.

Il me tendit mon enveloppe.

Je l'ouvris lentement et lus. Les doigts tremblants, je lus le court message et le cœur me manqua.

— Que dit le tien? demanda Jakob, interrompant mes pensées.

— Je... euh...

Ma voix trembla, et je le regardai en écarquillant les yeux.

— Le mien dit : « Tout a un prix. Tout geste a une conséquence. »

Il fronça les sourcils et me regarda.

— « La mort peut vous sauver la vie. »

Ma voix trembla et j'appuyai ma paume sur mon front pour m'assurer que tout allait bien.

La lettre était imprimée sur la même sorte de papier que la première note qui était arrivée à mon appartement, une semaine plus tôt. Malgré l'extrême chaleur du soleil, ma peau était froide, et j'avais des frissons et la chair de poule. Je relus la note en essayant de découvrir un indice que je n'avais pas décelé sur la page.

Quel était le lien entre cette note et celle que j'avais reçue auparavant? De quoi étais-je en train d'être sauvée? Qui me faisait cela? Et pourquoi m'avoir amenée ici avec Jakob? Pourquoi lui avoir laissé une note, aussi? Je ne le comprenais pas. À certains moments du jour, il était léger et sympathique, tandis qu'à d'autres moments, il semblait sur ses gardes et pensif. Ses yeux avaient un regard qui m'effrayait — un regard qui disait que, peu importe combien de temps nous allions passer ensemble, le mur qu'il avait érigé entre nous resterait.

D'un côté, sa fermeture me faisait mal. Je me sentais bête d'être blessée. Rationnellement, je savais que je ne le connaissais pas — et qu'il ne me connaissait pas —, mais il m'était tout de même difficile d'abandonner le fait que je voulais me sentir plus proche de lui. Je m'étais déjà partiellement ouverte à lui à propos de mon passé. Oui, je ne lui avais pas dit toute la vérité, mais il en savait plus long que quiconque. Je lui en avais même dit plus long qu'à Rosie. Et puis, il y avait l'attirance que je ressentais envers lui. Sexuellement, il avait un magnétisme qui me portait à vouloir le toucher et le sentir sur moi. Quand il me touchait, ma peau s'allumait comme une plaque chauffante. J'avais envie de son toucher. Je voulais le goûter. Je voulais le sentir en moi. Le temps passé sur l'île faisait ressortir en moi des envies très primitives. J'avais l'impression de vivre chaque heure comme si c'était ma dernière. Dans l'ensemble, j'aimais notre badinage. Je sentais qu'il avait beaucoup d'affection envers moi. Je voyais dans ses yeux qu'il se souciait de ma sécurité et je l'entendais dans sa voix. Je savais qu'il ressentait sincèrement quelque chose envers moi. Je souhaitais tout simplement qu'il me fasse confiance autant que je lui faisais déjà confiance.

— Ça va?

Sa voix interrompit mes pensées, et en levant les yeux, je le vis froncer les sourcils.

— La lettre m'a désarçonnée, c'est tout.

Je hochai lentement la tête, car je n'étais pas prête à lui parler de l'autre note que j'avais reçue. Pas avant d'avoir l'impression de mieux le connaître.

— Je comprends, dit-il en soupirant. Nous arriverons au fond de cette question.

— Comment?

— Nous allons trouver quelque chose.

— D'après toi, est-ce que nous allons mourir?

— Seulement si nous devons nous tuer.

Malgré la douceur de son ton, je figeai.

— Je suis perplexe, dis-je lentement, comme si je venais tout juste de penser à la question que j'étais sur le point de poser.

— À propos de quoi?

— Pourquoi te laisserait-on une note? demandai-je en me grattant la tête. Écoute, ça n'a pas de sens. Ils te voient avec moi une fois dans un café, et soudain, tu es le principal suspect numéro deux?

Je me léchai les lèvres et examinai soigneusement son visage. Je voyais vibrer sa gorge alors qu'il me regardait fixement.

— Pourquoi te laisse-t-on une lettre? Et un message aussi profond, d'ailleurs?

Pendant quelques secondes, nous nous regardâmes en silence, et je vis que Jakob réfléchissait profondément. Je savais que c'était le tournant pour nous. Il avait à m'en dire davantage, car en réalité, il ne m'avait rien dit. Je n'avais pas voulu l'y obliger à notre arrivée, mais maintenant que nous avions passé quelques jours ici, j'avais besoin d'en savoir plus.

— Alors, j'imagine que le moment est venu de te dire que je n'étais pas dans ce café par hasard.

— Quoi?

Ma voix se réverbéra dans la petite cabane.

— Ce n'est pas ce que tu penses, soupira-t-il. Ce matin-là, j'ai reçu un courriel d'une collègue. Elle disait qu'elle voulait me rencontrer là pour refiler un tuyau quelconque à propos d'une entreprise que je suis en voie d'acquérir.

— D'accord...

— Comme il n'y avait pas d'autre table disponible, je me suis assis avec toi.

Il fit un pas vers moi.

— Si j'ai choisi de m'asseoir à ta table, c'était pour une raison.

— Laquelle?

Mon corps s'immobilisa.

— Parce que je voulais flirter avec la jolie brune qui tapait sur son ordinateur, dit-il en souriant. Seulement, tu m'as ignoré quand je me suis approché de la table.

— Désolée, dis-je en me mordillant la lèvre inférieure, sans le quitter des yeux.

— Ça va. Comme je me suis senti un peu idiot, j'ai sorti ce livre de mon sac et j'ai fait semblant de lire, plutôt.

— Je me suis sentie un peu bête d'être aussi impolie, si ça peut te rassurer, dis-je en lui souriant. J'essayais de terminer un article et il ne me restait plus que quelques minutes. Normalement, je ne suis pas aussi impolie.

— Ça va, Pip est l'un de mes préférés, et j'étais content d'être assis là et d'essayer de lire tout en attendant l'arrivée de ma collègue.

— Pip, dis-je en gardant mon calme et en le fixant. Comme Pip et Miss Havisham?

— Oui. Je t'ai dit que j'aimais Dickens, non?

— Ouais, dis-je en hochant lentement la tête. Tu me l'as dit.

— *Les Grandes espérances* est l'un de ses meilleurs romans, à mon humble avis. Je l'ai lu à l'école, et il a vraiment touché quelque chose en moi. J'essaie de le relire de temps à autre.

— Le film était bon, aussi, bredouillai-je. Pas tellement celui avec Ethan Hawke et Gwyneth Paltrow, plutôt celui des années quarante avec Anthony Wager.

— Oh, je ne suis pas certain d'avoir vu celui-là.

— Alors, tu es arrivé au café, ce jour-là, pour rencontrer quelqu'un, et tu as décidé de t'asseoir exprès avec moi parce que tu me trouvais jolie?

J'essayai de garder un ton calme, mais je trouvai difficile de ne pas paniquer. Pourquoi m'avait-il menti à propos du livre qu'il avait lu? À moins qu'il se soit mal souvenu du titre?

— Autre chose?

— Non, pas que je…

— Tu m'as déjà dit que tu lisais *Le Conte de deux cités*, dis-je en l'interrompant, incapable de me retenir. Alors, qu'est-ce que c'était, *Les Grandes espérances* ou *Le Conte des deux cités*?

Il ne broncha même pas en entendant mes paroles. Ou bien c'était un bon acteur, ou bien il avait commis une erreur véritable.

— J'ai dû confondre. J'adore tous ses livres. C'est cliché, j'imagine. Je suis passé de la pauvreté à la richesse. Je suppose que je résonne avec les personnages, d'une certaine façon.

Il se passa les mains dans les cheveux, puis s'étira.

— Il y a autre chose, Bianca.

— Oui ?

— Ce jour-là, ma collègue n'est jamais venue. Quand je l'ai appelée, elle a dit qu'elle ne m'avait jamais envoyé le courriel. Ça ne me disait pas grand-chose jusqu'à ce qu'on nous kidnappe.

Il marqua un temps d'arrêt, puis regarda autour avant de poursuivre à voix basse.

— Et la compagnie dont nous allions parler, celle que je souhaitais acquérir, c'était la société Bradley.

— Quoi ?

Plusieurs émotions m'envahir en même temps : l'horreur, la méfiance et la curiosité.

— Je ne voulais rien dire. Je ne me suis pas aperçu que ça avait autant d'importance, pas avant que tu me parles de la lettre de ton père.

— Tu aurais dû m'en parler avant, dis-je en le regardant longuement. Cela veut dire que ton enlèvement n'était pas dû qu'à une méprise. Tu n'as pas été kidnappé parce que tu t'es assis à une table avec moi. Cela veut dire que Mattias Bradley, s'il est responsable de l'enlèvement, voulait que tu sois ici aussi.

— Je pense que tu as raison, dit-il en hochant la tête. Mattias est en train de se moquer de nous deux.

— L'as-tu rencontré, alors ? lui demandai-je avec curiosité, me demandant pourquoi il me cacherait tout cela alors que j'avais passé la moitié de la nuit précédente à lui ouvrir mon cœur.

— Ne bouge pas, murmura-t-il soudain, au lieu de me répondre.

Il s'avança lentement vers moi, et ses yeux se plissèrent lorsqu'il leva rapidement la main. Je reculai d'un pas en voyant quelque chose dans sa main. Le cœur me manqua lorsque ses doigts continuèrent à monter. Je sentis le sang évacuer mon visage alors qu'il s'avança encore vers moi.

— Non! haletai-je. S'il te plaît!

— Quoi?

Sa main frôla mon épaule.

— Tu avais un moustique sur le bras.

— Oh.

Je regardai sa paume et n'y vis rien. Cela avait dû être une illusion.

— Ils aiment le sang sucré, dit-il en souriant soudainement. Tu m'as dit que ton sang était très sucré.

— Ouais, c'est vrai.

Je hochai la tête en essayant de reprendre mon souffle. J'avais l'impression que mon aventure romantique était lentement en train de se changer en suspense psychologique.

— Merci. Les moustiques adorent me sucer la peau.

— Moi aussi.

— Tu aimes le sang?

— Non, dit-il en riant. J'ai raté celle-là. Je voulais dire que j'aime les lèvres sucrées.

— Il y a une grande différence entre le sang sucré et les lèvres sucrées.

— Oui, c'est vrai.

Il fit un pas vers moi et regarda longuement dans mes yeux. Mon cœur recommença à battre la chamade, mais cette fois, ce n'était pas parce que j'avais peur.

— Aimes-tu qu'on t'embrasse, Bianca ?

— Comme toutes les femmes.

— Aimes-tu que je t'embrasse ?

Il fit un autre pas vers moi.

— Pourquoi me demandes-tu cela ?

Je déglutis avec peine, mais restai ferme.

— Je veux savoir ce que voulaient dire nos notes. Je veux savoir ce que tu me caches d'autre.

— Que sont les conséquences de mon baiser, d'après toi ?

— Cesse de changer de sujet. Je me fiche des conséquences de ton baiser. Je ne tomberai pas enceinte pour autant.

— Ma note disait : « Tout a un prix. Tout geste a une conséquence. »

Il avait la voix sèche.

— Je t'embrasse parce que je ne peux pas résister à tes lèvres, mais j'ai une voix derrière la tête qui dit que je dois être le plus fort. Je me demande quelles sont les conséquences du fait que je ne tienne pas compte de cette voix.

— Je ne sais pas, murmurai-je. Et je m'en fiche. Je doute que la note parle de nos baisers.

— Tu m'en veux, non ?

— Qu'est-ce que tu crois ? Je n'aime pas qu'on me mente.

— Je n'ai pas menti. Je ne t'ai tout simplement pas tout dit. Tout comme toi, je ne savais pas que c'était un piège. Je ne suis pas arrivé à ma position en faisant confiance à toutes les jolies filles qui m'ont fait de beaux yeux.

— Tu es tellement blessant. Dans les films, je sais, certaines femmes trouvent ça joli, mais je ne suis pas du genre à avoir besoin d'être rabaissée par un homme. Je ne trouve pas ça sexy.

— Je suis content de te l'entendre dire.

— Bon sang, Jakob, dis-je en appuyant mes mains contre son torse. Qu'est-ce qui se passe ?

— Je ne sais vraiment pas, Bianca. Je suis tout aussi troublé que toi.

Ses doigts couvrirent les miens.

— Je ne sais pas si je dois le croire, murmurai-je.

— Penses-tu qu'il soit mauvais pour une femme d'amener un homme par la ruse à tomber amoureux d'elle ?

Il se pencha et, en parlant, appuya doucement ses lèvres contre les miennes.

— Crois-tu que les femmes utilisent le sexe de façon à piéger les hommes ?

— Je ne sais pas, murmurai-je de nouveau, figée et incapable de bouger.

— Qu'est-ce qui devrait arriver aux croqueuses de diamants, d'après toi ?

Sa langue pointa vers l'extérieur et il se lécha les lèvres.

— Est-ce qu'il faudrait les punir ?

— Je…

Je déglutis avec peine alors que mon cœur battit la chamade.

— Je ne sais pas.

Je gémis alors que Jakob me prenait par la nuque et me serrait contre lui. Ses lèvres appuyèrent plus fort sur les miennes, et sa langue se glissa dans ma bouche alors qu'il m'embrassait avec force. Soudain, ma peau froide était devenue chaude, et je l'embrassai avec abandon. Ses lèvres étaient implacables alors qu'il dévorait mes lèvres et fouillait les secrets de ma bouche. Ses mains me serrèrent la nuque alors que ses cheveux parcouraient mes cheveux extrêmement emmêlés. Son torse était chaud contre mes doigts alors que je lui caressais la peau en m'accrochant à son dos. Mes jambes tremblaient tandis que ses doigts parcouraient légèrement mon ventre et mes seins.

Lorsqu'il m'éloigna de lui, j'étais à bout de souffle. Il me regarda droit dans les yeux, et ses yeux paraissaient en colère. Il se détacha de moi et se passa la main dans les cheveux avant de parler de nouveau.

— Celui qui nous a amenés ici a un plan.

Il marqua un temps d'arrêt, puis me regarda de nouveau :

— Et cela paraît très calculé. Je pense que nous devons être reliés de plus d'une façon directe. Ce ne peut pas être seulement le fait de nous intéresser à Bradley, ce serait trop vague.

— J'aimerais tellement savoir ce qui se passe au juste. Je suis tellement frustrée.

— Parle-moi davantage de ton père. Peut-être bien qu'en en parlant, nous pourrons comprendre certaines choses.

— J'imagine.

Je parlai avec réticence. Je ne voulais vraiment pas lui en dire davantage sur mon père. Je ne voulais pas lui donner plus d'information avant d'être sûre de pouvoir lui faire confiance.

— Crois-tu qu'il reste quelqu'un d'autre sur l'île, à part toi, moi et Steve ?

Je me léchai légèrement les lèvres et ses yeux suivaient le mouvement de ma langue. Si seulement nous étions ici pour une raison différente. Si seulement je pouvais me concentrer sur notre attirance mutuelle. Les choses seraient alors différentes. Maintenant, je me sentais coupable. Mon attirance envers Jakob paraissait légèrement dangereuse. J'avais l'impression de jouer avec le feu à chaque baiser et d'être de plus en plus près de me laisser consumer par ses flammes.

— Non, dit-il en secouant la tête. Je ne pense pas.

— Alors, comment ces lettres sont-elles arrivées ici ? Par l'intermédiaire de Steve ?

— Peut-être. Je pense que celui qui a fait cela l'a planifié très soigneusement.

Il regarda dans la cabane.

— On ne dirait pas que quelqu'un a dormi ici. Pour une raison quelconque, Steve ne m'apparaît pas comme une personne particulièrement délicate.

— Je me demande qui l'a bâtie.

Je frissonnai et regardai la cabane dénudée. Il y avait des bouts de tissu sur le sol et dans des boîtes, mais j'hésitai à les regarder. Je craignais un piège. Et si les boîtes étaient remplies de serpents et d'araignées ? Je frissonnai à cette pensée.

— Qui sait ?

Il haussa les épaules et son expression changea.

— Relis-moi ta note.

— « La mort te sauvera peut-être la vie. »

Je frissonnai en la lisant.

— Crois-tu qu'ils me disent qu'ils vont me tuer ? Est-ce que Steve va me tuer ?

— Je ne pense pas, dit-il en secouant la tête. Ça ne ressemble pas à une menace de mort. De toute façon, je ne permettrais pas à Steve de te faire du mal. Je crois que nous devons trouver Steve et découvrir ce qu'il sait.

Ses yeux fixèrent quelque chose dans le coin de la cabane, et je vis tressaillir un nerf de son front.

— Nous devons trouver Steve. Nous devons découvrir ce qu'il fait ici.

Il me prit la main.

— Allons, partons.

— Crois-tu qu'il soit encore vivant ? demandai-je alors qu'il marchait devant moi.

— Je ne sais pas.

Il s'arrêta et se retourna vers moi.

— Il arrive continuellement de mauvaises choses à de mauvaises gens au moment où ils s'y attendent le moins.

Il me fit un sourire étrange et triste.

— Mais alors, il arrive aussi tout le temps de mauvaises choses à de bonnes personnes, n'est-ce pas ?

— Oui, en effet.

Je repensai à la mort de ma mère et à la peine que mon père avait vécue pendant le reste de sa vie, et je retirai ma main de sa poigne.

— Je voudrais tant savoir ce que voulaient dire les notes. Qu'est-ce qu'on veut nous dire ? J'ai l'impression que ma note est une sorte de menace. Et la tienne ?

Je repensai à sa note.

— Est-ce qu'on dit que tu as fait quelque chose de mal ? As-tu retiré de l'argent d'une quelconque entente louche pour ensuite te faire enlever à cause de tes actions ? Crois-tu que Mattias essaie de t'empêcher de reprendre son entreprise ?

— J'essaie de ne rien faire de louche, dit-il avec un demi-sourire.

— La plupart des gens riches en ont fait à un certain moment de leur vie, dis-je avec amertume.

— Est-ce que ça te met en colère ?

Il me regarda très attentivement.

— Crois-tu que les gens riches te doivent quelque chose ?

— Je ne connais pas de gens riches, lui dis-je en le fixant et en gardant une voix calme.

— À part tes ex-amoureux.

— Bof, dis-je en lui lançant un regard furieux. Je me fiche bien de ton argent, Jakob. Je suis désolée d'apprendre qu'une fille, qui était de toute évidence une croqueuse de diamants, a essayé de sortir avec toi, mais ce n'est pas moi.

— Je ne dirai pas l'évidence.

Je lui coupai la parole.

— Bien.

Je lui tendis ma lettre.

— Tu peux la garder. Je vais aller chercher de l'eau.

— Attends.

Il me prit par les épaules et me poussa contre le mur. Ses yeux me lancèrent un regard furieux, et je sentis la chaleur de son corps contre ma peau.

— Je ne crois pas que ce soit une bonne idée de t'enfuir seule.

— Qu'est-ce que ça peut te faire ?

Je me débattis pour le repousser, mais ne pouvais le faire bouger.

— Bianca, écoute-moi. Je pense que nous devrions rester ensemble jusqu'à ce que nous trouvions qui nous a amenés ici et qui nous a laissé ces lettres.

— Alors, cesse de te comporter en abruti avec moi.

— J'essaierai, soupira-t-il. Je suis désolé que tu me trouves grossier. Je suis sur les nerfs, c'est tout.

— Tu ne crois pas que je sois sur les nerfs? Quelqu'un vient de me menacer de mort.

— Bianca...

Il relâcha mes bras et recula d'un pas.

— Je vais prendre soin de toi.

— Merci.

Je regardai de nouveau dans la cabane et je figeai.

— Oh, mon Dieu.

Je passai devant lui, courus vers le coin de la cabane, et repoussai les déchets qui couvraient le sol.

— Il y a un sac.

Avec précaution, je frappai du pied le sac de cuir noir, de taille moyenne, et je hurlai lorsqu'il en sortit un petit lézard.

— Tu vas faire une crise d'apoplexie, si tu continues.

— Je ne fais pas exprès, lui répliquai-je en essayant de contrôler mon souffle. Je ne m'attendais pas à ce qu'un immense lézard m'attaque presque.

— Ouais, je me demande s'il est parent avec Godzilla, répliqua-t-il.

En levant les yeux, je le vis sourire.

— Ce n'est pas drôle, dis-je en souriant, incapable d'arrêter moi-même. Je réagis un peu trop, je sais, mais je déteste les insectes et les bêtes qui ne sont pas des chats et des chiens. Je suis un peu comme un lapin effrayé en ce qui concerne les bestioles.

— Celui qui a choisi de te kidnapper ne doit pas très bien te connaître, alors.

Il rit, et je figeai en entendant ses paroles.

— Ou me connaît très bien, dis-je, l'esprit emballé. Tout dépend de la raison pour laquelle je me trouve ici, j'imagine. Si c'est par vengeance, c'est parfait.

Je me mordis la lèvre inférieure.

— Pour moi, c'est comme l'enfer sur terre.

— Qui sait à quel point tu détestes les bêtes sauvages ?

— Juste mon père et Rosie, soupirai-je. Et mon père est mort.

— Crois-tu que Rosie aurait quelque chose à voir avec cela ?

— Non, dis-je en secouant la tête avec véhémence. Il est impossible que Rosie soit mêlée à cette histoire.

Ma voix monta, et Jakob prit le sac et le posa sur la table.

— Ce doit être quelqu'un d'autre.

— Ou c'est juste une coïncidence.

Il ouvrit lentement le sac.

— Ou c'est quelqu'un à qui j'ai parlé en ligne.

Je me frottai le front.

— Dans mon profil en ligne, j'ai dit que mon pire rendez-vous amoureux impliquerait le camping, parce que je déteste les bestioles.

— Je croyais que tu n'avais jamais rencontré personne en ligne ?

— C'est vrai, dis-je en soupirant. J'ai parlé à quelques types, mais c'étaient tous des désaxés.

— Cherchais-tu quelqu'un en particulier ?

Il leva les yeux vers moi, et je vis changer son expression.

— Que veux-tu dire ? Je ne cherchais pas un mari. Du moins, pas tout de suite.

— Tu avais un type en tête, alors ? Quelqu'un que tu espérais rencontrer ?

— Bien sûr. Qui n'en a pas ?

Je haussai les épaules et il se détourna.

Il changea de sujet.

— On dirait bien que Dieu existe, après tout.

— Pourquoi dis-tu ça ?

Je marchai vers lui et je haletai lorsqu'il retira une bouteille d'eau.

— Oh, dis-moi qu'il y en a plus qu'une.

— Je n'aurais jamais cru rencontrer quelqu'un d'aussi heureux de voir une bouteille d'eau.

— Bon, ça va, ouvre-la.

Je m'arrêtai devant lui, lui pris la bouteille avec impatience, et bus avec modération. Cette eau avait meilleur goût que le champagne le plus coûteux, et je me sentis immédiatement rafraîchie. Je ne pris que quatre gorgées avant de la rendre à Jakob.

— Qu'est-ce que tu fais ?

Il fronça les sourcils en me reprenant la bouteille.

— Tu n'as pas soif ?

— Tu n'en as pris que quelques gorgées.

Il essaya de me remettre la bouteille.

— J'attendrai que tu en prennes d'abord, dis-je en haussant les épaules. On ne sait pas combien de bouteilles il y a dans le sac.

— Merci.

Il hocha la tête et prit quelques gorgées.

— C'était vraiment très prévenant de ta part.

— Je ne suis pas égoïste, tu sais.

— Non, je ne le crois pas.

Il me rendit la bouteille.

— Prends-en encore. Il y a d'autres bouteilles dans le sac.

Il remit la main dans le sac et en tira cinq bouteilles.

— C'est tout ?

Je retirai la bouteille de ma bouche. Je déglutis avec peine en examinant les bouteilles et je calculai mentalement combien de temps elles allaient durer.

— Ça va. Il y a aussi un briquet dans le sac.

Il en retira un paquet de briquets Bic, et sourit.

— Pour faire quoi ?

— Pour la cuisson et pour faire bouillir de l'eau.

— Quelle eau ? Pas l'eau de mer.

Je fis une grimace en me rappelant l'eau que nous avions bue la veille.

— Si nous trouvons une cascade, nous pourrons sans doute boire cette eau telle quelle, mais par prudence, nous pouvons la faire bouillir.

— Pourquoi, par prudence ?

— Pour éviter le choléra et d'autres parasites.

— Le choléra ?

Mes yeux s'écarquillèrent.

— Je croyais que cette maladie n'existait plus.

— C'est une maladie d'origine hydrique et elle existe encore. Elle est plutôt répandue dans les Antilles et dans le Sud-Est asiatique.

— Alors, tu crois qu'on est dans les Antilles ou en Asie ?

— J'imagine, dit-il en haussant les épaules. Ça me semble probable, le climat et l'environnement semblent appropriés. Si je devais deviner, je dirais les Antilles plutôt que l'Asie.

— Alors, es-tu souvent allé dans les Antilles ?

— Non, pas souvent.

Il me regarda pendant une seconde, puis revint au sac.

— Je n'y suis jamais allé.

— J'aimerais savoir ce que nous faisons ici tous les deux.

Ma voix se cassa, et je me mis à trembler. Je sentais que j'étais sur le point de perdre les pédales.

— Quelqu'un veut nous faire disparaître, dit-il à voix basse. Nous savons tous les deux que nous nous sommes caché des choses.

Il marqua un temps d'arrêt et me regarda.

— De toute évidence, il existe un lien plus profond entre nous. Pour le découvrir et sortir de cette île, nous devons explorer nos liens. Peut-être découvrirons-nous que nous pouvons nous aider mutuellement.

— Nous aider mutuellement ? Comment ? Je n'ai pas de secrets.

Je regardai le sol et sortis de la cabane avec appréhension. Je levai les yeux vers le ciel obscur et frissonnai en voyant les nuages gris et menaçants.

— Alors, si tu es ici, c'est par erreur ?

Il me suivit en tenant le sac dans ses mains.

— Je ne sais pas comment nous pouvons nous entraider, dis-je en soupirant. Et je n'ai pas de secrets. Quels secrets gardes-tu ? Quels secrets gardes-tu pour lesquels je peux t'aider ?

— Je n'en ai pas.

Il se lécha les lèvres, et je ne pouvais m'empêcher de regarder le bout rose de sa langue qui glissait sur ses lèvres. Mon estomac se noua lorsque je songeai à l'embrasser.

— Allons trouver Steve, puis nous pourrons en reparler bientôt.

Ses paroles me donnaient soif, et je marchai plus vite devant lui.

— Merci de me fournir encore une fois une réponse satisfaisante.

Je fis une grimace en direction de la jungle devant moi alors que mon cerveau avait désespérément envie d'eau. «Ça, c'est pour vous, les singes et les animaux sauvages dans les arbres», me dis-je en jetant un regard furieux en direction de l'inconnu.

— Je ne suis pas ici pour te réconforter.

Son ton était bref.

— Je n'ai pas besoin d'être réconfortée par toi. Je veux des réponses à mes questions. J'ai besoin de ta franchise. Nous sommes ici depuis des jours, et c'est seulement maintenant que tu décides de me dire que tu as un lien avec les Bradley? Ce sont les gens qui cherchent à me nuire, je te l'ai dit!

— Je ne vais pas seulement tout te révéler parce que tu l'as fait, Bianca. Je ne te connais ni d'Ève ni d'Adam. Soyons justes, je ne sais pas si ton histoire est vraie ou non.

— Ça ne t'a pas empêché de m'embrasser.

— Mon attirance n'a rien à voir avec le fait que je me confie à toi.

— Tu es vraiment froid, hein?

Je me retournai et le regardai dans les yeux d'un air inquisiteur.

— Qui t'a fait tant de mal ?

— Ma mère me disait toujours : « Ne donne à personne le pouvoir de te faire pleurer. »

Il tendit la main et me toucha la joue.

— Personne ne peut me faire mal. Tu ne dois pas t'en faire tant que ça à propos des autres et de ce qu'ils te font. En définitive, tu gardes la maîtrise de ta vie.

— Je ne suis pas inquiète pour les autres, dis-je en soupirant. Je dis seulement que quelqu'un a dû te faire mal, parce que tu es tellement chaud et froid. Je ne sais jamais si tu seras gentil ou non envers moi.

— La vie et l'amour, et même le sexe, dépendent de ce que tu en fais.

Il regarda le ciel et grimaça.

— Il va pleuvoir. Nous devons fabriquer une sorte d'abri — ou peut-être retourner à la cabane ?

— Et Steve ?

— Il ne sert à rien de nous faire tremper à le chercher. Retournons à la cabane, c'est plus proche.

— Je ne retourne pas à cette cabane, dis-je en secouant la tête et en me remettant à marcher. Trouvons autre chose.

— Nous allons nous faire mouiller.

— Je m'en fiche, dis-je en fronçant les sourcils. Pourquoi fait-il déjà gris ? Il y a seulement quelques minutes, le soleil était luisant et chaud.

— C'est comme ça, sous les tropiques.

— Bizarre, marmonnai-je, heureuse de voir le sable blanc au loin sur la plage.

Je n'aimais pas me trouver dans la jungle.

— Bianca, dit Jakob en me prenant par les épaules et en m'arrêtant. Je voulais t'offrir mes excuses. J'aurais dû te parler dès le départ de mon lien avec les Bradley. Ne crois pas que je ne cherche pas la vérité. Je veux trouver toutes les réponses possibles. C'est plus compliqué parce que je suis attiré vers toi. Ne te dis pas que mon attirance est fausse. Dans une situation différente, qui sait ce qui aurait pu se passer?

— Je suis désolée de t'avoir répondu brusquement. Je suis encore terrifiée par les lettres et par la disparition de Steve. Oui, je suis agacée par le fait que tu m'as caché des choses, mais je suppose que je comprends pourquoi.

— Nous pourrions faire l'amour tout de suite, et je pourrais te faire oublier tous tes soucis.

Sa voix était grave et séduisante, et je sentis mon visage se réchauffer.

— Tu sais, je pensais à quelque chose, dis-je pour changer de sujet. Il y a une personne qui me déteste. Quelqu'un qui aurait pu organiser un enlèvement, aussi. Mais je ne sais pas si elle irait jusque-là.

— Qui est-ce?

— L'ex de mon ex, dis-je en soupirant. Elle me détestait.

— Parce que tu le lui as enlevé?

— Non! m'exclamai-je avant de marquer un temps d'arrêt. Eh bien, pas vraiment.

— Qu'est-ce que ça veut dire, *pas vraiment*?

— Ça veut dire pas vraiment.

Je le regardai dans les yeux avant de continuer. Il me regarda avec une expression d'intensité.

— Je ne savais pas qu'il fréquentait quelqu'un quand on s'est rencontrés.

— Tu ne savais pas ou tu ne voulais pas savoir?

— Qu'est-ce que ça veut dire ?

— Eh bien, il était beau et riche. Tu avais l'impression d'avoir gagné à la loterie, non ?

— Non !

Je le fis encore une fois un regard furieux.

— Tu me prends vraiment pour une croqueuse de diamants, non ?

— Comme je te l'ai dit, tu ne serais pas la première que j'ai rencontrée, dit-il en haussant les épaules.

— L'argent n'est pas tout.

— Parle-moi de cette fille qui te déteste.

— Elle s'appelle Bridgette.

— Bridgette ?

Il fronça les sourcils et se pencha en avant.

— Connais-tu son nom de famille ?

— Moore, répondis-je. Elle s'appelle Bridgette Moore, et elle me déteste parce qu'elle croit que je lui ai volé David. Mais je ne savais pas qu'ils sortaient ensemble.

— Tu aimais vraiment David, on dirait.

— Il était très beau et gentil avec moi.

Je contournai la question qu'il ne posait pas. Le fait que je fréquente David n'avait rien à voir avec le fait que je l'aimais.

— Typique des femmes, dit-il en roulant des yeux.

— Qu'est-ce qui est typique ?

— Le trait numéro un que tu as mentionné, c'est la beauté.

— Qu'est-ce qu'il y a de mal à cela ? Au moins, je n'ai pas dit qu'il était riche.

— Quand il t'a embrassée, avais-tu l'impression d'avoir l'âme en feu ?

Je secouai la tête.

— Non.

— Quand je t'embrasse, as-tu l'impression d'avoir l'âme en feu?

— Eh bien, comme tu viens de l'enfer, c'est normal, répliquai-je rapidement.

— Et pourtant, tu te sens suffisamment à l'aise avec le diable pour le laisser te toucher?

Ses doigts s'attardèrent sur ma clavicule, puis sur ma joue.

— Je n'ai jamais dit que tu pouvais me toucher, murmurai-je, ne voulant pas qu'il s'arrête.

— Parfois, un assentiment ne vient pas de la bouche, mais des yeux.

— Mes yeux t'ont dit que tu pouvais me toucher?

— Tes yeux m'ont dit que je pouvais te faire l'amour.

Son visage s'avança vers le mien, et je sentis son souffle sur mes lèvres.

— Tes yeux me supplient de t'embrasser.

Cette fois, alors qu'il parlait, ses lèvres tremblaient contre les miennes.

Je fermai les yeux et attendis de sentir la fermeté de ses lèvres contre les miennes, et pourtant, il n'arriva rien. Je rouvris lentement les yeux, mais je fus déçue. Mon souffle s'arrêta quand je m'aperçus qu'il me regardait longuement et intensément dans les yeux.

— Je pense... dit-il avec un petit sourire. Je pense que nous avons un lien.

— Ah?

Mon cœur se mit à battre plus fort en entendant ses paroles. Je ne savais pas à quel point je l'aimais, mais j'étais nettement attirée vers lui.

— Je suis d'accord.

Je hochai la tête en rougissant. Je ne connaissais pas la suite, mais j'avais hâte de la découvrir.

— Je pense connaître Bridgette, moi aussi.

— Quoi?

Je clignai des yeux, ne sachant pas ce qui se passait. Je m'étais attendue à ce qu'il me prenne dans ses bras, et non à ce qu'il continue de parler.

— J'ai dit : je pense connaître Bridgette.

Il me sourit légèrement, et ses yeux semblaient se moquer de moi.

— Je pense que c'est notre deuxième lien. Une certaine Bridgette Moore a déjà travaillé pour moi.

— Vraiment? marmonnai-je alors que mon esprit commençait à bondir.

Il connaissait Bridgette? Bridgette Moore me détestait avec passion. La dernière fois que je l'ai vue, elle hurlait après moi et menaçait de ruiner ma vie. Je ne l'avais pas prise au sérieux. Je m'étais dit que ses paroles étaient celles d'une ex-amoureuse éplorée. David m'avait dit qu'avant de me rencontrer, il était sur le point de la quitter. Je n'avais pas pensé qu'elle pouvait sérieusement s'en prendre à moi, mais maintenant, j'étais perplexe. Est-ce que tout cela aurait pu être organisé par Bridgette, plutôt que par Mattias?

— Oui, mais je l'ai congédiée.

Ses doigts traînèrent sur mon cou et l'enveloppèrent. Pendant un moment, je me dis qu'il allait m'étrangler alors que ses doigts appuyaient plus profondément et que son expression changeait.

— Je ne suis pas du genre à me laisser ennuyer.

Sa voix était rauque, et je déglutis avec peine.

— Comprends-tu, Bianca?

— Oui, murmurai-je, le cœur battant de peur.

— Bien.

Il sourit et se pencha pour m'embrasser.

— Bridgette ne semblait pas comprendre cela, murmura-t-il contre mes lèvres avant de m'embrasser.

Je m'accrochai à ses épaules et lui rendis doucement son baiser. Pendant que nous nous embrassions, j'eus un bourdonnement dans les yeux et mon cerveau hurla. Le baiser alluma quelque chose en moi, et je passai les mains dans ses cheveux tout en me disant : « Me suis-je trompée en faisant confiance à Jakob ? Cet homme va-t-il me tuer ? »

Je m'écartai de lui et poussai un profond soupir de soulagement lorsque ses doigts relâchèrent ma gorge. Je reculai d'un pas et ma main se posa aux endroits où il m'avait agrippée, et je les frottai doucement. Jakob cachait peut-être plus de choses que je ne l'avais soupçonné. Si Bridgette avait été son assistante et qu'elle avait fréquenté David, n'avait-il pas connu David, ou du moins entendu parler de lui ? Dans ce cas, pourquoi n'avait-il rien dit ?

Chapitre 7

Il y a quelque chose dans l'attirance sexuelle qui fait fondre notre cerveau. Dans les faits, je savais que c'était le processus qui se produit lorsque des substances chimiques sont libérées dans le cerveau et affectent l'humeur. C'est à cause de ces substances que, lorsqu'on voit quelqu'un envers qui on est attiré, on perd toute raison. Cependant, je ne comprenais toujours pas pourquoi j'avais toujours eu la sensation de perdre la tête avec Jakob. Je savais que c'était le genre d'homme qui séduisait toutes les femmes. Je ne m'étais jamais attendue à désirer un homme à la fois beau et potentiellement dangereux. Je voulais l'interroger davantage sur Bridgette, mais je devais choisir le bon moment. Je ne voulais pas qu'il croie que j'établissais trop de liens. Pas encore. Il devait y avoir une raison pour laquelle il n'était pas toujours franc. Je ne savais pas pourquoi, c'est tout.

Alors qu'il cueillait des palmes de cocotier, j'admirais ses biceps gonflés en essayant de ne pas le désirer d'une façon trop évidente. En voyant fléchir les muscles de son dos, je déglutis avec difficulté. Le chaud soleil était déjà en train de foncer son bronzage, et je voyais la sueur dégouliner sur sa peau. Jamais un homme n'était devenu aussi sexy grâce au travail ardu. Après le baiser de Jakob, nous avions remarqué des piles de branches de cocotier qui étaient tombées et nous nous étions arrêtés pour les cueillir pour les ramener avec nous sur le sable. Je ne savais pas du tout comment nous allions les rassembler pour former un abri, mais je lui en avais laissé l'initiative.

— Ça va ?

Il se retourna et me surprit à le fixer.

— Euh, ouais. J'étais juste en train de chercher de grandes fesses, marmonnai-je en lui regardant les fesses.

— Quoi ? dit-il en souriant et en se retournant.

— J'étais juste…

Je cessai de parler en m'apercevant de ce que j'avais dit.

— Je suis en train de chercher des branches sèches… pour l'abri.

Je baissai les yeux en rougissant. «Merde, quelle cervelle de gélatine.»

— Quel abri ?

— Tu sais ce que je veux dire. L'abri.

— Je vois. Je croyais que tu cueillais des souvenirs pour les ramener chez toi.

— Pas tout à fait.

Je roulai des yeux, puis déglutis en levant les yeux et en voyant son entre-jambes directement devant mon visage.

— Qu'est-ce que tu fais ? bafouillai-je en me levant d'un bond.

— Je suis venu m'assurer que tu allais bien.

— Je te l'ai déjà dit, je vais très bien.

— Je voulais m'en assurer.

Il me fit un petit sourire.

— Tu ramasses des branches depuis un bon moment, mais tu n'en as qu'une.

Il regarda ostensiblement à la pitoyable branche de cocotier posée à côté de moi, et je fronçai les sourcils.

— Pourquoi est-ce que tu ne t'occupes pas de ta propre pile avant de te soucier de la mienne ?

— Je me soucie de nos besoins à tous les deux, Bianca.

Son ton baissa, et ses yeux passèrent à ma poitrine qui se soulevait.

— Tu devrais remettre ta chemise quand nous retournerons sur la plage.

— Il fait trop chaud.

Je secouai la tête et redressai les épaules. Je n'étais plus gênée de me promener en soutien-gorge et en petite culotte.

— Ou tu peux les enlever, dit-il en souriant et en se léchant les lèvres. Je ne trouverais pas ça mauvais comme idée.

— Tu n'as pas à juger de quoi que ce soit, répliquai-je, agacée.

— Je me soucie uniquement de toi.

Il fit un pas vers moi et passa un doigt sur mon épaule.

— Je ne veux pas que tu attrapes une insolation.

— Et comment est-ce que la nudité va m'en empêcher ?

— Mon corps te protégera du soleil. Je peux faire en sorte que tu sois d'un sain éclat.

— Ça me paraît très confortable.

— Tu ne te plaindras pas.

Il fit un autre pas dans ma direction, et je sentis son torse me frôler les seins.

— En fait, tu vas peut-être même aimer ça.

— Je ne pense pas.

Mes paroles étaient à peine audibles ; et je le regardai fixement. Mes doigts avaient tellement envie de toucher son ventre ferme. Ses abdominaux parfaits se moquaient de moi.

— Je peux t'enlever tes soucis de l'esprit.

Ses yeux se plissèrent lorsqu'il regarda le haut de mes seins.

— Tu portes tellement peu de chose, et pourtant, je sens que tu me taquines par ta pudeur.

— Ma pudeur ? dis-je en riant. Je suis en sous-vêtements.

— Des sous-vêtements qui couvrent tout, soupira-t-il.

— Désolé, je n'ai pas porté mon string et mon soutien-gorge balconnet en prévision de me faire kidnapper et de te rencontrer.

— Ça va, dit-il en me souriant. L'anticipation donne plus d'attrait.

— L'anticipation de quoi ?

— De voir ton corps, dit-il d'un ton bourru. Quand je te verrai enfin au complet, tu vas…

Je l'interrompis.

— Tu ne vas pas me voir au complet !

— Non ?

Il rit et me prit par la taille pour me serrer contre lui. Cette fois, j'avais les seins écrasés contre son torse et je sentais grossir son érection contre mon ventre.

— Tu es tellement sexy, murmura-t-il contre mon oreille alors que ses mains descendaient vers mes fesses et m'attiraient vers lui.

— Merci, dis-je en levant les yeux vers lui, à peine capable de cacher mon désir.

— Pourquoi faut-il que tu sois aussi sexy?

Sa voix devint plus grave alors que ses doigts me massaient le derrière.

— J'aime les filles qui ont de grosses fesses, murmura-t-il contre mes lèvres tout en serrant.

— Je n'ai pas de grosses fesses, murmurai-je d'un ton indigné.

— Ça rend tellement plus agréable l'amour en levrette.

Il me fit un clin d'œil alors que ses doigts remontaient sur mes hanches et s'accrochaient à ma taille.

— Tu ne crois pas?

— Je ne sais pas.

Je commençais à me sentir fiévreuse à cause de sa proximité. Je voulais qu'il commette un geste, mais je ne voulais pas qu'il sache à quel point je voulais qu'il me touche.

— Attends, comment? lui dis-je en le regardant. As-tu dit «en levrette»?

— Tu n'aimes pas? demanda-t-il en penchant la tête de côté et en souriant.

— Tu es dégoûtant. Crois-tu vraiment que je vais coucher avec toi? Crois-tu que je…

— J'aime te voir fougueuse, dit-il en reculant d'un pas. Maintenant que tu as retrouvé ton énergie, au travail!

— Pardon? J'étais au travail, justement…

— Essaie de ne pas me regarder trop longtemps les fesses, cette fois.

Il s'éloigna en riant et je me détournai en rougissant avant de commencer à ramasser d'autres branches.

— Les fesses, marmonnai-je en direction du sol, en essayant d'ignorer les gargouillements de mon estomac. J'étais affamée, mais écœurée des bananes.

— Il commence à pleuvoir.

— Es-tu certaine de ne pas vouloir retourner à la cabane pour te protéger? dit-il en se dirigeant vers moi. Par contre, je ne pense pas qu'il pleuve tellement longtemps.

— J'en suis certaine. Pourquoi est-ce que tu ne crois pas qu'il va pleuvoir longtemps?

— La pluie tombe en rafales, sous les tropiques.

— D'accord, dis-je en hochant la tête. Et non, je ne veux plus jamais retourner à la cabane. Cet endroit est sinistre.

— Tu crois qu'elle est hantée?

— Je ne crois pas qu'elle soit hantée, mais je ne veux pas non plus me trouver face à un fou.

— Comme Casper le fantôme?

— Très drôle... ou *pas*. Casper était gentil. Je parle de Freddy Krueger ou du Sandman. Si je voyais l'un ou l'autre, on se ferait secourir assez vite, crois-moi.

— Pourquoi donc?

— Parce que si je les voyais, mes cris seraient si forts qu'on m'entendrait depuis l'espace.

— Je me demande si je peux te faire crier aussi fort.

— Quand? Durant l'Halloween? demandai-je bêtement.

Puis, je m'aperçus de ma bêtise.

— Quand je te pousserai à l'orgasme, dit-il en faisant un pas vers moi. Nous devrions peut-être vérifier tout de suite. Sens-toi libre de crier aussi fort que tu veux quand je te pénétrerai.

— Non, merci, dis-je en rougissant.

— Peut-être après qu'on aura trouvé Steve ?

— Ouais, sûrement.

— Si on retourne à la cabane, on y trouvera peut-être Steve, et ensuite, on saurait qu'il nous a laissé les notes.

— Pas maintenant, merci. Tu peux y aller si tu veux.

— Tu n'aimerais pas savoir ce que Steve fait ici ?

— Pas maintenant. Peut-être après avoir mangé et avoir remis mes vêtements.

Je lui lançai un regard malicieux.

— J'ai besoin d'énergie pour mes mouvements de kung-fu. Pour démolir Steve, je dois être bien préparée.

— Tu connais le kung-fu ?

— Eh bien, pas sur le plan technique. Plutôt le karaté.

— Le karaté ? dit-il, l'air impressionné. À quel grade de ceinture es-tu rendue ?

— Tu parles de la ceinture noire ?

— Tu es ceinture noire en karaté ? Wow.

Il s'inclina vers moi.

— J'imagine que tu peux me protéger, alors.

Je rougis en m'apercevant qu'il avait mal compris ce que j'avais dit.

— Je n'ai pas de ceinture noire en karaté.

— En taekwondo ?

— Je n'ai de ceinture noire en rien, dis-je en secouant la tête. En fait, je possède plusieurs ceintures de cuir noir. Certaines sont en cuir véritable, mais on ne sait pas trop.

— Pardon ? dit-il en plissant les yeux avec une expression perplexe.

— Je croyais qu'elles étaient en cuir, mais ce n'était pas le cas, poursuivis-je, voyant qu'il commençait à s'impatienter. En tout cas, je veux dire que je n'ai pas d'expérience vraiment vaste des arts martiaux, mais que j'ai suivi une fin de semaine d'autodéfense avec mon amie Rosie. J'ai eu aussi un amoureux à l'université qui aimait les films de Shaolin, et par conséquent, j'en ai vu pas mal.

— Bianca, dit-il en maîtrisant sa voix. Je crois que tu as raté ta vocation. Tu devrais carrément choisir le métier qui consiste à débiter au hasard des faits absolument inutiles concernant des films.

— C'est insultant, lui lançai-je en faisant une grimace. Et incorrect. Je ne t'ai rien dit sur les films de Shaolin. J'essayais seulement…

— Je suppose, dit-il en m'interrompant, que tu devrais plutôt dire que tu as appris le karaté en regardant *Karate Kid*.

Je me tus, même si je voulais lui parler du mouvement que j'avais appris en regardant M. Miyagi.

— Attends, ne me le dis pas. C'est pour ça que tu connais les extraterrestres, non ? Tu les as vus en faisant une expérience de sortie hors du corps ?

— Si tu ne la fermes pas, tu vas avoir ce genre d'expérience.

Je me tournai vers lui et le surpris à rire de moi.

— Je suis contente que tu trouves amusant de te moquer d'une innocente femme kidnappée et coincée sur une île avec deux maniaques.

— Une partie de ta phrase est fausse.

— Laquelle ? demandai-je en fronçant les sourcils.

— Tu aurais dû dire un homme innocent, kidnappé et coincé sur une île avec deux maniaques, un homme et une femme.

— Bof, espèce d'emmerdeur.

— Tu aimes vraiment mes fesses, non ?

Ses mains descendirent jusqu'au haut de son caleçon boxeur.

— Je peux te le montrer, si tu veux.

— Non ! m'exclamai-je un peu plus fort que je le voulais.

Malgré tout, mon regard ne vacilla pas. S'il voulait me le montrer, je n'allais sûrement pas le manquer.

— Allons pêcher.

Il relâcha soudainement sa bande élastique et me prit la main, et je bondis.

— Quoi ? lui dis-je, perplexe et déçue.

— Nous sommes affamés tous les deux. Et il pleut. Il sera plus facile d'attraper du poisson s'il pleut.

— Vraiment ?

— Oui, vraiment. Ils bondissent davantage et seront plus près de la rive.

— J'imagine, dis-je en me mordillant la lèvre inférieure. Je ne sais pas si je pourrai les attraper avec les mains. Ils nagent vite, il paraît.

— Les attraper avec les mains ? dit-il, les lèvres tremblantes.

— Je ne vois ni canne à pêche ni appâts. Et toi ? répliquai-je.

— Non, dit-il avec un regard moqueur.

— Qu'est-ce qu'il y a de si drôle ?

— Prends tes branches et suis-moi.

— Où est-ce qu'on va ?

— Attraper notre dîner.

— Plutôt notre petit déjeuner, déjeuner et dîner.

— Des frites avec ça ?

— Vraiment très drôle. C'est le genre de blague que je faisais quand j'étais petite.

— L'an dernier, alors ?

— Débile, j'ai vingt-cinq ans.

— Tu es une débile de vingt-cinq ans ?

Il semblait en grande forme maintenant que nous retournions vers la plage, les bras pleins.

— Je vais me faire tellement de muscles pendant ce voyage.

Je m'arrêtai et fis une grimace.

— Eh bien, ce n'est pas un voyage, j'imagine, mais tu vois ce que je veux dire.

— Je vois ce que tu veux dire.

— Alors, on va pêcher au lieu de bâtir un abri ?

— Si tu n'as pas d'objection à te mouiller, dit-il en hochant la tête. On pourra construire l'abri plus tard.

— Alors, parle-moi encore de toi. As-tu des frères et des sœurs ? Compares-tu souvent ta vie à des films ?

— Ni frères ni sœurs, non, dis-je, la voix légèrement tremblante en pensant à mes parents. Mon père m'a dit que ma mère et lui voulaient avoir plus d'enfants, mais ce n'est jamais arrivé, et elle est morte.

— Comment est-elle morte, déjà ?

Sa voix était douce, et je continuai de regarder en avant.

— Dans un accident de voiture, dis-je brièvement. Et toi, as-tu des frères et des sœurs ?

— J'ai grandi avec ma mère, je suis fils unique, dit-il d'une voix qui semblait émue. C'était une mère incroyable. Elle a fait tout ce qu'elle pouvait pour que j'aie une belle vie.

— C'était une mère célibataire ? dis-je en le regardant avec surprise.

— Oui, dit-il d'un ton cassant. C'était une mère célibataire et pauvre, et j'étais tout pour elle.

— Alors, tu n'as pas grandi dans la richesse ?

— Non. J'étais entouré de gens riches, à cause du travail
de ma mère. Elle était domestique, mais nous n'étions pas
riches. Je suis arrivé à ma position actuelle à force de travail,
de sueur et de labeur.

— Ça paraît sinistre.

— Peut-être parce que ce l'est, dit-il en haussant les
épaules. On ne devient pas milliardaire par gentillesse.

— Tu as commis de mauvais gestes ?

Mes yeux se plissèrent, et ma respiration s'accéléra alors
que je songeais au fait qu'il tuerait quelqu'un au besoin.

— Disons seulement que je suis loyal envers ceux pour
qui je devrais l'être.

— Comment prends-tu cette décision ?

— La famille, les affaires, la vie, dit-il en haussant les
épaules. Ma mère m'a toujours dit qu'il était important de
m'abstenir de juger quelqu'un avant de le connaître person-
nellement. Mais bien sûr, c'est difficile dans certaines
circonstances.

— Pourquoi donc ?

— Parce que parfois, les loyautés sont tellement fortes
qu'elles ne peuvent être rompues.

Il marqua un temps d'arrêt.

— Et puis, il y a des gens qui peuvent rompre les
loyautés en un instant, s'ils reçoivent suffisamment d'argent.

— Est-ce la raison pour laquelle tu as congédié
Bridgette ? dis-je soudain d'un ton calme. Était-elle déloyale ?

— Bridgette aimait transmettre de l'information, oui,
dit-il en hochant la tête. Lorsque quelqu'un me montre qui il

est, je ne lui donne pas de seconde chance de trahir ma confiance.

— Qu'est-ce qu'elle a fait?

— Elle a accordé plus de valeur à sa relation avec David qu'à son travail.

Son regard devint distant, et il ne remarqua pas lorsque je retins ma respiration. Ainsi donc, il connaissait David.

— Tu n'as pas aimé ça?

— C'était un jeu stupide à jouer pour quelqu'un dans sa situation. Elle croyait miser sur la bonne personne. Elle n'avait aucune idée.

— Qu'est-ce que tu veux dire? demandai-je d'une voix aiguë en voyant son visage devenir un masque impénétrable.

— Rien, dit-il en secouant la tête. Bridgette est l'une de ces femmes dont je t'ai parlé. Elle n'est qu'une croqueuse de diamants. Elle a décidé de me trahir parce que David est un fou.

— Elle t'a manipulé?

— Elle ne cherchait que quelqu'un pour l'épouser, dit-il en haussant les épaules. Je n'étais pas sur le point de l'épouser.

— Tu as couché avec elle?

Je sentis mon estomac se contracter en pensant que Jakob avait pu avoir des relations intimes avec Bridgette.

— Elle n'avait aucune importance pour moi. Je n'épouserais jamais quelqu'un de pareil. Pour moi, le lien du mariage est sacré. Je ne pense pas qu'il le soit pour bien des gens. Je ne trouve pas que les gens se marient pour les bonnes raisons.

— Oh.

— Alors, pour répondre à ta question précédente, mes loyautés sont reliées au sang, au devoir et à la confiance.

— C'est difficile de savoir quand on peut faire confiance à des gens.

Je laissai tomber les branches sur le sol, contente que nous soyons finalement de retour à notre endroit. Je voulais l'affronter. Je voulais lui dire que je ne lui faisais pas confiance, mais je ne savais pas comment cela serait utile. Je ne pensais pas que le fait de l'affronter m'amènerait de nouvelles réponses reliées à l'enlèvement. Cependant, je commençais à me demander s'il ne pouvait pas me fournir d'autres réponses. De toute évidence, il avait accès à la société Bradley, d'une façon ou d'une autre. Peut-être pourrais-je me servir de lui pour accéder à la compagnie lorsque nous serions de retour aux États-Unis, un jour.

— Oui. On est parfois facilement trompé.

Il leva les yeux au ciel, puis me regarda.

— Il va bientôt pleuvoir à verse. Nous devrions rassembler des feuilles et les attacher, et voir si nous pouvons tisser des bols. Ainsi, nous pourrons recueillir de l'eau de pluie. Es-tu prête à te mouiller ?

— Franchement, je suis reconnaissante de recevoir de la pluie sur ma peau. Il fait si chaud, ici.

Je levai le visage vers le ciel et souris en sentant les gouttes d'eau s'écraser sur moi.

— C'est une merveilleuse sensation.

— Oui, c'est vrai.

Sa voix était douce, et je regardai vers lui. Il me fixait avec une expression étrange alors que je dansais sous la pluie.

— Tout va bien ? lui demandai-je doucement.

— Tu as plusieurs pièces à ton puzzle, n'est-ce pas, Bianca London ?

— C'est vrai, Jakob.

Je hochai la tête d'un air sérieux. Si seulement il savait combien de pièces j'avais, il serait beaucoup moins effronté.

— Viens. Allons dans l'eau.

D'une main, il saisit sa chemise et deux branches, et de l'autre, me prit par la main.

— On va nager ?

— On va attraper notre dîner.

— Oh, dis-je alors que nous courions vers l'océan. J'imagine que nous n'allons pas utiliser nos mains.

— En plein dans le mille, dit-il en souriant. Nous allons attacher les manches de la chemise aux branches, puis nous allons ratisser l'eau avec la chemise et nous en servir comme d'un filet.

— J'espère que ça fonctionnera, dis-je alors que mon estomac gargouillait. J'ai tellement faim.

— J'espère, moi aussi.

Il me fit un sourire rassurant, et mon cœur fondit pendant une seconde alors que je regardai son visage trempé. Ses cheveux étaient humides et luisants, et il paraissait plus sexy que jamais.

— Si nous n'attrapons aucun poisson, je vais retourner dans la jungle et voir quels fruits je pourrai trouver. Je suis plutôt certain d'avoir vu d'autres bananiers, et nous savons déjà qu'il y a des cocotiers. Je pense même avoir vu des pommes de Goa.

— Qu'est-ce que c'est, une pomme de Goa ? demandai-je en frissonnant.

—On l'appelle aussi carambole, un fruit en forme d'étoile.

— C'est comme une pomme qui aurait été prise dans un carambolage ?

— Non, dit-il en riant. Ça n'a rien à voir.

— Bon, d'accord.

Je pris un côté de la chemise et attachai fermement la manche à la branche de cocotier.

— Alors, qu'est-ce qu'on va faire ? Juste la traîner dans l'eau ?

— Quoi ?

Ses yeux se plissèrent et il me lança un regard intense.

— Allons-nous nous contenter de traîner la chemise dans l'eau ? répétai-je à bout de souffle alors qu'il continuait de me fixer.

— Oui, dit-il en hochant la tête, sans me quitter des yeux. Ton soutien-gorge est en train de se mouiller, dit-il après quelques secondes, et je baissai les yeux vers mon soutien-gorge complètement trempé, maintenant moulé sur ma peau.

— Oui, en effet, dis-je en hochant la tête et en le regardant. Tout comme ton caleçon.

— Tu aimes ce que tu vois ?

— Il n'y a pas grand-chose à voir, dis-je en haussant les épaules, ce qui le fit rire.

— On peut faire quelque chose pour changer ça.

Sa main saisit le haut de son caleçon et il commença à le descendre.

— Qu'est-ce que tu fais là ? dis-je en montant la voix.

— Je veux te donner une meilleure vue.

— Non, merci.

— Ha! dit-il en riant. J'espérais un échange de vues.

— Pardon?

— Mon caleçon contre ta culotte.

— Tu peux rêver.

— Oui, je rêve.

De nouveau, il me déshabilla des yeux, et ma peau devint brûlante.

— Concentrons-nous sur ce poisson.

Je me détournai de lui et commençai à faire bouger la chemise dans l'eau.

Il me sourit.

— Suis mes mouvements. Nous ne pouvons pas foncer dans l'eau, sinon nous ferons peur aux poissons. Nous devons rester immobiles.

— Est-ce qu'ils ne nous verront pas là, debout?

— Ils ne feront pas attention à nous si nous restons sans bouger. Ils vont penser que nous faisons partie du paysage marin.

— Vraiment? dis-je, étonnée. Je ne savais pas que les poissons étaient aussi bêtes.

— Je ne sais pas s'ils le sont, mais ça me paraît bien, dit-il en riant.

— Tu es con.

— Super, je monte en grade. Je suis passé d'abruti à con.

— J'espère que tu pourras passer de con à prédateur, répondis-je sans réfléchir.

— Je ne crois pas devoir aller nulle part pour qu'on me traite de prédateur, répondit-il doucement.

Et je fis semblant de ne pas l'avoir entendu.

Au bout de dix minutes, je commençai à m'ennuyer. Rester debout là en attendant que le poisson approche, c'était l'une des occupations les plus mornes auxquelles j'avais vaqué de toute ma vie. Mes bras se fatiguaient aussi, et je ne voulais pas le dire à Jakob.

— Alors, combien de temps est-ce qu'on va rester debout ici ? demandai-je doucement.

— Jusqu'à ce qu'on attrape quelque chose à manger.

— Ça pourrait être toute la journée, gémis-je. On est juste là debout sous la pluie. Je ne vois sauter aucun poisson, et on n'a encore rien pris.

— Eh bien, il suffit de se concentrer davantage.

— Je vois à peine, dis-je en battant des paupières pour écarter la pluie de mes yeux. Et je commence à avoir froid.

— Attendons encore dix minutes pour voir si nous attrapons quoi que ce soit.

— Ouais ouais. Peut-être qu'une grosse truite va bondir dans ta chemise et nous épargner du temps, dis-je en roulant des yeux.

— On ne sait jamais, dit-il avec un sourire.

— Combien de fois as-tu pêché, Jakob.

Je plissai des yeux en le regardant fixement.

— Une fois, quand j'étais jeune. Et non, je n'ai rien attrapé.

— Oh, merveilleux, grognai-je. Comment sais-tu qu'ils vont bondir de l'eau, alors ?

— Je ne sais pas.

— Quoi ?

— Mais c'était une bonne idée, non? Je t'ai donné l'impression de savoir ce que je disais, hein?

— Alors, en réalité, tu n'en avais aucune idée?

— Je n'en ai aucune idée, en réalité, Bianca.

Son ton changea, de même que son expression.

— Chut! dit-il en posant un doigt sur ses lèvres. Je crois voir un banc de poissons nager vers nous.

— En es-tu certain? murmurai-je avec emballement, tout en regardant intensément dans l'eau.

Je distinguai une forme obscure qui s'avançait vers nous, et je priai pour que ce soit des poissons, et non le quatrième film de *Jaws*.

— Je suis plutôt certain, dit-il sans lâcher les poissons des yeux. Quand je dis *go*, laisse tomber la chemise, pousse-la et soulève-la.

— D'accord.

Je restai aussi immobile que possible et attendis son ordre.

— Go! cria-t-il.

Et nous laissâmes tomber la chemise dans l'eau en la poussant pour cueillir les poissons.

— On l'a! criai-je, emballée, en voyant des poissons qui sautaient pour sortir de la chemise.

— C'est la chance des débutants.

Il me sourit en nouant la chemise de manière à en faire un petit paquet.

— Je ne peux pas croire qu'on a attrapé quatre poissons! m'exclamai-je alors que nous revenions sur le sable. Comment allons-nous les manger? Vivants?

— Non, dit-il en riant. Nous avons les briquets, tu te rappelles? Nous devrions pouvoir commencer un feu, puis les faire griller.

— Oh, super!

Je me rendis sur la rive avec lui et nous nous mîmes à rire alors que mon estomac gargouillait.

— C'était vraiment bon. Presque aussi bon que dans un restaurant.

Je me léchai les lèvres et m'étendis.

— Merci.

— Je suis content que tu aies apprécié, dit-il en se tapotant l'estomac. Moi-même, je me sens plutôt satisfait.

— Alors, qu'est-il arrivé à Steve, d'après toi? lui demandai-je avec curiosité.

J'observai chacun de ses mouvements pour voir comment il réagissait.

— Je ne sais pas. Peut-être qu'il joue une sorte de jeu.

Il fronça les sourcils.

— Crois-tu que nous devrions le chercher? J'ai l'impression que nous continuons de reporter la recherche.

— Je pense que c'est ce qu'il veut, dit Jakob en s'approchant de moi. Il veut qu'on se rapproche de lui. As-tu déjà étudié l'histoire militaire à l'université?

— Tu crois qu'il veut nous tendre une embuscade?

— Je pense qu'il a des intentions.

Je fermai les yeux et soupirai bruyamment.

— J'aimerais bien savoir ce qui se passe.

— Nous devrions reparler.

Il tendit la main et prit la mienne.

— Voir si nous pouvons découvrir autre chose.

— Tu veux parler du lien avec Bridgette?

— Oui, le lien avec elle.

— Je ne sais pas comment ça pourrait nous aider, dis-je en haussant les épaules. Elle a fréquenté mon ex avant moi.

Je me demandais s'il valait la peine de lui demander s'il connaissait David, mais il parla avant que je prenne une décision.

— Bianca, dit-il lentement.

Je le regardai. Il fronçait les sourcils et son expression paraissait agacée.

— Il y avait autre chose dans mon enveloppe.

— Oh?

— Une photo.

— Une photo de quoi?

Jakob se leva et alla trouver son pantalon.

Il en tira nos deux lettres et une photo, qu'il m'apporta.

— Peux-tu expliquer ceci?

Il laissa tomber la photo sur mes genoux, et mon corps se figea. C'était une photo de Bridgette et de moi, souriantes, durant une fête, environ un an plus tôt.

— Je... je... bafouillai-je. C'est une longue histoire.

— Bianca, je vais te poser une question, et je veux une réponse honnête. As-tu volé ton ex à Bridgette?

— Non, dis-je en secouant la tête. Je jure que je ne savais pas qu'ils se fréquentaient quand je les ai rencontrés.

— Qui as-tu rencontré en premier?

— Théoriquement, j'ai rencontré Bridgette en premier, mais je croyais qu'ils n'étaient que des amis.

— Avais-tu l'intention de le rencontrer, lui? me demanda-t-il d'une voix douce.

Et le cœur me manqua.

— Oui, dis-je en hochant la tête. J'avais cette intention.

Je marquai un temps et lui pris la main.

— Mais ce n'était pas parce que j'étais une croqueuse de diamants.

— Alors, tu ne cherchais pas l'argent de la famille Bradley ?

Ses yeux se plissèrent et je secouai la tête.

— Comment as-tu rencontré David ?

Mon cœur se mit à battre rapidement et je décidai de cesser de me défiler.

— Quand j'ai mentionné que mon ex était David Bradley, pourquoi n'as-tu rien dit ?

— Je n'ai pas fait le rapport. J'avais l'esprit encore préoccupé par mon enlèvement. Bridgette était mon assistante. Oui, nous avons couché ensemble quelques fois. Ça ne voulait rien dire. Je savais qu'elle avait commencé à fréquenter quelqu'un d'autre, mais je m'en fichais, dit-il en haussant les épaules. Elle était ma secrétaire. Rien d'autre. C'est seulement quand j'ai découvert qu'elle partageait de l'information confidentielle avec David que je l'ai congédiée.

— Alors, tu connaissais David ? insistai-je.

Je n'allais pas lui permettre de me distraire de mes questions.

— Pas très bien, dit-il en hochant la tête. J'ai entendu parler de lui. Je ne suis pas très sociable.

— C'est normal, j'imagine, car tu es si riche, dis-je en m'adossant.

Puis, je lui demandai doucement :

— Comment as-tu gagné ton argent, déjà ?

— Dans le capital-risque. J'achète de petites entreprises et je les vends à profit ; c'est ainsi que j'ai commencé. Maintenant, j'achète de plus grandes compagnies et je les vends à profit, ou je maximise leur productivité commerciale et je me garde les profits.

— Alors, tu te fiches des entreprises ?

— Certaines ont un rôle à jouer. Je ne fais rien à partir de l'émotion. Dans ma vie, tout geste a un but.

— Tu parais tellement déterminé. Ça semble si ennuyeux.

— Pas toujours. Parfois, j'achète des compagnies inté-ressantes. L'an dernier, j'ai acheté un vignoble et une usine de chocolat.

— J'adore le vin et le chocolat.

— J'adore l'argent que me rapportent maintenant les deux entreprises. Je garde des compagnies en fonction de la valeur qu'elles ajoutent à mon portefeuille.

— Ça me paraît ardu.

— J'aime le travail ardu. Ma mère m'a enseigné que la seule chose qui compte dans la vie, c'est le travail ardu.

— Et l'amour?

— L'amour, c'est pour les idiots, dit-il d'un ton railleur. L'amour rend faible, c'est tout.

— Alors, tu ne crois pas à l'amour vrai?

— Il n'y a pas d'amour vrai. L'un des deux aime tou-jours l'autre davantage. On cède toujours quelque chose. Les humains font plus d'efforts pour l'argent que pour l'amour.

Je réfléchis à ses paroles et je me sentis triste.

— Mes parents étaient vraiment amoureux, mais ça n'a pas duré longtemps.

— La mort est un aspect triste de la vie.

— Oui, c'est vrai, dis-je en soupirant. Mais je crois encore en l'amour.

— Tu es le genre de fille qui pourrait m'inciter à y croire, murmura-t-il à mon oreille. Mais ne commence pas à te faire des idées.

— Es-tu en train de devenir un tendre, Jakob ? lui dis-je en souriant.

Et je sentis la chaleur en moi.

— Je ne pense pas qu'on puisse un jour m'accuser d'être tendre, dit-il en me frottant le cou. Pas au bureau, et carrément pas au lit.

— Tu es un don Juan ordinaire, hein.

— Je ne couche pas à gauche et à droite, si c'est ce que tu veux dire.

— Tu ne cavales pas ?

— Je ne suis pas en relation, mais je ne suis pas un gigolo, non plus. Je ne fais pas la tournée des lits. Je n'ai pas de porte tournante ni de petit carnet noir.

— C'est difficile à croire.

— Pourquoi ?

— Tu sembles avoir été entouré de femmes, marmonnai-je, légèrement prise de court par l'expression intense de son visage alors qu'il me regardait fixement.

— Qu'est-ce qui te fait croire ça ?

— Tu es tellement beau, dis-je en haussant les épaules. Et tu es riche.

— Ce sont les deux qualités les moins importantes chez un homme.

— Je n'ai jamais dit qu'elles étaient importantes. Ce n'est pas ce que je cherche chez un homme.

— Bien.

Il se pencha et m'embrassa.

— Je ne cherche pas ces qualités chez un homme, moi non plus, dit-il à la blague, le regard amusé.

Il continua :

— Es-tu fâchée parce que je ne t'ai pas dit que je connaissais bien Bridgette ?

— Non, je comprends pourquoi tu ne me l'as pas dit.

Pendant quelques secondes, je me mordis la lèvre inférieure et le regardai.

— Mais… ?

Ses yeux se plissèrent et il me scruta le visage.

— J'ai de la difficulté à te faire confiance, Jakob. D'abord, notre rencontre accidentelle au café n'était peut-être pas accidentelle, puis notre enlèvement, et ensuite je découvre que tu étais en train d'acheter la société Bradley, puis que ton ex-assistante est l'ex de mon ex qui me déteste. Pire encore, j'apprends que tu connais un peu David. Puis, pour couronner le tout, il y a avec nous, sur l'île, un autre type qui vient de se volatiliser. Et on reçoit encore des messages de menaces.

— Qu'est-ce que tu veux dire, *encore* ?

— Rien.

— Bianca ?

— J'ai reçu des notes avant d'être enlevée.

— Quelles sortes de notes ?

— Des notes de menaces.

— Comme des menaces de mort ?

— Pas tout à fait, dis-je en secouant la tête. Et j'imagine que je ne devrais pas dire « des notes ». C'était plutôt une note.

— Qu'est-ce qu'elle disait ?

— Quelque chose à propos de deux personnes, l'une qui survit et l'autre qui est détruite.

— Je vois.

Il raidit les épaules et serra les poings.

— Ça va. Ça ne me fait pas peur.

— Il faut qu'on sorte de cette île. Je te promets de t'aider à découvrir tout ce qu'il te faut.

— Qu'est-ce que ça te donnera ?

— La vérité.

— Je suis inquiète à propos de Steve.

Je regardai la mystérieuse jungle vert foncé, derrière nous.

— Et s'il était perdu ?

— J'en doute.

— Qu'est-ce qui est arrivé à Steve, d'après toi ? murmurai-je à nouveau en touchant l'entaille de sa joue, qui était en train de guérir.

— Je ne sais pas, mais je promets de ne pas le laisser te faire du mal.

— Il ne semblait pas dangereux.

Je frissonnai et m'avançai pour baiser sa joue.

— Les apparences peuvent être trompeuses. On n'est jamais trop prudent.

— Je sais, dis-je en bâillant. Je voudrais seulement…

Je m'arrêtai de parler lorsque sa main me toucha la nuque et me tira vers lui. Ses yeux cherchèrent les miens et je fixai ses cils et ses sourcils. Ils étaient parfaitement taillés. Sa barbe forte avait encore poussé et était en train d'en devenir une vraie. Il paraissait encore plus sexy avec cette allure rude. Soudain, je n'étais plus aussi fatiguée. Je tendis la main et balayai du sable sur ses épaules. Sa peau était chaude sous mes doigts, et j'étais sensible au léger choc qui vibrait dans tout mon corps chaque fois que je le touchais. Je regardai son torse et retins mon souffle ; son corps exhibait un bronzage parfait, et j'enviais la douceur et l'allure soyeuses de sa peau.

— Es-tu fatiguée ? dit-il en me frôlant la joue, puis les lèvres.

— Un peu, dis-je en sortant la langue et en lui léchant le doigt qui traînait sur ma lèvre inférieure.

— C'est bien, dit-il.

Puis, il se pencha vers moi, me prit dans ses bras et nous étendit tous les deux. Dès que nous touchâmes le sol, ses lèvres descendirent vers les miennes. Sa langue y pénétra en douce, et mes doigts s'empressèrent de parcourir ses cheveux. Il grogna contre ma bouche, et je sentis ses doigts traîner sur mon flanc alors qu'il se penchait sur moi. Il me prit et me fit rouler sur le côté, et de sa main sépara mes jambes pour y glisser l'une des siennes. Je sentis son érection appuyée contre moi, et je gémis.

— Tu es tellement sexy, marmonna-t-il.

Et je sentis ses doigts qui dégrafaient mon soutien-gorge. Il glissa les courroies sur mes bras, puis le lança sur le sable. Il recula une seconde pour contempler mes seins, et son souffle devint fort et rauque. Ses doigts prirent mes seins, et les touchèrent doucement. Je fermai les yeux et posai ma tête sur le sable alors qu'il me caressait les mamelons.

— Oh, criai-je lorsqu'il abaissa ses lèvres sur mon sein droit et le suça.

Un sentiment de désir me parcourut le ventre alors qu'il mordillait un sein et serrait l'autre avec ses doigts. Puis, il embrassa ma poitrine et mon cou, avant de laisser une traînée de ma clavicule à mes lèvres.

— Je pourrais te goûter toute la nuit, grogna-t-il en m'embrassant de nouveau.

Mes mains se jetèrent sur son dos, puis sur son torse. Mes doigts parcoururent ses abdominaux, puis le côté de son ventre, en goûtant la fermeté soyeuse de sa peau. Il me poussa sur le dos et ses doigts glissèrent entre mes jambes, me frottant doucement par-dessus ma culotte. À son toucher, mes jambes se séparèrent davantage, et je gémis lorsque ses doigts augmentèrent leur pression contre moi. Ses yeux me fixèrent alors qu'il glissait ses doigts dans ma culotte et que son doigt frottait mon sexe.

— Tu es tellement mouillée, grogna-t-il contre mes lèvres tout en augmentant la pression de ses doigts. Je dois te goûter tout entière.

Il sortit les doigts de ma culotte et embrassa mon ventre en s'arrêtant juste sous le nombril. Il me regarda de nouveau, et je hochai la tête avec enthousiasme, ne voulant pas trop penser à ce qu'il était sur le point de faire. Sa bouche continua d'embrasser, et il saisit ma culotte entre ses dents et la tira vers le bas. Je soulevai légèrement mes hanches afin qu'il puisse l'enlever plus facilement, et lorsqu'il y arriva, je sentis un souffle d'air frais en bas. Il se redressa légèrement pour enlever ma culotte de mes chevilles, puis il se pencha en avant et écarta mes jambes.

— Ça te va ?

Il baissa les yeux vers moi avec un regard interrogateur, et je lui fis un signe affirmatif de la tête. En quelques secondes, son visage était enfoui entre mes jambes, et sa langue lapait ma sève avec ardeur. Je grognai et fermai les yeux en baissant les bras et en le prenant par le dessus de la tête.

— Oh, Jakob, criai-je alors que sa langue entrait en moi et que ses lèvres me suçaient. Je saisis le sommet de ses cheveux et remuai les hanches sous lui. J'étais tellement mouillée, et sa langue était tellement bonne en moi. Elle entrait et sortait avec fureur, et je sentais l'orgasme se développer en moi.

— Je vais jouir! m'écriai-je en écartant encore davantage les jambes.

Cela parut l'exciter encore davantage, et ses mains me serrèrent les hanches et me tirèrent encore plus près de son visage. Il retira sa langue de l'intérieur de moi et donna de petits coups de langue en va-et-vient sur mon clitoris avant de me la pénétrer à nouveau. Je poussai un cri de jouissance, le corps tremblant, alors que l'orgasme s'empara de moi.

Il s'écarta de moi et sourit, et je le regardai tirer brusquement son caleçon boxeur. Son pénis était au garde-à-vous, et je contemplai sa magnifique érection. Il s'étendit à côté de moi et m'embrassa la joue alors que ses doigts jouèrent une fois de plus avec mes mamelons.

— Je savais que tu goûtais le paradis, murmura-t-il à mon oreille avant de m'embrasser à nouveau.

— Tu as la langue très habile, murmurai-je contre ses lèvres en gémissant alors que je sentais ses doigts de nouveau entre mes jambes. Oooh.

J'écartai les jambes alors que ses doigts me massaient le sexe.

— Tu es encore mouillée, grogna-t-il tout en continuant à jouer avec moi.

Il changea de position, et je sentis son sexe entre mes jambes. Il m'embrassa de nouveau avec ardeur, et mon corps explosa de plaisir alors que je sentis sa langue dans ma bouche, en même temps qu'il commençait à me pincer les mamelons. Ses doigts quittèrent alors mes mamelons et descendirent vers son pénis. Il le saisit et le plaça sur ma vulve, me frottant doucement avec le bout. Je me tortillai sous lui et il grogna.

— Je veux tellement te pénétrer, murmura-t-il à mon oreille.

Et je sentis le bout de son sexe entrer lentement en moi. Je figeai, et mes yeux s'ouvrirent tout grands de peur. Autant je le désirais, autant cela me paraissait mal. Mon corps le désirait, mais mon cerveau n'était pas encore certain de lui faire confiance. Trop de révélations étaient survenues récemment. Je ne voulais pas coucher avec lui et le regretter par la suite. J'étais une romantique, et même si je voulais le sentir en moi, je ne savais pas trop si c'était le bon moment. Il me regarda un instant, puis retira son sexe en grognant.

— Je suis désolée, murmurai-je.

Je me penchai en passant mes doigts sur son torse.

— Ne t'en fais pas, grogna-t-il en fermant les yeux. Tout vient à point à qui sait attendre.

— Merci, dis-je en m'élevant pour l'embrasser.

Puis, il me prit dans ses bras.

— Non, merci.

Il m'embrassa le haut du front et je me blottis sur son torse en fermant les yeux. Du fait que je n'avais pas eu à lui demander d'arrêter, j'étais plus à l'aise avec lui. Le fait qu'il ait su, en regardant mon visage, que je n'étais pas prête, cela m'en disait long. Il était en phase avec mes sentiments, et il me respectait suffisamment pour ne pas essayer de me convaincre. Je restai étendue dans ses bras, sachant que je n'étais pas une parfaite idiote. Jakob était un brave type. Je le savais dans mon âme. Mais cela ne m'empêchait pas de penser à Steve. Pourquoi Jakob ne semblait-il pas s'inquiéter de sa disparition ? Et quel rôle les deux jouaient-ils dans le fait que nous soyons présents ici ? Je sentis mon calme se dissiper alors que j'étais étendue là à écouter ronfler Jakob. Je n'étais pas à la veille de découvrir ce qui était arrivé à ma mère. En fait, j'en étais encore plus loin que depuis ma découverte de la lettre de mon père.

Chapitre 8

— R éveille-toi, réveille-toi, Bianca, murmura à mon oreille la voix chaude de Jakob.

Je m'étirai en souriant.

— J'ai un petit déjeuner pour toi.

J'entendis de nouveau sa voix ; cette fois, je sentis le bout de sa langue qui me chatouillait l'oreille interne.

— Bonjour.

J'ouvris lentement les yeux et vis le visage de Jakob à quelques centimètres à peine du mien.

— Oh.

Je clignai rapidement des yeux à mesure que je faisais le point sur ses lèvres.

— Bien dormi ?

— Oui, dis-je en hochant la tête et en souriant.

— Tu as faim ?

— Absolument.

— Tu as un vocabulaire limité ?

Il sourit, et je me redressai en roulant des yeux.

— Je ne répondrai même pas à ça.

Je m'étirai et tendis le bras vers mon soutien-gorge.

— Tu n'as pas à le mettre. Je parie que ça ne serait pas très confortable, à présent.

Le visage de Jakob me rappelait un loup lascif, et je l'ignorai.

— Merci de ta prévenance, dis-je en riant et en mettant mon soutien-gorge. Tu t'es levé et tu m'as fait un petit déjeuner?

Je regardai les fruits étalés sur la grande feuille de palmier verte.

— C'était plein d'attention de ta part.

— Tu paraissais si paisible, étendue là. Je n'avais pas le cœur de te réveiller.

— Toi, tu as un cœur?

— Ne t'habitue pas, dit-il en s'assoyant près de moi. Après hier soir, je voulais m'assurer que tu te reposes bien.

— J'ai presque oublié que nous n'étions pas ici par choix, dis-je avec un petit sourire. Et à quel point je déteste la nature sauvage.

— Ce n'est pas si mal quand on passe des nuits comme la dernière, dit-il en me tendant une banane pelée. Essaie celle-ci, elle est ferme et douce.

— Merci.

Je la lui pris des mains et me mis à la grignoter.

— C'est délicieux.

Je ne fis qu'une bouchée du reste de la banane, puis me léchai les lèvres.

— C'est le meilleur petit déjeuner que j'ai mangé depuis longtemps.

— Tu aimes le petit déjeuner, alors? dit-il en s'adossant et en me regardant prendre une autre banane.

Je me sentais gênée du fait qu'il restait là à me regarder manger, mais je m'en remis.

— Je n'ai pas l'habitude de prendre un petit déjeuner, marmonnai-je entre deux bouchées. Je suis du genre à attendre jusqu'à l'heure du déjeuner pour dévorer tout ce qu'il y a.

— Ce n'est pas sain, dit-il en fronçant les sourcils.

— C'est comme ça que j'ai été élevée, dis-je en haussant les épaules. Mon père faisait la même chose. Il avait de drôles d'heures de travail, et j'imagine que ça m'a marquée.

— Alors, à quoi ressemblait ton père ? demanda-t-il d'un ton désinvolte en prenant une banane.

— Il était vraiment merveilleux. Il m'était dévoué. Mais il m'oubliait quand il travaillait à une invention. Je ne peux pas te dire le nombre de fois où j'ai attendu à l'école après la dernière cloche parce qu'il venait me chercher en retard.

— Pourquoi est-ce qu'il n'a pas tout simplement embauché une gardienne ?

— Il n'avait pas d'argent pour une gardienne, dis-je en baissant les yeux vers la plage. Il n'a jamais gagné beaucoup d'argent avec ses inventions.

— Je croyais qu'il avait créé la machine à peindre ?

— C'est vrai, dis-je en lui faisant un sourire ironique. Ça fait partie des raisons pour lesquelles j'essaie d'accéder à la société Bradley.

— Je vois. Ça se tient. Quelle est l'autre raison ?

— Je pense que le père de David a fait tuer ma mère.

— Quoi ?

— Mon père ne croyait pas que ma mère était morte dans un accident.

Je décidai de lui dire presque tout. Je me figurai que je ne pouvais pas lui en vouloir de retenir des informations alors que j'en retenais moi aussi.

— À sa mort, il m'a laissé la lettre dont je t'ai parlé, mais aussi des documents concernant ses affaires. Des papiers qui allaient amener quelqu'un à croire que le moment de l'accident de ma mère avait été trop précis pour avoir été un accident.

— Alors, c'est la raison véritable pour laquelle tu essaies d'accéder aux dossiers ?

— Oui, dis-je en hochant la tête. Je veux seulement repasser tous les dossiers de cette période. Surtout les dossiers financiers. Je veux savoir si la compagnie se serait bien portée si mon père avait démissionné. Je veux savoir quand et pourquoi elle s'est changée de Bradley, London et Maxwell, en Bradley Inc.

— Je ne savais pas, dit-il en serrant les lèvres et en regardant vers l'océan. Mais j'aurais bien aimé le savoir.

— Ça va, dis-je en haussant les épaules. Je ne te l'ai pas dit.

— Pour toi, ça n'a rien à voir avec l'argent, hein ? dit-il en jurant à voix basse. Je suis désolé pour mes commentaires antérieurs.

— Ne t'en fais pas. Mais non, je ne fais pas enquête afin d'avoir un paquet d'argent.

— Je vais t'aider, Bianca, dit-il en jetant une peau de banane sur le sol. Dommage que ton père n'ait pas été convenablement rémunéré par la compagnie.

— Ouais, c'était vraiment ça.

Je revins en esprit à tous les brevets que j'avais trouvés dans la boîte de mon père, et je regardai Jakob.

— C'est tout aussi surprenant, car il était vraiment brillant. Je ne sais pas trop pourquoi il s'est contenté de partir sans demander sa part. Écoute, je sais qu'il aimait ma mère et qu'il était atterré à son décès, mais je n'ai jamais pensé qu'il se contenterait de partir d'une affaire pareille. J'imagine qu'il ne se souciait pas d'argent.

— Est-ce que ce n'est pas toujours ainsi? Les plus brillants ne semblent jamais gagner beaucoup. Telle est la vie d'un génie, dit-il en haussant les épaules. Même si un grand nombre d'entre eux semblent courir après l'argent, le karma les rattrape toujours.

— Ouais, j'imagine. Je ne peux pas dire que je connaisse beaucoup de génies à la recherche d'argent, dis-je avec un soupir. Et toi?

— Je connais des hommes qui *se prennent* pour des génies, dit-il en se grattant le sourcil droit. Je connais des hommes qui feraient n'importe quoi pour de l'argent. Je connais des hommes qui se disent sur leur lit de mort que leur amour de l'argent ne les a menés nulle part.

— De qui parles-tu?

— De personne en particulier, dit-il en secouant la tête.

— À quoi ressemblait ton père? dis-je en changeant de sujet, espérant pouvoir découvrir davantage sur cet homme duquel je commençais à tomber amoureuse. Au début, c'était une affaire d'attirance physique, mais maintenant, avec le temps, je m'apercevais que j'aimais la personne qu'il était. Il était sincèrement bienveillant, et je croyais qu'il avait à cœur mes intérêts. Mais c'était si difficile, car il était si réservé et fermé. Je ne savais vraiment rien de personnel à propos de Jakob. Il était essentiellement un inconnu. Un inconnu que je voulais mieux connaître.

— Il est mort, dit-il d'une voix cassante.

— Je suis désolée.

— Ne le sois pas ; je ne l'ai pas très bien connu, et nous n'étions pas proches.

— Tu ne l'as jamais rencontré, alors ?

— Non, je l'ai connu toute ma vie.

Il me fit un sourire tordu et s'étendit sur le sable.

— J'ai réfléchi.

— À propos de quoi ?

— De tout.

Il me regarda, mais sans sourire.

— Je me demande ce qui se passe dans le monde réel.

— Nous sommes dans le monde réel, dis-je en riant. À moins que tu te dises qu'on est dans une sorte de monde imaginaire ou de distorsion spatiotemporelle, quelque chose comme ça.

— Non, grogna-t-il en posant son visage sur sa main. Alors, qui dans le monde réel se soucie de toi, maintenant ?

— Rosie doit être en train de paniquer, dis-je en m'étendant à côté de lui. Je parie qu'elle s'est adressée aux médias, tout ça. Et toi ?

— Je ne sais pas si quelqu'un se souciera de moi.

Il haussa les épaules et enleva quelques mèches de cheveux de mes yeux.

— C'est triste.

Je tendis la main et enlevai une petite feuille du côté de son oreille.

— Tu sais ce que tu ne m'as jamais dit ?

— Quoi donc ? demanda-t-il avec prudence, en passant les doigts sur ma joue.

— Tu ne m'as jamais dit où tu étais le soir où on a été kidnappés.

J'étais en train de le mettre à l'épreuve. Je me rappelais encore ce qu'il avait dit quand je le lui avais demandé plus tôt, et je voulais voir si sa réponse allait rester la même.

— Je quittais le travail, dit-il aussi suavement que ses doigts me parcouraient les lèvres.

— Tu devais être plongé dans tes pensées pour ne pas avoir remarqué les deux hommes qui te suivaient.

— Ouais, j'imagine.

— Avais-tu pris de l'alcool plus tôt ce jour-là? murmurai-je alors que ses doigts passaient à mon cou, puis à la vallée entre mes seins.

— Non, dit-il en secouant la tête. Je n'étais pas sous l'influence de l'alcool, du moins.

— Comment ont-ils pu te…

Ma voix s'effaça lorsque le bout de ses doigts frôla la courbe de mes seins.

— Qu'est-ce que tu fais?

— Je te touche, dit-il en se penchant vers moi. Tu peux me toucher aussi.

— Je ne veux pas, marmonnai-je alors que mes doigts filaient vers son torse.

— Menteuse, murmura-t-il.

— Je ne mens pas.

Mes yeux s'agrandirent à mesure que ses doigts se frayaient un chemin vers l'arrière de mon soutien-gorge.

— Je croyais qu'on allait chercher Steve, ce matin.

— Il peut attendre, dit-il en souriant et en me mordillant l'épaule. Puis-je?

Ses yeux descendirent vers mes seins et ses doigts s'arrêtèrent un moment à l'agrafe de mon soutien-gorge, puis il me regarda à nouveau. Je hochai la tête et il sourit en le dégrafant.

— Voudrais-tu prendre un bain?

Il s'écarta de moi et me sourit. J'étais reconnaissante du fait qu'il ne fixait pas mes seins et ne tentait pas de glisser la main sous ma culotte. Je savais que je ne pourrais pas lui dire non s'il le faisait. Je me rappelais encore le plaisir qu'il m'avait donné la veille, et je n'étais pas certaine de pouvoir l'empêcher d'aller une fois de plus jusqu'au bout.

— Maintenant, j'ai follement envie d'un bain mousse luxuriant, avec du sel d'Epsom.

Je posai la tête sur le sable et soupirai.

— Ensuite, j'aimerais un bon massage. Quelqu'un avec de bonnes mains fermes.

— Je ne peux pas te garantir les bulles, ni que l'eau sera chaude, mais je veux bien te donner un massage.

— Quoi? dis-je en me redressant et en sentant mes seins tomber vers l'avant.

— Quoi? répéta-t-il alors que ses mains descendaient vers mes seins et jouaient avec mes mamelons.

— Jacob, tu me disais que tu allais me donner un massage!

Je fermai les yeux et retins un gémissement alors que ses doigts jouaient avec mes seins.

— C'est ce que je suis en train de faire.

Sa voix grave paraissait rauque, et sans regarder son caleçon, je savais qu'il se sentait excité.

— J'aimerais un massage du dos, pas des seins, murmurai-je avant de gémir à voix haute.

Ses lèvres suçaient mon mamelon droit, et ses dents le mâchouillaient à la manière d'un lapin affamé avec une carotte.

— Tu goûtes si bon, grogna-t-il en me repoussant sur le sol et en caressant mon autre sein. J'avais presque oublié.

— Tu veux dire salé? répondis-je à bout de souffle.

— Je veux dire divin. Tes seins me font presque oublier ma faim.

— Jakob, dis-je en le repoussant légèrement. Pourquoi ne t'occupes-tu pas de trouver Steve?

— Que veux-tu dire?

— Il est parti depuis plus d'une journée et pourtant, nous ne sommes même pas allés le chercher.

Je me mordillai les lèvres.

— Lui as-tu fait mal? Tu peux me le dire. Il faut que je sache, c'est tout.

— Je ne l'ai pas touché. Je te le jure devant Dieu. Je ne lui ai rien fait.

— Alors, pourquoi ne sommes-nous pas allés le chercher?

— Je te promets que nous irons plus tard aujourd'hui. Je ne sais pas pourquoi nous ne sommes pas encore allés. J'imagine que j'ai tout simplement adoré passer du temps avec toi.

— Comment allons-nous sortir de cette île, Jakob? dis-je, la voix cassée. Je ne sais pas ce que nous allons faire.

— Quand on veut, on peut.

— Ce n'est pas concret. Je ne vois pas de quelle façon ça m'est utile, comment ça nous est utile.

Je commençai à paniquer et je respirai profondément à quelques reprises.

— Je pense que j'ai besoin de me détendre. Que disais-tu d'un bain?

— Je suis plutôt certain qu'il y a une rivière tout près. J'ai entendu couler de l'eau en allant cueillir les fruits.

— Oh, dis-je en grimaçant. Je ne sais pas si je veux retourner dans la jungle.

— Il n'y a rien à craindre.

— À part le fait qu'il y a peut-être un psychopathe sur l'île avec nous.

— Je pense que s'il voulait nous tuer, on serait déjà morts. Et on ne sait pas s'il est psychopathe.

— C'est réconfortant, dis-je en me mordillant la lèvre inférieure, tout en frissonnant et en me blottissant près de lui.

— N'aie pas peur, Bianca. Allons, partons. Je crois qu'un bon bain d'eau douce nous fera du bien à tous les deux.

— D'accord. Tu vas me masser, hein ?

— Essaie donc de m'en empêcher.

— Puis-je te poser une question, Jakob ? Si tu as grandi dans une famille pauvre, et que tu n'as jamais connu ton père, comment as-tu gagné ton argent ? Était-ce toujours de façon légitime ?

— Dans les affaires, comme je te l'ai dit, répondit-il d'une voix sèche.

Puis, il se leva d'un bon.

— Je dois aller me débarrasser de cette eau salée et de cette sueur. Nous pourrons parler davantage en nous baignant, si tu veux.

— Tu me laisserais seule ici, si je te disais que je ne veux pas y aller ?

— Je croyais que tu te sentais en sécurité sur la plage.

— Je me sens plus en sécurité avec toi, reconnus-je à voix basse.

— Je vois, dit-il en me soulevant pour me rapprocher de lui. Je suis content de te l'entendre dire.

Il me prit par la taille et je m'avançai vers lui en écrasant mes seins contre son torse. Ses doigts descendirent vers mes fesses et se rapprochèrent de mes grandes lèvres.

— Est-ce que tu ne veux pas te sentir fraîche et propre, toi aussi ?

— Tu veux dire que je sens mauvais ? dis-je en soulevant un sourcil.

Et il ricana.

— Je ne te pousserais pas du lit, si c'est ce que tu veux savoir.

— Non, ce n'était pas ce que je te demandais.

Mes mains lui prirent le cou, et je me collai contre lui en jouissant de la chaleur de son corps à côté du mien.

— Je pense avoir vu des yuccas en cueillant des bananes.

— D'accord, dis-je, attendant qu'il continue. Et alors ?

— Si je me rappelle bien, la racine du yucca peut servir de savon naturel, tout comme ses feuilles si nous les frottons un peu avec des pierres pour en libérer la substance gluante.

— Pourquoi est-ce que tu ne me l'as pas dit avant ? grognai-je en touchant mes cheveux. J'adorerais me donner un shampooing. Je dois avoir un air affreux.

— Tu as l'air magnifique.

Il me regarda longuement dans les yeux, sans sourire. Je m'arrêtai de respirer alors qu'il se penchait pour m'embrasser avec ardeur. Ses mains me collèrent très fort contre lui et remontèrent jusqu'à mes seins, tandis que son érection appuyait contre mon ventre. Ma bouche s'ouvrit lentement à sa langue, et je ne fus pas déçue de sentir enfin nos deux langues s'affronter dans une joute de passion absolue.

Je fondis contre lui alors qu'il suçait ma langue, alternant entre une succion douce comme un duvet et une action plus dure et plus ardue.

— Jakob, dis-je en m'écartant de lui, légèrement hypnotisée par sa présence. Allons trouver cette cascade.

— Oh ?

Ses yeux bondirent de bonheur, et je ris avec bonheur de son excitation.

— Tu veux encore me donner un massage ? dis-je en lui souriant timidement, sachant que j'étais prête à ce que le massage mène à autre chose.

— Oui, dit-il en souriant. Si tu veux bien me laisser te donner un massage complet.

— Qu'est-ce que c'est, un massage complet ? demandai-je innocemment, même si mon corps brûlait aux endroits auxquels je pensais.

— Un massage dans la nudité.

— Je suis déjà presque nue.

— Il y a un vêtement qu'il est très important d'enlever.

Ses doigts descendirent au haut de ma petite culotte, et son pouce frôla mon ventre, le long de mon sous-vêtement.

— Si le massage est bon, je crois qu'on peut en venir à une entente, lui dis-je avec un clin d'œil.

Et il éclata de rire.

— Tu es pleine de surprises, non ?

— Eh bien, tu sais, dis-je en me léchant les lèvres. À Rome…

Je fixai ses lèvres, puis son torse, puis je baissai la main et passai les doigts sur ses abdominaux. C'était injuste, un corps aussi parfait. Par comparaison, je me sentais légèrement nerveuse et inquiète. Je n'avais carrément pas d'abdominaux bien dessinés ni de corps parfait.

— Qu'est-ce qui se passe? dit-il en fronçant les sourcils, le regard rivé sur moi.

— Que veux-tu dire?

— Ton expression a changé.

— Wow, tu es perspicace.

— Es-tu tendue? Est-ce que je vais trop vite?

— Non, dis-je en secouant la tête et en baissant les yeux. Je pensais tout simplement à la perfection de ton corps et au fait que j'aurais avantage à perdre un ou dix kilos.

— Tu serais une asperge, si tu perdais du poids.

— Ouais, c'est ça. Une asperge pulpeuse.

— J'aime ce qui est pulpeux.

Il sourit et se lécha les lèvres; je roulai des yeux en le regardant.

— Allons trouver cette cascade, dis-je en me détournant.

Et il me prit par la taille.

— Si mon massage est bon, je vais peut-être te rendre tes faveurs d'hier soir.

— Mes faveurs d'hier soir?

Son souffle s'arrêta alors que je baissais la main pour frotter en souriant l'avant de son caleçon.

— Minute, dit-il en me tendant sa chemise. Tu devrais mettre ça avant qu'on parte. Je ne suis pas sûr qu'on se rendra jusqu'à la cascade si tu ne portes pas de chemise.

— Dis donc, ce que tu peux être prévenant, dis-je en mettant sa chemise et en la boutonnant. Je parie que tu n'as jamais songé à quel point cette chemise serait utile, quand tu l'as achetée, ajoutai-je en souriant : attraper de la nourriture, vêtir des femmes inconnues, fournir un abri et de la chaleur la nuit.

— Je ne pense pas que la fille qui me l'a achetée ait envisagé ça, tu as raison.

Mon estomac se retourna de jalousie, et une partie de moi voulut arracher la chemise.

— Qui te l'a achetée ?

— Personne d'important.

Il me prit la main et nous partîmes vers la jungle. C'était une belle journée ; il n'y avait aucun nuage sombre, et le soleil nous tapait déjà dessus de façon assassine. Une fois de plus, le décor était idyllique et serein, et à ce stade, je me demandais si je cesserais un jour de vouloir sortir de l'île. Le fait d'être ici me faisait oublier toutes mes préoccupations et mes inquiétudes quotidiennes. Cela me faisait presque oublier la lettre de mon père, mon enquête, et Steve.

— Qu'est-ce qu'on fait à propos de Steve ? demandai-je d'une voix douce alors que nous marchions dans la jungle.

Je n'étais pas aussi effrayée que le premier jour. Les arbres qui m'avaient paru si hauts et remplis de malice le premier jour semblaient majestueux et remplis de vie aujourd'hui. Les branches et les feuilles qui oscillaient ne portaient plus de bêtes féroces, mais de la nourriture. J'étais habituée aux différents bruits sourds des singes qui se balançaient et d'autres animaux. C'était leur habitat, et il était magnifique. Nous marchions avec soin dans le muguet, en nous assurant de passer au-dessus des branches mortes qui étaient étalées sur notre chemin. Le sol était relativement ferme, et le soleil avait séché la boue humide de la veille. Jacob me tenait par la main en me guidant entre les buissons, et je me sentais en sécurité en sa compagnie.

— Nous nous occuperons de lui après notre bain, dit-il en me serrant la main. Ça va ?

— J'imagine, dis-je en hochant la tête. J'espère qu'il ne lui est rien arrivé.

— Je suis presque certain qu'il ne lui est rien arrivé.

Il s'arrêta et ferma les yeux.

— Qu'est-ce que tu fais ?

— J'écoute le bruit de l'eau pour voir dans quelle direction aller.

— Oh ?

En entendant ses mots, mon cœur se serra. Je ne me sentais plus en sécurité en sa compagnie, même si je savais que c'était une impression ridicule. Je ne croyais pas qu'il avait une carte pour nous guider.

— Ferme les yeux et écoute, suggéra-t-il. Te serais surprise que tous les bruits que tu remarques quand tu n'as pas le sens de la vue.

— J'imagine.

Je fermai les yeux et j'attendis. Au début, je n'entendis rien, puis je me détendis. D'abord, j'entendis deux oiseaux qui semblaient chanter l'un à l'autre comme s'ils étaient amoureux. Le son me rappelait la scène d'ouverture de *Cendrillon*, et je réalisai que ces oiseaux étaient heureux. Leurs gazouillements étaient joyeux, et cela me fit sourire. Puis, j'entendis le bourdonnement de libellules autour de nous. J'en fus étonnée, car je n'en avais jamais remarqué depuis que je m'étais trouvée sur l'île. J'étais sur le point d'ouvrir les yeux lorsque j'entendis le bruit de l'eau vive. Cela me rappela les sons que j'avais entendus dans un spa où Rosie m'avait déjà emmenée. Elle avait versé quelques centaines de dollars à l'entrée, et ici, je goûtais la même expérience gratuitement.

— Alors, où est-ce qu'on devrait aller, d'après toi ? me demanda Jakob alors que nous restions là.

Je me concentrai sur le bruit de l'eau pendant une autre minute avant d'ouvrir les yeux.

— Je pense que nous devrions avancer, puis essayer de nous diriger vers la gauche, dis-je en pointant devant moi. C'est bien ça ?

— J'en suis plutôt certain.

Il me fit un sourire gentil, et nous poursuivîmes notre chemin. Je commençai à me sentir excitée d'entendre le bruit de l'eau vive devenir de plus en plus fort.

— Je dois dire que je me sens plutôt fière de moi, dis-je en souriant à Jakob alors que nous accélérions notre pas. Je n'aurais jamais cru pouvoir situer une cascade au son.

— Tu peux faire tout ce que tu veux, dit Jakob qui parlait comme un motivateur.

Je voulus le taquiner. Puis, je m'aperçus que le taquiner allait gâcher l'instant. Et c'était un instant que je ne voulais pas gâcher.

— On est arrivés.

Il s'arrêta et pointa le doigt droit devant nous. Je voyais une petite cascade entre les arbres, et je courus pour en avoir une meilleure vue.

— C'est magnifique, dis-je en me tournant un moment vers Jakob.

Je contemplai la cascade devant nous.

— Qui aurait cru que ça existait sur l'île avec nous ?

— Beaucoup de pays des Antilles ont des cascades.

Il me prit la main et m'attira vers lui. Il commença à déboutonner ma chemise et je retins mon souffle.

— Mais je ne sais pas si elle est aussi belle que toi.

— Tu dis ça, mais…

— Je ne mentirais jamais.

Il secoua la tête et retira la chemise de mes bras avant de me toucher le dos et de me masser les épaules pendant quelques secondes. La tension s'échappa de mes pores alors que ses doigts l'effaçaient, et je gémis en sentant le calme s'emparer de mon corps. Je fermai les yeux un instant, car je voulais ne penser à rien d'autre que ses mains qui me malaxaient les muscles, lorsque ses doigts descendirent vers mon ventre, puis vers le milieu de mon corps. Il me prit les seins et les serra tendrement.

— On y va en premier ? dis-je en me rapprochant de lui, goûtant le tressaillement d'excitation sexuelle qui me parcourait une fois de plus. L'eau semble si invitante, et les rochers si lisses. Je pense que je pourrais facilement m'étendre au soleil.

— Je ne sais pas si je peux attendre.

Sa voix était rauque, et il fit un pas vers moi.

— Oh ?

— Pendant toute notre marche, j'ai réfléchi à la promesse que tu m'as faite sur la plage.

— La promesse ?

Je lui lançai un regard interrogateur, puis je rougis en me rappelant ce que j'avais dit.

— Tu n'as pas à le faire, si tu as changé d'idée.

Ses doigts me pincèrent les mamelons, et je serrai mes jambes l'une contre l'autre.

— Je n'ai pas changé d'idée.

Je secouai la tête et tendis la main vers son caleçon. De l'extérieur, mes doigts massèrent son érection, et je haletai en sentant bouger son pénis contre ma paume.

— Il te dit qu'il veut se libérer.

Il rit de moi, et je souris. Je saisis son caleçon et le descendit le long de ses jambes, puis il s'en débarrassa d'un coup de pied. Je me baissai et tins sa verge dans mes mains, et la caressai sur toute sa longueur. Il grogna alors que j'en serrais l'extrémité, et je gémis en sentant le liquide prééjaculatoire au bout de mes doigts. Je formai un cercle avec mon pouce et mon index, et le passai en aller-retour sur sa verge, en m'arrêtant de temps à autre pour la serrer et pour jouer avec ses testicules.

— Je veux sentir ta bouche, grogna-t-il.

Et il me tira vers lui pour un baiser.

— Je veux sentir ta petite bouche chaude me sucer quand je jouirai.

Ses dents mordillèrent ma lèvre inférieure, et je lui souris en abaissant mon corps sur le sol. Je le pris goulûment dans ma bouche, et doucement au début. Je me sentais étourdie par mon pouvoir en entendant ses halètements sonores quand je le suçai en laissant entrer son érection aussi loin que possible dans ma bouche.

— Merde, tu es bonne, grogna-t-il alors que je baissais et remontais subitement la tête.

Ses doigts jouaient dans mes cheveux alors qu'il poussait mon visage contre lui.

— Merde, je ne sais pas combien de temps je vais me retenir.

Il grogna, et je le sentis se pousser vers le haut comme s'il pénétrait ma bouche.

— Je vais jouir, Bianca.

Il grogna, et je fis des va-et-vient avec ma langue, tout en le suçant bien fort. En quelques secondes, Jakob explosa dans ma bouche et je continuai de le sucer tout en avalant son sperme salé. D'une part, mon cerveau n'était pas certain de ce que je faisais, mais d'autre part, j'étais ivre de luxure et de passion.

Je me redressai, et Jakob me sourit, les yeux remplis de désir.

— J'ai envie de te pénétrer, grogna-t-il en mettant la main dans ma culotte.

Je restai immobile alors qu'il la baissait. Ses doigts allèrent tout de suite entre mes jambes, et en sentant à quel point j'étais mouillée, il poussa un cri semblable à celui d'un hibou.

— Je ne prends pas la pilule, murmurai-je.

— Je n'ai pas de condoms, grogna-t-il tout en continuant à jouer avec moi. Mais je suis en santé. J'ai eu mon dernier examen annuel il y a trois mois, et je n'ai été avec personne depuis six mois.

— Je suis en santé, moi aussi.

J'appuyai mes seins contre son torse et je passai mes doigts dans son dos.

— Je peux me retirer, dit-il en se penchant et en me suçant le cou. Quand je serai sur le point de jouir, je vais me retirer.

— D'accord, dis-je en hochant la tête, même si je savais que ce n'était pas infaillible.

Jakob me prit la main, et nous marchâmes vers des pierres à côté de la cascade.

— As-tu déjà fait l'amour dans l'eau ?

— Non.

— C'est bien, dit-il en souriant. Ce sera notre deuxième fois.

— Notre deuxième fois ?

— La première, c'était sur les rochers.

Il s'assit et m'attira vers lui.

— Chevauche-moi, ordonna-t-il en me tirant sur ses cuisses, et mes seins lui frôlaient le visage.

Il prit l'un de mes mamelons dans sa bouche, et je gémis lorsque ses doigts me serrèrent les fesses et me poussèrent en avant.

— Tu es déjà tout dur, dis-je en soupirant de plaisir alors que je sentais sa verge appuyée sur mes lèvres humides.

— C'est l'effet que tu me fais, dit-il en passant ses mains dans mes cheveux. C'est un effet tellement primitif et tellement bon. J'ai si hâte de me sentir à l'intérieur de toi.

— J'ai si hâte de te sentir à l'intérieur de moi, murmurai-je en accord.

Et il grogna.

— Dis-le encore, murmura-t-il en m'embrassant fiévreusement.

Ses doigts serrèrent de nouveau mes seins l'un contre l'autre, et je bougeai d'avant en arrière sur lui, en faisant légèrement tourner mes hanches alors que je me frottais de haut en bas contre son pénis en érection.

— Dis-moi que tu veux que je te pénètre, Bianca, dit-il en tirant plus fort mes cheveux. Dis-moi que tu veux me sentir en toi, dur et profondément.

— Je le veux, murmurai-je contre ses lèvres.

Il me saisit les hanches.

— Dis-moi ce que tu veux que je fasse, murmura-t-il alors que ses lèvres se collaient à mes seins et suçaient mes mamelons.

Cette fois, ses dents n'étaient pas aussi délicates, et je criai un peu lorsqu'il les mordit, puis les suça.

Je fermai les yeux et me concentrai sur le plaisir qui circulait dans mon corps. Sa verge était placée à mon ouverture, et tout ce que j'avais à faire pour qu'il me pénètre, c'était de bouger légèrement vers l'avant.

— Bianca... dit-il, la voix cassée par le désir. Qu'est-ce que tu veux que je fasse ?

— Je veux que tu me pénètres, Jakob ! criai-je alors qu'il soulevait mes hanches et me faisait redescendre sur sa verge dure.

Il me pénétra doucement, et je me tendis légèrement alors qu'il entrait profondément en moi. Je n'avais pas fait l'amour depuis longtemps, et son sexe était d'une taille plus grande que tous les hommes que j'avais connus.

— Est-ce que je te fais mal ? murmura-t-il, le regard inquiet.

— Pas du tout, dis-je en souriant.

Puis, je m'adossai et bougeai les hanches d'avant en arrière en le chevauchant.

— Ah, merde, Bianca !

Il me prit les hanches alors que les parois de mes lèvres se serraient sur son sexe en érection.

— Ne t'arrête pas, dit-il en clignant des yeux, remplis de désir. N'arrête surtout pas.

Je continuai à me balancer d'avant en arrière sur lui, en laissant mes seins lui frôler impudemment le torse. Après quelques minutes, il grogna et souleva mes hanches.

— Qu'est-ce que tu fais ? dis-je en faisant la moue, alors qu'il me plaçait sur le rocher à côté de lui.

— Il fallait que je t'arrête, grogna-t-il en secouant la tête. J'étais sur le point de jouir.

— Oh, gémis-je en baissant les yeux vers sa verge encore au garde-à-vous.

— Tu es tellement ferme et mouillée, grogna-t-il à haute voix. C'était tellement bon. J'ai dû arrêter. Je sais que tu n'as pas encore atteint l'orgasme.

— Tu n'avais pas à arrêter, dis-je en secouant la tête et en le regardant se déplacer afin de se placer par-dessus moi.

— Je me soucie de tes besoins plus que des miens.

Il me prit par les hanches et m'obligea à me lever.

— Mets-toi à quatre pattes, ordonna-t-il en se plaçant derrière moi.

Je m'agenouillai, puis posai les mains à plat sur le rocher lisse et dur sous mes genoux, et la position était légèrement inconfortable.

— Je ne suis pas sûre que ça va marcher, murmurai-je.

Mais alors, il me prit par les hanches et tira mon derrière vers lui, et j'oubliai la dureté du rocher. J'étais plus soucieuse de sentir son érection en moi comme je sentais ses doigts entre mes jambes, et je grognai alors qu'il me frotta le clitoris.

— Tellement mouillée, grogna-t-il avant de fourrer un doigt en moi. Et je ne pense pas que ce soit seulement à cause de l'eau, cette fois.

— Jakob, grognai-je, impatiente de le sentir de nouveau en moi. S'il te plaît.

— Quoi, s'il te plaît ?

Sa voix était enjouée quand ses doigts me lâchèrent. Je le sentis frotter le bout de sa verge à l'entrée de mon vagin.

— S'il te plaît, pénètre-moi encore ! criai-je.

Je fus récompensée en le sentant me pénétrer. Cette fois, c'était différent. Il était maître des mouvements, et ses coups étaient longs, profonds et durs. Il s'accrocha fermement à mes hanches tout en poussant et en sortant, et je me disais que j'allais perdre connaissance de plaisir.

— Oh ! hurlai-je en sentant son sexe appuyer continuellement à cet endroit.

— Qu'est-ce qu'il y a, Bianca ? grogna-t-il derrière moi tout en jouant avec mes seins avec l'une de ses mains.

— C'est tellement bon, m'écriai-je. Je n'ai jamais eu autant de plaisir, gémis-je.

— C'est parce que personne ne t'a jamais pénétrée aussi bien avant ça.

Il avait la voix rauque, comme si cela l'excitait encore plus, et ses coups devinrent plus durs et plus profonds. Je sentis trembler mon corps alors que mon orgasme était sur le point d'exploser.

— Je pense que je devrais me retirer maintenant.

Il grogna, et je secouai la tête.

— Non ! J'y suis presque, hurlai-je en me reculant les fesses vers lui alors qu'il me pénétrait. Je viens, hurlai-je alors que mes sécrétions explosaient dans le plus grand orgasme de ma vie.

Je sentis la verge de Jakob se glisser en moi et sortir, puis me pénétrer une dernière fois avec une telle force qu'il dut s'agripper bien fermement à mes hanches. Dans la secousse de nos corps, je sentis son explosion en moi et je ne pouvais penser qu'à l'absolue perfection du moment. Jakob se retira et grogna alors que je me retournais vers lui.

— Je suis désolé, je n'ai pas pu m'arrêter à temps.

— Ça va, dis-je en me penchant et en l'embrassant. J'aurais dû te laisser te retirer quand tu le voulais.

— Allons dans l'eau.

Il me prit par la main, nous nous redressâmes maladroitement et nous rendîmes vers la petite cascade. Mon corps était parcouru de picotements, et je me sentais plus vivante que jamais.

— C'est parfait, dis-je en l'embrassant alors qu'il m'attirait vers lui.

Il sourit.

— Je suis content que tu le penses, dit-il en me parcourant la colonne vertébrale. Je suis si content que tu sois heur...

— Qu'est-ce que c'était? demandai-je en figeant et en le regardant avec de grands yeux.

— On aurait dit un revolver, dit-il en bondissant rapidement et en m'attirant avec lui. Il faut qu'on bouge.

— Qui a un revolver? dis-je, les yeux écarquillés. Crois-tu que Steve en a un?

— C'est sûrement Steve, à moins qu'il y ait quelqu'un d'autre sur l'île.

— J'ai peur, Jakob.

Je serrai son bras et pour la première fois, je sentis des larmes me monter aux yeux.

— Qu'est-ce qui se passe?

— Je ne sais pas trop. Regarde, mets ça.

Il me lança sa chemise et mit son caleçon boxeur.

— Prête?

— Oui, dis-je en hochant la tête, soudainement très effrayée.

— Attends.

Il me serra les épaules et me regarda dans les yeux.

— Tout ira bien. Je vais prendre soin de toi.

Il me donna un profond baiser et me serra dans ses bras pendant une seconde.

— Je te le promets.

Je hochai la tête pour indiquer que je comprenais, il me serra la main et se mit à courir. Je tentai du mieux que je pus de courir au même rythme que lui, mais je ne pouvais penser qu'au bruyant coup de revolver que nous avions entendu. Était-ce prudent de notre part de courir vers l'homme au revolver ?

Chapitre 9

Nous retournâmes à la plage en un temps record, et il n'y avait personne.

— Où est-il, d'après toi ? murmurai-je, encore plus effrayée.

— Je ne sais pas.

Le visage de Jakob paraissait dur et en colère.

— C'est un revolver qu'on a entendu, non ? dis-je en frissonnant.

Il me serra contre lui.

— Je crois bien, dit-il en hochant la tête et en reculant d'un pas pour regarder sur la plage. Je ne sais pas à quel jeu joue Steve.

— Vous ennuyez-vous de moi ? s'écria une voix.

Nous figeâmes tous les deux.

Je regardai lentement vers la droite, puis je vis Steve qui arrivait en boitillant. Il avait les mains vides.

— Steve ? lui criai-je d'une voix faible. Où étiez-vous ?

— Je ne sais pas très bien.

Son regard paraissait vide, il avait une expression démente, et sa chemise était déchirée.

— Avez-vous entendu la détonation ? Ça va ? dis-je en m'avançant vers lui, tandis que Jakob me prit par le bras et me tira vers l'arrière.

— J'ai entendu un bruit fort, dit Steve en hochant la tête. J'étais inquiet pour vous deux. Ce bruit m'a donné l'énergie nécessaire pour me lever et recommencer à marcher.

— Où étiez-vous ? dis-je en fronçant les sourcils et en regardant Jakob.

Ses yeux étaient plissés, et son torse se soulevait.

— Je me suis perdu dans la jungle, me dit-il avec un sourire. Je voulais vous faire une surprise à tous les deux en préparant le petit déjeuner, hier, mais ma jambe ma empêché de me déplacer. Alors, je me suis assis et j'ai fait une sieste.

Il marqua un temps d'arrêt.

— Puis, je me suis senti frappé durement par quelque chose, et j'ai perdu connaissance. Quand je me suis réveillé, j'étais perdu et désorienté.

— Par quoi avez-vous été frappé ? dis-je en regardant tout droit devant moi, ne voulant pas voir le visage de Jakob.

— Je ne sais pas, dit-il en secouant la tête et en tendant la main pour me prendre le bras. Désolé. J'espère que vous ne m'en voulez pas si je m'accroche à vous pour me soutenir.

— Non, bien sûr, dis-je en lui tendant le bras.

— Merci. J'étais si soulagé de vous trouver tous les deux, dit-il en regardant de nouveau Jakob. Je n'aurais pas voulu imaginer ce qui me serait arrivé si je ne vous avais pas rencontrés.

— Je ne veux pas m'imaginer ce qui se passera maintenant que vous nous avez retrouvés, dit Jakob à voix basse.

Il s'en alla vers nos bols de fortune, prit une branche que nous avions trouvée la veille et me la tendit.

— Prends ça, Bianca, dit-il en me la mettant dans la main.

— D'accord, dis-je avec un signe de tête.

— La bataille ne fait que commencer, murmura-t-il. Tu vas peut-être avoir besoin de ça.

— Qu'est-ce que vous faites ? dit Jakob d'une voix forte et coléreuse alors que Steve boitillait vers nous.

Ses yeux se plissèrent et je sentis son cœur battre la chamade à côté du mien.

— À quel jeu jouez-vous ?

— Je ne sais pas de quoi vous parlez, dit Steve, les yeux exorbités, alors qu'il s'arrêta devant nous. Maintenant, j'aimerais manger. Avez-vous quelque chose ?

— Vous pourriez trouver des fruits dans la jungle, répondit Jakob avec froideur.

— Nous pouvons essayer de pêcher à nouveau, dis-je en serrant le bras de Jakob. Nous allons peut-être en trouver davantage.

— J'imagine, dit-il en soupirant. Si vous en voulez.

Je hochai la tête et nous marchâmes vers l'océan.

— Alors, qu'est-ce qu'on va faire avec le poisson ? Des sushis ?

Steve boitillait derrière nous et je le sentis qui me donnait une petite poussée dans le dos.

— Vous savez vous servir d'un couteau ? dit Jakob en se tournant vers lui.

— Peut-être aussi bien que vous savez vous servir d'une pierre, répliqua Steve.

Un silence s'abattit. Je ralentis légèrement le pas en attendant qu'il nous rattrape.

— Ça va ? murmurai-je à Steve qui marchait à côté de moi.

— Il a essayé de me tuer, dit-il, le regard terrifié. Il m'a laissé pour mort.

— Quoi ? Quand ? dis-je en fronçant les sourcils. Pourquoi êtes-vous revenu s'il a essayé de vous tuer ? dis-je, les yeux exorbités.

— Je voulais m'assurer que vous étiez en sûreté, murmura-t-il à la hâte. Je sais pourquoi vous êtes ici, Bianca. Je connais le...

— Qu'est-ce qui se passe ? dit Jakob en s'arrêtant devant nous et en me regardant fixement.

Je fixai l'entaille à son visage en me demandant s'il avait vraiment essayé de tuer Steve. Et si oui, pourquoi ? Que savait Steve de plus que moi ?

— Je demandais tout simplement à Bianca si cela ne la dérangeait pas que je m'accroche à son bras en marchant. Ma jambe me tracasse un peu.

— Ça ne me dérange pas, dis-je avec un léger sourire en offrant mon bras à Steve tout en évitant le regard intense et prolongé de Jakob.

— Ça va, Bianca ? dit Jakob avec un regard inquiet.

Je hochai la tête avec incertitude. Je voulais lui dire ce que Steve avait dit. Je voulais entendre sa réaction, mais j'avais peur. Et si Steve m'avait dit la vérité ? Essaierait-il de nous tuer tous les deux, alors ?

— Nous devrons commencer un autre feu, dit Jakob en me fixant d'un air pensif. Tu crois pouvoir aller pêcher toute seule ?

Il resta immobile en faisant un signe de tête vers l'océan.

— Ensuite, on pourra tout de suite faire griller le poisson.

— Et les arêtes ? demanda Steve.

— Les arêtes ne vous tueront pas.

— Mais vous aimeriez bien ça, non ? marmonna Steve à voix basse, avant que mon souffle ne s'arrête.

Quelque chose avait nettement changé depuis notre dernière rencontre à trois. Les deux hommes ne faisaient même pas semblant de s'apprécier.

— Bianca, viens avec moi. J'ai besoin de ton aide pour ramasser du bois, dit Jakob en me faisant un signe de la main.

— Attention, Bianca, murmura Steve. Je sais, au sujet de votre mère. Je sais aussi, pour David.

— Quoi ? dis-je en haletant et en le regardant.

— Soyez prudente, dit-il alors que Jakob me prenait par le bras. Vous ne pouvez pas lui faire confiance, me murmura-t-il à l'oreille alors que je m'éloignais.

— Allons-y, dit Jakob en me tirant avec lui.

Et je me défis de son emprise.

— Ne me touche pas ! Qu'est-ce que tu lui as fait ?

— Je ne l'ai pas touché, Bianca.

— Je ne te crois pas.

— Je ne l'ai pas touché, dit-il en me fixant du regard. Je te le dis : je ne sais pas où il est allé, ni pourquoi il est revenu.

— Tu as essayé de le tuer.

— Il t'a dit ça ?

Ses yeux se plissèrent.

— Oui, dis-je en hochant la tête. Et il m'a dit qu'il connaissait David.

— David Bradley ?

— Qui d'autre, imbécile ? dis-je en déglutissant. Je te le demande encore une fois, Jakob. Sais-tu sur David des choses que tu ne m'as pas dites ?

Il fit une pause, et je le vis réfléchir avec effort.

— Oui.

— Oh.

Je me sentis pâlir. Je ne m'étais pas attendue à cette réponse.

— Je ne peux pas t'en parler tout de suite, dit-il en me prenant les mains. Tu dois me faire confiance. Je t'expliquerai tout lorsqu'on aura quitté l'île.

Je ne voulais pas lui faire confiance. J'étais tellement en colère parce qu'il m'avait caché quelque chose d'autre. Et pourtant, je ne le détestais pas.

— Réponds-moi, lui demandai-je avec des éclairs dans les yeux. Est-ce qu'il est arrivé quelque chose entre toi et Steve, hier ?

— Je n'ai pas essayé de le tuer.

— Sais-tu qui il est ?

— Je ne sais pas, non.

Il me regarda dans les yeux.

— Je te dis franchement que je n'ai jamais vu cet homme de toute ma vie.

— Jakob... dis-je en déglutissant avec peine et en le regardant fixement pendant quelques secondes avant de lui poser la question que j'avais à l'esprit. Je peux te faire confiance ?

— Oui, tu peux me faire confiance, dit-il en me prenant la main. Je te jure que je n'ai pas essayé de tuer Steve hier.

— Je n'ai pas fréquenté David parce que je l'aimais. En fait, j'avais planifié notre rencontre.

J'hésitais à lui en dire davantage, de peur que Jakob me juge.

— Je voulais rencontrer et fréquenter Mattias, c'était mon plan original, mais on dirait que cet homme est à la tête du KGB. Personne ne sait rien de lui.

— Oh? dit-il, les yeux plissés.

— Je voulais de l'aide. Les Bradley ont accès à de l'information que je n'ai pas.

— Pourquoi me dis-tu ça maintenant?

— Je pense que Steve sait quelque chose, dis-je en respirant profondément. Je pense que Steve connaît la vérité sur ce qui s'est passé. Il dit qu'il veut me révéler quelque chose.

— Je ne comprends pas de quoi tu parles, dit-il en se frottant les tempes et en regardant fixement Steve. Crois-tu que Steve sait que David et Mattias travaillent ensemble?

— Non, mais…

Je marquai un temps d'arrêt et le regardai.

— Qu'est-ce que tu disais?

— Hein? dit-il en fronçant les sourcils et en s'avançant vers moi.

— Rien, dis-je en secouant la tête. Nous devons rester prudents avec Steve.

J'essayai de sourire, même si mon cerveau me hurlait le contraire. Pourquoi avait-il dit que David et Mattias travaillaient ensemble? Je n'avais rien mentionné de tel. Qu'est-ce qu'il savait sur David qu'il ne me disait pas? Je sentis mon cœur bondir alors qu'il me venait une autre pensée. Connaissait-il également Mattias Bradley? Je savais que je devais parler à Steve et découvrir exactement ce qu'il connaissait.

— Retournons le voir maintenant, pour pouvoir le surveiller.

— Je ne lui fais pas confiance, dit Jakob en plissant les yeux. Je pense que nous devrions aller dans la jungle.

— Maintenant?

Je frissonnai à la pensée de retourner dans la jungle avec Jakob.

— Nous devons nous mettre en sécurité.

— Je pense qu'il vaut mieux rester plus près de lui, pour pouvoir le surveiller.

Je lui offris un autre sourire faible. «S'il te plaît, accepte», lui hurlait mon cerveau.

— Ouais, j'imagine, dit-il en hochant la tête et en soupirant.

— Je veux t'avoir entière. Je peux mieux prendre soin de toi.

— Je sais.

Je détournai les yeux en essayant de ne pas vomir. Mon cerveau rejouait sans cesse ce qu'il venait de dire. Il m'avait demandé si je croyais que Steve savait que David et son frère Mattias travaillaient ensemble. Pourquoi avait-il dit cela? Autant que je sache, David ne travaillait pas avec Mattias. Autant que je sache, David était encore mon ami, et il craignait un peu son frère aîné. Pourquoi Jakob avait-il dit qu'ils travaillaient ensemble? Que savait-il? Je regardai fixement ses biceps bombés et déglutis péniblement. Et si l'homme auquel je m'étais abandonnée était celui que je devais fuir?

— Continue dans la jungle pour voir si tu peux trouver du bois pour faire un feu ; je veux seulement me laver le visage dans l'océan.

— Tu pourras le faire plus tard. Je veux qu'on aille chercher ce bois ensemble.

Il paraissait résolu.

— Je ne quitte pas la plage sans toi.

— D'accord, très bien. Je viens.

Je respirai à fond et tournai la tête vers Steve, debout près de l'eau, qui nous regardait.

— Allons chercher ce bois.

— Je vais te demander quelque chose, Bianca, et je veux m'assurer que tu ne seras pas froissée, d'accord ?

— Vas-y.

— Es-tu certaine que ton père était sain d'esprit lorsqu'il est mort ?

Sa voix paraissait lasse.

— Peut-être a-t-il regretté le fait qu'il était en train de mourir et n'avait pas d'argent à te laisser. Peut-être regrettait-il le fait de n'avoir pas réussi en tant qu'homme d'affaires.

— Mon père n'insinuerait ni n'affirmerait jamais un tel fait à moins qu'il ne le croie, dis-je d'un ton indigné.

— D'accord, je vérifiais, tout simplement.

Il donna un coup de pied au sol.

— Alors, ton père était un partenaire du père de David Bradley ?

— Oui, dis-je en hochant la tête. Cela est vrai, je le sais.

— Et David Bradley le sait ?

— C'est une longue histoire. Il la connaît en partie.

— Est-il au courant de la paperasse que tu as et des papiers de constitution de la société?

— Non, dis-je en m'arrêtant. Mais je sais que quelqu'un est au courant.

— Pourquoi?

— Tout simplement qu'il est arrivé des choses bizarres depuis que j'ai commencé à enquêter.

Je tournai la tête vers lui.

— Je pense que Mattias, le frère de David, est derrière l'enlèvement. Je pense qu'il est prêt à n'importe quoi pour m'enlever les papiers.

Je venais de mettre cartes sur table et j'attendis sa réaction.

— Tu as une très faible opinion de quelqu'un que tu n'as jamais rencontré.

Sa voix était sinistre, et il me regarda fixement. Je sentais de la tension dans l'air.

— Je ne le connais pas. Je ne l'ai jamais rencontré. Mais David m'a dit des choses.

Je m'avançai et lui touchai légèrement le torse.

— Ce n'est pas un brave type. Je ne pense pas qu'il soit meilleur que son père. Ne me mens pas, Jakob. Connais-tu Mattias, toi aussi?

Il y eut un silence. Il prit une expression neutre, et je le vis réfléchir avec effort alors que nous nous regardions fixement. Mon cœur battait la chamade, et mon corps frissonna tandis que j'attendais qu'il me réponde.

— Oui, je le connais, dit-il en hochant la tête au bout d'une minute.

— Alors, nous avons un autre lien.

Mes paroles parurent accusatoires, même si j'essayais de faire une blague.

— Alors, est-il capable d'un enlèvement?

— Oui, je suppose. Je ne savais pas...

Sa voix s'éteignit.

— Tu ne savais pas quoi?

— Je crois que nous sommes en danger.

Il changea de sujet.

— De quelle façon as-tu connu les frères Bradley, Jakob?

Du bout des doigts, je serrai légèrement ses bras, et ses doigts se joignirent aux miens. Il resta un moment silencieux, et je sentis son cœur battre à tout rompre à travers nos doigts entremêlés.

— Je ne les connais pas bien, je le crains.

Il secoua la tête et recula d'un pas.

— Ramassons le bois, dit-il en s'éloignant de moi.

Je sentis mon corps battre la chamade dans mon ventre. Cet homme auquel je m'étais abandonnée me cachait encore quelque chose. J'en étais sûre. Pourquoi donc? Serais-je un jour capable de pleinement lui faire confiance?

Nous ramassâmes le bois en silence, puis retournâmes à la plage.

— Je reviens tout de suite. J'ai laissé tomber des branches, me cria Jakob en se retournant et en marchant vers la jungle.

— D'accord, marmonnai-je en le regardant se hâter.

Je bondis lorsque Steve apparut près de moi.

— Vous m'avez fait peur.

Je m'écartai d'un pas, soudain remplie d'appréhension.

— Désolé, je ne voulais pas vous effrayer.

— Ça va, dis-je en haussant les épaules. Essayez seulement de faire un peu de bruit quand vous vous approchez de quelqu'un. Je ne vous ai même pas entendu.

— Désolé, je suis habitué au calme et au silence dans ma profession.

Il me sourit avec un regard ironique.

— Ça va.

Je voulus lui demander quelle était sa profession, mais j'étais presque certaine qu'il ne me dirait pas la vérité.

— Aimeriez-vous aller en promenade, Bianca?

Steve m'offrit son bras, et j'essayai de songer à une raison de refuser.

— Ça semble être une bonne idée, mais attendons Jakob. Il voudra peut-être venir avec nous.

— J'espérais plutôt que nous puissions nous promener sans lui, dit Steve en plissant les yeux. Il y a des choses dont je voulais vous parler.

— Des choses comme quoi?

— Pardonnez-moi cette intrusion dans votre vie privée, mais je ne peux m'empêcher de penser que vous et Jakob n'êtes pas vraiment amoureux.

— Pourquoi dites-vous ça?

— Je ne vois aucune harmonie sexuelle entre vous. Vous semblez maladroite auprès de lui, dit-il en haussant les épaules. Vous savez que vous pouvez tout me dire, Bianca. Je vous protégerai, si vous voulez.

— Je ne sais pas de quoi vous parlez.

— Jakob est-il votre maître?

Il fit un pas vers moi, et je fronçai les sourcils.

— Mon *maître*? Que voulez-vous dire?

— Êtes-vous une esclave, Bianca ? dit-il en baissant la voix. Je me rappelle, vous m'avez parlé de trafic d'êtres humains, le premier soir, et je me demande maintenant si vous n'étiez pas en train de me donner un indice.

— Est-ce que j'ai l'air d'une esclave ?

Je secouai la tête. Steve était-il dément ?

— Comme je vous l'ai déjà dit, les apparences peuvent être trompeuses, dit-il en me prenant par le bras. Si vous venez avec moi, je prendrai soin de vous.

— Je n'ai pas besoin de vous, dis-je en secouant mon bras, ce qui fit tomber sa main. Merci de vous soucier de moi, Steve, mais je vais très bien.

Je regardai vers la plage en espérant voir Jakob revenir vers nous.

— Puis-je vous dire quelque chose, Bianca ?

Il parlait d'un ton insistant, qui m'étonna.

— Bien sûr, allez-y.

— Ceux qui surveillent sont ceux qui sont surveillés, ceux qui écoutent ne sont jamais entendus, ceux qui aiment sont destinés à avoir de la peine, et ceux qui cherchent la vérité se font toujours tromper.

— D'accord, dis-je en fronçant les sourcils. Qu'est-ce que ça veut dire ?

— Ça veut dire, ma chère, que vous êtes en danger.

Ses yeux s'agrandirent et il s'éloigna de moi. Mon cœur se mit à battre la chamade, et je voulus lui crier pour lui demander ce qu'il voulait dire. Il y avait quelque chose de tellement bizarre chez lui. Il commençait à me rappeler un sorcier.

— Tout va bien ? dit Jakob depuis la plage.

Et je restai là, incertaine. En le regardant s'approcher, je vis la méfiance et la colère dans le regard qu'il lançait à Steve. Il me regarda d'un air inquisiteur pendant quelques secondes, pour s'assurer que j'étais bien, et je lui fis un rapide signe de tête. Il eut l'air satisfait, et je courus vers lui, sachant que quelqu'un qui voulait me faire du mal ne s'en ferait pas pour ma sécurité.

— As-tu besoin d'aide pour transporter ça ?

Je lui fis un court sourire et offris de prendre quelques-unes des branches qu'il portait.

— Non, ça va, dit-il en fronçant les sourcils. Tu as le front en sueur. Est-ce que tu vas bien ?

— Ça va. Ce doit être le soleil, dis-je en mentant, car je ne voulais pas lui dire ce que Steve m'avait révélé, et mes doutes fugaces à propos de lui.

— Je n'aurais pas dû te laisser seule, dit-il en me fouillant du regard. Nous devons être plus prudents.

— Ça va. Je peux m'occuper de moi-même.

— Je veux m'en assurer, dit-il en regardant Steve. Il y a quelque chose de *bizarre* chez lui.

— Je sais, dis-je en hochant la tête. Mais je ne crois pas qu'il essaiera de me faire du mal si tu es là. Je crois qu'il est inoffensif. J'espère, en tout cas.

— Tout le monde paraît inoffensif, au départ, dit-il en laissant tomber les branches et en se dirigeant vers son pantalon pour y chercher le briquet. Arrache les feuilles aux branches, et allumons ce feu.

Il revint vers moi, je ne pus m'empêcher de fixer de nouveau ses jambes, si solides et musclées. Je voulais sentir ses jambes entre les miennes. Je me rappelai la sensation de les avoir sous moi alors que nous faisions l'amour. Je dévorai des yeux ses jambes, puis son torse, et tentai d'ignorer à quel point j'avais envie de le toucher. En vérité, même si j'étais encore en colère contre lui, je le désirais tout de même. Je voulais seulement appuyer tout mon corps contre lui et sentir sa chaleur et son confort.

— As-tu froid ? dit Jakob en me regardant frissonner.

Je hochai la tête en signe d'assentiment.

— Allumons ce feu, alors, s'exclama-t-il en tombant à genoux.

Je ne voulais pas qu'il sache pourquoi au juste mon corps tremblait.

Chapitre 10

L e feu ajouta une autre dimension à la plage. J'avais presque l'impression d'être à une fête de plage, quelque part. Presque, mais pas tout à fait.

— J'ai faim, dit Steve.

Je fis un signe de tête affirmatif.

— Et si on allait chercher d'autres bananes ? dis-je en regardant Jakob, tout en espérant qu'il ait une autre suggestion.

— On peut bien, dit-il en hochant la tête. Ou on peut chercher d'autres fruits à cueillir.

— Comment saurons-nous s'ils sont toxiques ou non ?

— On ne cueillera tout simplement pas de fruits dont on n'est pas sûrs.

— J'ai vu des baies vertes dans la jungle, dit Steve. Je pense qu'elles avaient l'air mûres.

— Quel genre de baies ? dit Jakob en le regardant.

Steve haussa les épaules.

— Les baies sont les pires genres de fruits à cueillir et à manger. Elles peuvent être hautement toxiques. Je dirais qu'on devrait éviter les baies. On ne sait pas lesquelles peuvent nous tuer.

— C'est sage, dis-je en hochant la tête. Je n'aime pas tellement les baies, de toute façon ; je me retrouve toujours avec des pépins coincés entre les dents, et c'est difficile de les en sortir.

— Si tu as besoin d'aide, j'ai une langue sensationnelle, me dit Jakob avec un sourire, ce qui me fit rire.

— Je pense que je pourrai me débrouiller.

— Alors, êtes-vous prêts, tous les deux ? demanda Jakob en se relevant d'un bond. Allons dans la jungle.

— Est-ce qu'on devrait laisser ce feu allumé ? dit Steve en fronçant les sourcils et en restant assis.

— Ça ira, dit Jakob, le visage dur. Si vous avez faim, je vous suggère de venir dans la jungle avec nous.

— Très bien.

Steve se leva maladroitement, et nous nous dirigeâmes en silence vers la jungle.

— Alors, Jakob, commença Steve. Parlez-moi de vous.

— Que voulez-vous savoir ?

— D'après vous, pourquoi avez-vous été kidnappé ? Vous m'avez l'air d'un type assez costaud. Quelqu'un aurait été imprudent en attirant votre colère.

— Le monde est rempli d'idiots. Faites-moi confiance : ce sera moi qui rirai le dernier.

— Je craindrais d'être en mauvais termes avec vous, c'est certain.

— Vous n'avez pas l'air très effrayé, dit Jakob en s'arrêtant et en se tournant vers lui. En fait, il me semble que vous dites très clairement que vous n'avez pas peur de moi.

— Je suis un bon acteur, je suppose, dit Steve avec un rire faible.

Je fronçai les sourcils lorsque Jakob fonça vers lui.

— Jakob, qu'est-ce que tu fais là ?

Je m'avançai d'un pas et posai la main sur son bras.

— Ne lui fais pas mal.

— Je ne vais pas lui faire mal.

Jakob plissa les lèvres, qui n'étaient plus qu'une mince ligne, et il eut un air sinistre.

— Je veux seulement que Steve sache qu'il a raison d'avoir peur de moi. Peu de gens survivent après m'avoir mis en colère.

Il y eut un silence dans l'air et nous restâmes tous immobiles. Je vis gonfler les veines au front de Steve. Je me sentis un peu mal pour lui, puis je remarquai l'expression de son visage. Il y avait une ombre de sourire, comme s'il était heureux d'avoir fait craquer Jakob. Je détournai le regard et fronçai les sourcils. Steve n'était peut-être pas aussi effrayé qu'il l'avait laissé croire. Steve jouait peut-être un jeu avec nous, et peut-être étions-nous involontairement ses jouets.

— Il a peut-être un revolver, Jakob.

«Recule et cesse de jouer au superhéros!»

— Quel revolver? dit Steve en fronçant les sourcils, l'air effrayé. Je n'ai pas de revolver.

— Nous avons entendu une détonation, l'autre jour.

Je grattai une petite morsure de fourmi sur mon bras et le regardai pour voir s'il disait la vérité.

— Entends-tu ça?

Le regard alerte, Jakob murmura et pointa du doigt son oreille.

— Écoute bien.

Il posa un doigt sur ses lèvres et regarda rapidement autour de lui. Je fermai les yeux en écoutant soigneusement pour entendre de quoi il parlait. Le cœur me manqua :

un bruit de course. Je ne savais pas ce que c'était, mais cela courait vite.

— Qu'est-ce que c'est que ce bruit ?

Effrayée, je m'accrochai au bras de Jakob, et il m'attira vers lui.

— Écoute, dit-il après avoir écouté pendant un moment. Entends-tu ça ?

Je fermai de nouveau les yeux et écoutai. J'entendis un grognement bizarre. Au début, je croyais que c'était un homme hors d'haleine, puis je réalisai exactement ce que c'était.

— C'est un sanglier, s'exclama Steve à voix haute, avant que Jakob hoche la tête.

— Voulez-vous manger du sanglier, ce soir ? dit-il, les yeux brillant, en me regardant.

— Qu'est-ce que tu vas faire ?

— Suis-moi.

Il me prit la main et se mit à courir en direction du grognement.

— Et Steve ? m'exclamai-je alors que nous courions.

— Il se débrouillera, dit Jakob en relâchant ma main et en prenant une pierre. Il va seulement nous ralentir. Reste près de moi, et tout ira bien.

Je le regardai courir devant moi, et je m'efforçai de courir avec lui. C'est alors que le sanglier dut nous entendre, car le grognement devint soudainement plus fort, tout comme les craquements de branches à mesure que le sanglier se remettait à courir. Je regardai Jakob bondir après le sanglier et je courus le plus vite possible pour les rattraper tous les deux. J'entendis un fracas, puis un cri épouvantable au loin. Je courus aussi vite que possible dans la brousse pour voir ce qui s'était passé.

Je figeai en arrivant. Jakob était assis par-dessus le sanglier et lui défonçait la tête. Je criai et il figea.

— Regarde ailleurs, Bianca! m'ordonna-t-il du dessus de l'animal.

— Je ne veux pas l'entendre non plus!

Je voulus pleurer alors que je restai là en fixant les arbres, essayant d'ignorer le bruit du sanglier mort qui grognait, mourant, la tête fracassée. J'entendis finalement Jakob qui laissa tomber la pierre sur le sol et je le regardai.

— Tu l'as tué?

J'étais abasourdie, et ma voix était basse alors que je fixais l'animal mort.

— Tu voulais manger autre chose que des bananes, ce soir, non?

— Mais tu l'as tué.

Je m'étranglai en fixant Jakob. Son torse se levait rapidement, et il haletait. Son regard devint fou, et ses mains étaient pleines de saleté et de sang.

— Qu'est-ce qui allait arriver, Bianca? Croyais-tu que je le pourchassais pour le plaisir?

— Non.

Je secouai la tête et regardai par terre. Je sentis monter les larmes dans mes yeux.

— Je ne m'attendais tout simplement pas à ce que tu l'attrapes.

— Bianca, dit-il en s'approchant de moi, nous sommes perdus sur une île. Nous devons faire ce que nous pouvons pour survivre.

— Je ne m'attendais pas à te voir le tuer, c'est tout, dis-je en fixant le sanglier et la pierre posée au sol près de Jakob. Ça me paraît tellement primitif.

— C'est primitif, répéta Jakob en me prenant les épaules et en m'obligeant à le regarder. C'est la situation dans laquelle nous nous trouvons, Bianca. Nous ne sommes pas dans une station balnéaire ni dans une émission de télé. Nous ne jouons pas à *Survivor*. Nous sommes en train de le vivre. Nous devons faire ce qu'il faut.

— Mais tu l'as tué.

— Et je le tuerais encore, si cela devait nous permettre de manger, dit-il, le regard dur. Suis-je mauvais pour autant ?

— Non, dis-je en me mordillant la lèvre inférieure, puis je le regardai et appuyai mes lèvres contre les siennes. Je ne suis pas naïve, Jakob. Je comprends dans quelle situation nous sommes.

Je fermai les bras alors que les siens me serraient contre lui.

— Seulement, je ne me suis jamais attendue à voir mon dîner tué devant mes yeux.

— Tu ne savais pas que plus la viande est fraîche, meilleure elle est ? murmura-t-il contre mes lèvres, avant de me donner un baiser fougueux.

Je m'accrochai à lui et l'embrassai passionnément. J'avais l'impression d'avoir une expérience de hors-corps ; tout autour de moi paraissait surréel. J'étais là avec un chasseur grand, sombre et dangereux, et je lui permettais de me toucher et de m'embrasser comme si cela ne me faisait rien du tout.

— Nous devons rapporter ce sanglier jusqu'au feu.

Il m'écarta de lui et me regarda dans les yeux avec une expression plus légère.

— Crois-tu que tu seras capable de m'aider à le transporter?

Je hochai la tête et essayai de cacher mon frisson. Je ne voulais pas vraiment toucher au sanglier, mais je savais que si je voulais manger une partie de la carcasse, je devais aider d'une façon ou d'une autre.

— En fait, ça va, dit-il en secouant la tête. Je peux le porter moi-même.

— Quoi? dis-je en fronçant les sourcils. Non, je peux t'aider.

— Je vois à ton expression que tu aimerais mieux ne pas y toucher, dit-il en souriant et en me caressant la joue. Ça va. Ces muscles doivent bien servir, ajouta-t-il en exhibant ses biceps.

Je grognai.

— Vantard, dis-je en roulant des yeux. On pourrait toujours aller chercher Steve pour qu'il t'aide à le transporter.

— Je suis sûr qu'on pourrait, dit Jakob en roulant des yeux à son tour. Attends, laisse-moi saisir le sanglier avant que la rigidité cadavérique s'empare de lui.

— Est-ce que ça n'arrive pas dès que la mort survient?

— Je n'en ai aucune idée.

Il s'accroupit et saisit l'animal mort.

— Crois-tu que ses frères et sœurs sont en train de nous regarder et de préparer leur vengeance? murmurai-je à Jakob alors qu'il saisissait le sanglier.

Soudain, il fit très noir, et je commençai à me sentir mal à l'aise dans la jungle. Je sentis que des animaux nous regardaient fixement depuis les arbres. Les animaux qui avaient probablement vu Jakob tuer l'un de leurs amis. Des animaux qui craignaient probablement être les suivants. C'était un remake de *Garennes de Watership*, sauf que le monde n'était pas fait que de lapins.

— Je crois que ça va, dit Jakob en marchant devant moi et en portant l'animal mort comme s'il était léger comme une plume.

— As-tu déjà lu *La ferme des animaux*, quand tu étais jeune?

Je le suivis de près.

— Je crois que tout le monde l'a lu à l'école, non?

— Ouais, j'imagine. Je veux dire : je sais que c'était une allégorie sur la société, mais t'es-tu déjà demandé à quoi ressemblerait le monde si les animaux décidaient de riposter?

— Riposter? dit-il d'une voix qui paraissait amusée.

— Je veux dire, je suis sûre qu'ils n'aimeraient pas qu'on les tue uniquement pour nous nourrir et nous vêtir.

— Es-tu végétarienne?

— Non, non, dis-je en secouant la tête. Mais je dois avouer que j'ai parfois songé à ce que serait la vie si les animaux décidaient de riposter. Et si, au lieu de s'enfuir, le sanglier avait couru vers toi et essayé de t'attaquer?

— Ce ne serait pas très inhabituel. Bien des sangliers attaquent des gens.

— Tu aurais eu peur, non?

— J'aurais battu en retraite.

— Tu vois, lorsque les animaux vont comprendre ça, ils vont commencer à riposter.

— C'est ce qu'ils faisaient dans *La Planète des singes*, je suppose.

J'entendis le rire dans sa voix et je fronçai les sourcils.

— Tu me trouves ridicule, non?

— Pas du tout. Je crois que tu aimes penser en dehors du cadre, et c'est rafraîchissant.

— Je crois que c'est parce que j'ai grandi avec un père qui m'encourageait toujours à penser à l'extérieur des paramètres normaux.

— C'est logique.

— Parfois, je me demande si je suis un peu folle.

— On est tous un peu fous, répondit-il sérieusement.

— Est-ce que tu étais sur le point de frapper Steve, tout à l'heure? demandai-je en espérant que ma question ne le rende pas furieux.

— Je n'allais pas le frapper, non.

— On aurait dit que oui.

— Je lui donnais seulement un avertissement.

— Un avertissement ou une menace?

— Qu'il prenne ça comme il veut.

— Crois-tu qu'il a eu peur?

— Pas autant qu'il le devrait.

— Il y a quelque chose chez lui qui me donne la chair de poule, finis-je par avouer. Ça me dérange vraiment de dire ça, parce que je ne le connais pas vraiment, mais il y a quelque chose chez lui qui paraît vraiment bizarre.

— Je sais très bien ce que tu veux dire.

Il s'arrêta pile et me regarda pendant quelques secondes avant de continuer.

— Il ne me dit rien qui vaille, Bianca. S'il te plaît, méfie-toi de lui.

— Je le ferai.

Je hochai la tête et nous continuâmes à marcher. Mon estomac gargouilla, et je sentis la tension dans mon dos. Je me frottai les mains alors que nous revenions sur nos pas dans la jungle ; j'essayai de me débarrasser de l'image qui me venait à l'esprit. Je ne pouvais m'empêcher de penser à Jakob debout là à côté du sanglier, avec la pierre ensanglantée à la main. Mon cerveau fit tic-tac, et je me dis qu'il me fallait peut-être me méfier à la fois de Jakob et de Steve. J'étais plutôt certaine de sous-estimer ce que les deux pouvaient et allaient faire. J'espérais seulement qu'ils se ciblaient mutuellement.

Steve nous attendait sur la plage lorsque nous revînmes avec le sanglier. Ses yeux s'agrandirent lorsqu'il vit la bête, et je remarquai un échange de regards entre lui et Jakob.

— Je vais aller chercher des pierres acérées pour voir si on peut enlever la fourrure.

Jakob me regarda longuement et s'éloigna. Je le suivis des yeux en me demandant s'il voulait que je l'accompagne.

— J'ai quelque chose pour vous, dit Steve en se rapprochant de moi à pas rapides. Son boitillement était plus prononcé, et je me demandai s'il s'était blessé encore plus en marchant avec nous dans la jungle.

— Qu'est-ce que c'est ? lui dis-je en le regardant d'un air perplexe.

— J'ai trouvé cette note dans la jungle.

Steve me la glissa dans la main et s'éloigna rapidement. Je baissai les yeux et la lus.

Prenez garde à celui à qui vous accordez votre confiance et votre amour. Il vous dupe. Vous devez vous enfuir dès que possible.

Je la relus soigneusement, puis la jetai dans le feu. Je restai immobile en repensant à la note. Elle était écrite sur le même genre de papier et dans le même style d'écriture que les autres notes. Seulement, cette fois, on aurait dit qu'elle avait été griffonnée à la hâte. Et le ton de la note semblait bizarre. Le conseil était un peu trop direct, par comparaison avec les autres notes. On aurait dit que celui qui les écrivait était fâché du fait que j'étais devenue trop proche de Jakob. Mon cœur se mit à bondir quand je m'aperçus que Steve était peut-être responsable d'avoir laissé les notes sur l'île et la lettre chez moi. J'avais la tête qui tournait en m'apercevant que je ne savais rien à rien. Cependant, je savais que si c'était la même personne qui avait laissé toutes les notes ; il savait sans doute exactement ce qui se passait. Je ne m'attendais pas à ce qu'il me dise tout, mais j'aurais voulu avoir quelques indices.

— Steve, lui criai-je. Où avez-vous trouvé cette note ?

— Je l'ai trouvée dans la jungle, près de la cascade.

Il haussa les épaules et se détourna. Je soupirai et regardai fixement le feu. L'avait-il vraiment trouvée près de la cascade ? Si oui, comment était-elle arrivée là ? Et qui l'y avait laissée ? Y avait-il quelqu'un d'autre sur l'île avec nous, ou est-ce que je connaissais déjà l'homme qui m'avait laissé toutes les notes ?

Je ne savais pas si je pouvais faire confiance à Jakob ou à Steve. Jakob avait-il essayé de tuer Steve, et voulait-il ma peau, comme le sous-entendait Steve, ou Steve était-il le véritable cerveau derrière tout cela ? Le problème, c'était que je ne savais pas pourquoi l'un ou l'autre d'entre eux voulait me faire du mal, mais c'était peut-être une sorte de blague malsaine. Comme j'avais déjà regardé la série *Esprits criminels*, je savais que parfois, les maniaques choisissent leurs victimes sans rime ni raison. Je voulais bien croire que Steve était responsable de toutes les notes, mais en fait, c'était Jakob qui m'avait menti tant de fois. Pourquoi aurait-il fait semblant de ne pas connaître les Bradley ? Et je m'aperçus soudain que Jakob avait disparu chaque matin. Il aurait pu tout aussi bien cacher les notes. En fait, il avait peut-être laissé la première note sur la plage, à côté de nous. Il s'était réveillé avant moi, à la fois dans le coffre arrière et sur la plage. À ma connaissance, il n'avait pas été drogué, non plus. Jakob travaillait peut-être pour les Bradley. Cela expliquerait pourquoi il s'était trouvé au café, ce jour-là. Il était peut-être chargé de repérer les documents. Peut-être jouait-il délibérément au chat et à la souris. Peut-être voulait-il semer en moi la confusion afin que je lui fasse confiance. Mais alors, je regardai Steve, vis son regard calculateur et sus qu'il cherchait à me faire douter de Jakob. Tout ce qu'il avait fait et dit, c'était dans l'espoir que je ne fasse plus confiance à Jakob. J'étais certaine que Jakob ne m'avait pas dit toute la vérité, mais je sus à ce moment que si je devais choisir qui d'entre Jakob et Steve je devais croire, ce serait carrément Jakob. Je regardai Steve en plissant les yeux, et je lus la déception dans son regard alors qu'il s'éloignait de moi.

— Ça va ? dit Jakob en s'approchant de moi et en posant son bras sur mes épaules.

— Ça va, dis-je en hochant la tête. Je voudrais seulement sortir de cette île.

— Où est Steve ?

Sa voix passa de la bienveillance à l'hostilité.

— Je crois qu'il est allé dans l'eau.

Je continuai de regarder droit devant moi en me demandant si je devais parler de la note à Jakob.

— Je suis presque certain qu'il a un couteau, dit Jakob à voix basse en se penchant vers moi.

— Comment le sais-tu ? dis-je en déglutissant avec difficulté.

— Je l'ai vu, dit-il en se retournant. Je ne voulais pas qu'il sache que je le savais.

— Pourquoi a-t-il un couteau ? dis-je en tressaillant.

Jakob me serra dans ses bras.

— Te rappelles-tu quand je t'ai demandé si tu pouvais tuer quelqu'un ? murmura-t-il à mon oreille.

Et je figeai.

— Qu'est-ce que tu dis là ?

— Je dis que tu dois me trouver ce couteau, dit-il en me regardant.

Ses yeux paraissaient noirs comme la nuit, et s'ils reflétaient ses pensées, celles-ci étaient extrêmes.

— Qu'est-ce que tu veux que je fasse ?

Mon estomac s'effondra lorsque je compris où cela menait. Si j'avais été effrayée en le voyant tuer le sanglier, je ne savais pas comment j'allais réagir s'il s'en prenait à Steve.

— J'ai juste besoin que tu me rapportes son flacon, dit-il en saisissant mon bras. Je ne sais pas si tu as remarqué, mais on dirait que quelque chose est collé au fond de son flacon.

— Je n'ai rien vu de tel.

— Va juste lui demander de te servir un verre. Il te fait confiance. Il baissera la garde avec toi.

— J'imagine.

Je fermai les yeux pour me calmer.

— Rapporte-moi le couteau lorsque tu l'auras, m'ordonna-t-il. Comprends-tu ?

— Oui, dis-je en hochant la tête, ne sachant trop quoi faire.

Si la note disait vrai, cela voulait dire que Jakob voulait ma peau. Si je volais à Steve son couteau pour le donner à Jakob, cela serait peut-être fatal pour moi. Je sentis les lèvres de Jakob posées sur ma joue, et je me fondis en lui. Je ne croyais pas Jakob capable de me faire mal, mais je savais déjà qu'il me mentait à propos de quelque chose. Il avait avoué connaître David et Mattias, à un certain degré. Il avait même fait remarquer qu'ils travaillaient ensemble. Comment pouvait-il le savoir ? À moins, bien sûr, de connaître les deux frères mieux qu'il ne l'avait révélé. Et si c'était vrai, peut-être était-il ici pour me faire taire, pour m'empêcher de découvrir exactement ce qui était arrivé à ma mère. Il avait peut-être été placé sur l'île pour me faire du tort, pour me faire taire à jamais. D'ailleurs, je me demandai s'il était là pour découvrir exactement quelle information j'avais. C'était logique, car il m'avait posé toutes sortes de questions sur mon père. Qui d'autres pouvait s'en soucier autant ?

Mais alors que j'étais dans ses bras et que je repensais à la façon tendre avec laquelle il m'avait fait l'amour et prodigué des caresses, je commençai à douter qu'il veuille me faire mal. S'il était là pour me tuer, pourquoi avouait-il avoir connu Bridgette ? Pourquoi aurait-il été kidnappé, lui aussi ? Pourquoi Steve m'avait-il donné une note écrite sur le même papier que les autres que j'avais reçues ? Cela ne concordait pas. C'était nécessairement Steve qui cherchait à me manœuvrer psychologiquement et à me manipuler. Son plan fonctionnait, car il me poussait à douter de Jakob.

— N'aie pas peur, mon amour, murmura Jakob à mon oreille, tout en me caressant le dos. Je ne permettrai pas à Steve de te faire du mal.

Mon cœur bondit en l'entendant me parler tendrement, et je le regardai dans les yeux. Son regard était si sincère et rempli d'émotion que je me demandai comment j'avais pu douter de lui pendant une seconde.

— Steve a essayé de me mettre en garde contre toi, murmurai-je contre ses lèvres alors qu'il m'embrassait.

Son visage se déforma, et il me regarda dans les yeux avec un air interrogateur.

— Il m'a donné une note, murmurai-je frénétiquement. Elle ressemblait aux autres.

— Qu'est-ce que tu veux dire ? dit-il en plissant les yeux.

— Elle était écrite sur le même genre de papier et, même si je n'en suis pas certaine, par la même personne que les autres notes, avec une écriture légèrement différente.

— Qu'est-ce qu'elle disait ?

— Elle me disait de me méfier de toi. De m'enfuir de toi.

— Il essaie de nous séparer, dit-il en fronçant les sourcils. Il veut diviser pour régner.

Il me serra les mains ensemble et respira à fond.

— Je n'essaie pas de te nuire, Bianca. Je te le jure. Je veux seulement arriver à la vérité.

— Je sais, dis-je en hochant la tête. Je sais.

— J'aimerais que les choses soient différentes, grogna-t-il en passant sa main dans ses cheveux emmêlés. C'était une erreur. Il faut que j'arrive au fond des choses.

— Tu seras prudent, n'est-ce pas ? murmurai-je, soudainement terrifiée.

Je voulais arriver aux fonds des choses, moi aussi, mais je ne voulais pas qu'on me fasse de mal. Je voulais fermer les yeux et revenir à mon appartement. Je tressaillis en m'apercevant que c'était une illusion. Je ne me sentais plus en sécurité non plus à mon appartement.

— Trouve-moi ce couteau, c'est tout, dit-il d'une voix sinistre.

Pendant un moment, le cœur me manqua. L'homme qui se trouvait devant moi n'était plus mon doux amoureux, mais un géant terrifiant.

— Je vais aller dans la jungle, murmura-t-il. Je vais me tenir à l'orée, mais tu pourras lui dire que je suis retourné à la cabane. Cela lui donnera un sentiment de fausse sécurité.

— Penses-tu qu'il me croira ?

— Il te croira si tu lui dis que j'y ai laissé quelque chose. Dis-lui que je suis allé chercher quelque chose pour écorcher le sanglier.

— Tu as dit que tu allais utiliser des pierres.

— Dis-lui que les pierres que j'ai trouvées ne faisaient pas l'affaire.

— D'accord.

Je me mordis la lèvre inférieure.

— Et ensuite ?

— Ensuite, trouve le couteau.

— Comment ?

— Il le garde dans sa poche arrière. C'est pourquoi il n'a pas enlevé son pantalon. Tu devras trouver un moyen de le lui prendre. Fais semblant de trébucher sur lui et prends-le.

— On dirait un truc de pickpocket.

— C'est ce que tu essaies de faire.

Il me prit par la main et me regarda avec intensité.

— Tu dois être prudente, Bianca. *Très* prudente. S'il soupçonne quoi que ce soit…

— Je ferai attention, dis-je en hochant la tête. Je trouverai le couteau.

Je déglutis avec peine quand me vint une autre pensée.

— Crois-tu qu'il a aussi un revolver ?

Je repensais à la forte détonation que nous avions entendue à la cascade.

— Je crois qu'il a quelque chose, mais je ne crois pas que ce soit un revolver. S'il avait un revolver, je crois qu'il s'en serait servi contre moi depuis longtemps.

Il baissa la voix.

— Je vais surveiller autant que possible.

Il me serra contre lui.

— Appelle-moi au besoin.

— Je ne sais pas si je peux le faire.

Mes paupières s'alourdirent alors que je m'accrochai à ses bras. Ma voix trembla et je baissai les yeux vers le sol, gênée.

— Mais tu n'as pas à le faire, dit-il en secouant la tête. Je ne te demanderai pas de le faire si tu as trop peur.

Il me serra la tête contre son torse et me caressa les cheveux.

— Je peux m'occuper de toi, Bianca. Je ne te mettrai pas en danger.

Quelque chose dans sa voix me donna la force dont j'avais besoin, et je m'écartai de lui.

— Je suis désolée. Je peux essayer.

Je déglutis et redressai les épaules.

— J'ai toujours été une personne passive, mais j'essaie d'être plus forte.

C'était grâce à mon père. Toute cette situation consistait à découvrir ce qui était arrivé à ma mère. Je ne pouvais me laisser abattre par la peur.

— C'est drôle, c'est ce que ma mère m'a enseigné, aussi, dit-il avec un sourire ironique. Mais les deux semblaient le prendre et l'accepter.

Je hochai la tête sans dire un mot, et nous nous contentâmes de nous regarder fixement. Je regardai Steve qui sortait de l'océan, et quelque chose cassa en moi.

— Éloigne-toi de moi! criai-je en éloignant Jakob. Menteur! Éloigne-toi de moi!

— Quoi?

Il me saisit et je tendis les bras pour le gifler. Je frappai des poings contre son torse et secouai la tête comme une folle.

— Tu me le paieras! criai-je en me penchant à l'avant. Cours, va-t'en dans la jungle, murmurai-je en l'implorant des yeux. Je vais trouver le couteau.

Il hocha la tête pour me signifier qu'il comprenait, et recula.

— Je reviendrai quand tu te seras calmée, dit-il d'une voix forte.

— Laisse-moi seule! hurlai-je en courant vers Steve.

— Ça va? dit Steve, les yeux exorbités en s'approchant de moi.

Il avait une expression ardente et satisfaite, et je savais qu'il avait avalé mon petit numéro.

— Je lui ai dit ce que je savais à propos de la note, lui dis-je en faisant semblant d'être furieuse.

— Vous le lui avez dit ? demanda-t-il en me serrant les bras. Pourquoi avez-vous fait cela ? Il sera furieux.

— Je dois savoir la vérité. Je dois savoir pourquoi il me terrorise.

— Il ne vous dira jamais la vérité, idiote, dit Steve dont la voix changea et le regard devint coléreux.

— Puis-je avoir quelque chose à boire ? dis-je en tendant la main, espérant qu'il me donne le flacon sans même réfléchir. Il faut absolument que je prenne un verre tout de suite.

— Bien sûr.

Il plongea la main dans sa poche et l'en tira. Je regardai immédiatement le fond du flacon, et c'est alors que je m'aperçus que la lame d'acier collée au fond n'était pas complètement au même niveau. Steve figea en s'apercevant que je la regardais.

— Je vais garder l'alcool pour moi, après tout.

Il s'écarta d'un pas.

— Je sais que vous m'avez envoyé les lettres, dis-je en haletant.

Je savais que je prenais un risque, mais je voulais connaître la vérité et aussi le distraire assez longtemps pour m'emparer du flacon.

— Je sais que c'est vous.

— Il vous l'a dit ?

Il figea et je vis son expression devenir désagréable.

— Je ne peux pas croire qu'il vous ait parlé du plan.

— Vous travaillez avec David ? dis-je en fronçant les sourcils. Pourquoi est-ce que vous ne me l'avez pas dit ?

— David vous l'a dit ? dit-il en marquant un temps d'arrêt et en s'avançant d'un pas. Qu'est-ce qu'il vous a dit ?

— David ne m'a pas parlé des notes, m'empressai-je d'ajouter. Je ne savais pas que cela faisait partie du plan. Il m'a tout simplement dit que Mattias ne voulait pas que je me mêle des affaires de la société Bradley. Il m'a dit que je devais plutôt disparaître pendant quelques jours. Je ne savais pas que c'était lui qui allait me faire disparaître.

— David ? Ou Mattias ?

Il fronça les sourcils, et je sus alors que Steve n'était nettement pas là pour me protéger. S'il était au courant de l'implication de David, cela voulait dire qu'il n'était pas ici pour m'aider. Le fait qu'il ait nommé Mattias me disait tout ce que j'avais à savoir. Cela faisait de lui l'ennemi. Je m'écartai de lui et trébuchai au sol. Steve resta debout devant moi, les yeux baissés, avec un éclat furieux dans les yeux.

— Je suis désolé, Bianca.

— Désolé pour quoi ? demandai-je en essayant de me relever d'un bond.

Dans ma hâte, je retombai et nous figeâmes tous les deux en entendant des pas de course dans notre direction. Je me retournai et vis s'approcher Jakob.

— Qu'est-ce que tu fais là ? lui criai-je en bondissant.

Mon cœur bondit de joie, et mon estomac virevolta.

— Je ne pouvais pas te laisser faire cela seule, dit-il avec une expression démente. Je me tuerais s'il t'arrivait quelque chose.

— De quoi parlez-vous, tous les deux ? dit Steve en nous regardant à tour de rôle, ses yeux se plissant alors qu'il me regardait fixement. Vous n'étiez pas vraiment en train de vous disputer, n'est-ce pas ?

— Croyez-vous vous en tirer, Steve ? dit Jakob d'une voix forte et en colère. Croyez-vous pouvoir jouer ce jeu avec nous ?

— Vous ne vous connaissiez pas quand vous êtes arrivés sur l'île, dit Steve en me fixant. Écoutez-moi, Bianca. Cet homme se moque de vous. Rien de tout cela n'est arrivé par hasard. Je suis venu pour vous protéger. Je suis là pour vous aider à chercher votre vérité.

— Il te ment, Bianca, dit Jakob en me prenant le bras et en m'attirant vers lui. Je te jure que cet homme te prépare un mauvais coup.

— Pourquoi ne lui dites-vous pas ce qu'elle fait vraiment ici ? dit Steve en s'avançant et en tirant le couteau du fond de son flacon avant de lancer le flacon au sol.

Il me désigna le couteau qui luisait au clair de lune, et je hurlai lorsqu'il courut vers nous, en tenant la lame bien haut.

— La ferme ! me cria-t-il alors que je continuais de hurler.

Il fonça vers nous, et je remarquai immédiatement qu'il ne boitait plus.

— Recule, Bianca.

Jakob me poussa derrière lui et fonça vers Steve. Il s'empara du bras de Steve, qui donna un coup de genou au ventre de Jakob. Il se plia et Steve en profita pour lui envoyer un crochet du droit au ventre.

— Jakob ! hurlai-je en regardant les deux hommes se battre.

Je ne sus pas quoi faire, mais je faillis tomber au sol, soulagée, en voyant Jakob se relever bien droit et frapper Steve au visage. Il saisit le visage de ce dernier et le frappa à nouveau.

Je regardai fixement le combat et des larmes coulèrent sur mon visage. Je n'avais jamais eu aussi peur de ma vie.

Jakob était nettement plus costaud, mais Steve avait un couteau.

— Attention, Jakob! criai-je d'une voix forte, essayant de l'avertir que Steve s'avançait pour essayer de le poignarder.

— Cours, Bianca.

Sa voix était rauque et je vis les deux hommes tomber au sol.

— Cours! me cria-t-il de nouveau en se tournant vers moi.

Je le regardai, en état de choc, et Steve, soudainement très agile, le poussa et lui appuya le couteau sur le cou.

— Arrêtez!

Je m'avançai pour frapper Steve à la tête, mais le regard que me fit Jakob me figea.

— Cours! m'ordonna de nouveau Jakob. Ne t'en fais pas pour moi, Bianca. Tu dois courir et te cacher.

Pendant quelques secondes, je fixai les deux qui se battaient et vis Steve qui me regardait. Ses yeux ressemblaient à des fentes maléfiques, et je vis qu'il ne faisait plus semblant d'être un brave type.

— Cours, Bianca!

Cette fois, je n'hésitai plus.

Chapitre 11

En courant sur le sable de la plage, j'entendis les deux hommes se battre, mais ne me retournai pas. J'avais mal aux jambes, et j'avais l'esprit engourdi, mais je ne m'arrêtai pas.

— Fais bien ça, Jakob, s'il te plaît, fais bien ça, marmonnai-je à moi-même en courant.

Je courus vers la jungle et entre les arbres, jusqu'à la cabane. J'avais l'esprit tétanisé par la peur, et je ne pouvais penser qu'au regard de Steve lorsqu'il m'avait regardé devant lui. Il voulait me tuer. Je m'arrêtai en pensant que Jakob était peut-être en train de se faire blesser. Le souffle rapide et chaotique, je me retournai. Je devais revenir à la plage pour l'aider et m'assurer qu'il allait bien. Je ne pouvais le laisser là tout seul. Peut-être qu'en bondissant sur Steve, je pourrais le distraire assez longtemps pour que Jakob s'empare du couteau.

Mon souffle s'alourdit lorsque je pensai au couteau. Quand Jakob avait-il vu que Steve avait un couteau ? Pourquoi ne l'avait-il pas dit bien avant ? Je m'effondrai au sol, soudainement envahie par les larmes. J'avais peur, vraiment peur. Je n'avais peut-être jamais eu aussi peur de ma vie. J'étais perplexe. Quelque chose clochait, et rien de tout cela n'avait de sens. Je tombai au sol et sanglotai, ne sachant quoi faire.

J'entendis un craquement au-dessus de moi et me relevai d'un bond. «Ne t'effondre pas maintenant, Bianca», me dis-je intérieurement. Puis, je sautai sur place pour me donner de l'énergie et m'époussetai les jambes. Je regardai vers la plage et réfléchis pendant un moment. «Sauve-toi, Bianca.» Je commençai à m'enfoncer en courant dans la jungle. «Tu ne pourras pas trouver la vérité si tu meurs.» Mon cœur voulait que je revienne à la plage pour aider Jakob, mais mon cerveau me disait de m'occuper de moi. Je courus vers la cabane, impatiente de me mettre à l'abri. Je courais si vite que je trébuchai sur de petites roches et jaillis précipitamment dans les buissons. Je m'éraflai le genou, qui se mit à brûler, mais je continuai tout de même.

Je faillis pleurer de soulagement en arrivant à la petite cabane, à laquelle j'avais eu si peur de retourner. J'ouvris impatiemment la porte et entrai en boitillant. Mes yeux se portèrent immédiatement vers la table du coin. Elle n'était plus vide. Je m'en approchai et vis une pile d'emballages de bonbons et un stylo. Je fronçai les sourcils en fixant la table. J'étais certaine que ces emballages ne s'étaient pas trouvés là auparavant. Je regardai au sol pour voir s'il n'y avait pas autre chose. Il y avait quelques bouts de papier que je ramassai, mais ils étaient vides. Je m'appuyai contre le mur et fermai les yeux en essayant de maîtriser mon souffle. C'est alors que je vis quelque chose de blanc qui dépassait d'un morceau de tissu étendu au sol, dans l'autre coin de la cabane. Je m'y dirigeai et tirai sur le tissu. Je haletai en voyant que c'était une photo. Je la pris et la regardai fixement, et je pâlis.

Sur cette photo, il y avait ma mère, mon père, et moi.

C'était l'une des seules photos que j'avais de nous trois. La dernière fois que je l'avais vue, elle s'était trouvée dans la boîte de mon père, dans mon appartement. Je pressai la photo sur mon cœur, qui battait la chamade, et je commençai à me sentir claustrophobe. Je regardai autour de moi pour voir si je pouvais trouver autre chose en attendant. J'observai rapidement le reste de la cabane, et je ne trouvai que quelques feuilles du même papier que celui qui avait servi à écrire les notes. M'effondrant au sol, je fermai les yeux et priai pour que Jakob sorte vainqueur de son combat avec Steve. C'était ce dernier qui avait écrit les notes. De toute évidence, il travaillait pour mon ravisseur. Le fait de trouver une photo de ma famille dans cette pièce me disait que quelqu'un était allé dans mon appartement pour fouiller mes biens personnels. Peut-être la photo était-elle un avertissement. Peut-être était-ce pour Mattias une façon de me dire de reculer. Je laissai tomber la photo au sol et me mis à pleurer. Je ramassai la photo et la fixai pendant quelques minutes avant de la retourner. Mon cœur s'arrêta de nouveau alors que je lus le message. Comment Steve pouvait-il savoir que j'allais voir la photo ? À moins que cela ne fasse partie de son plan. Ou de l'aspect du plan qu'il n'avait pas encore exécuté. Je me dirigeai vers la porte et l'ouvris afin de pouvoir lire au clair de lune.

Que voyez-vous en me regardant ? Une famille heureuse qui se montre au grand jour. Un homme consumé par la cupidité et le dépit à tel point que ses enfants souffrent et vivent dans la peur. Que voyez-vous en me regardant ? Une image sinistre de votre vie à venir.

Je regardai fixement la note et fronçai les sourcils. Les autres notes manquaient de clarté, mais celle-ci était encore plus déroutante. Je retournai de nouveau la photo et la regardai fixement. Que vis-je? Et pourquoi disait-il que mon père était cupide? Mon père était la personne la moins cupide que j'avais connue. Il s'était fait escroquer par ses partenaires commerciaux et n'avait rien fait pour se faire rembourser. Je fronçai les sourcils et relus les mots. Pourquoi la photo était-elle sinistre? Que voulait dire Steve?

Je frissonnai en regardant fixement la photo. Puis, je clignai des yeux en l'examinant de nouveau. La photo montrait un autre couple. Je ne les avais jamais remarqués auparavant. Ils paraissaient tout aussi heureux que mes parents, et se tenaient par la main. Je regardai de nouveau la photo pour voir s'il y avait autre chose que j'avais manqué. Je ne vis qu'un garçon d'allure revêche debout sur la droite, qui regardait le groupe à côté de lui. C'est alors que j'entendis un cri sonore, et je figeai.

Je regardai la cabane et toutes les feuilles vierges qui s'y trouvaient. Des bouts de papier et des indices qui n'avaient pas été là la première fois que j'étais venue. Ce n'était pas un endroit sûr. Je ne pouvais même pas voir s'il venait quelqu'un. Je sortis par la porte en courant et commençai à réfléchir. «Où aller? Où aller?» marmonnai-je à moi-même frénétiquement. Je songeai à me rendre à la cascade, mais cela ferait de moi une cible facile. Si Steve parvenait d'une façon ou d'une autre à vaincre Jakob, je n'avais pas avantage à me trouver à la cascade. Il n'y avait qu'une autre option : il fallait que je sois plus haut. Le prédateur avait toujours besoin d'observer de haut. Seule la proie restait en bas et attendait d'être prise en chasse. Je regardai autour de moi s'il y avait des arbres auxquels je pouvais grimper. Je paniquai devant chacun de ces longs troncs ; je n'étais sûrement pas capable d'y grimper. En regardant autour de moi, je respirai à quelques reprises. «Calme-toi, Bianca. Réfléchis. Et fais attention.» Je fermai les yeux et restai sur place. Je n'entendis que les battements de mon cœur et le son doux de l'eau de la cascade. «Cherche les bananiers.» Je savais que Jakob avait grimpé dans les bananiers pour m'apporter un petit déjeuner, et je savais qu'il était possible d'y grimper. Si je pouvais trouver un arbre pas très haut, peut-être pouvais-je passer de cet arbre à un autre et grimper encore plus haut. «Si un singe peut y arriver, murmurai-je intérieurement, tu peux, toi aussi». Je tressaillis à l'idée que je pouvais entrer en contact avec d'autres animaux cachés là-haut dans l'arbre. Ma poitrine se souleva lorsque je sanglotai de frustration et de terreur. Puis, j'entendis un cri qui me figea le sang, et mon corps paniqua. Je n'avais jamais rien connu de tel. Je me sentis guidée par mon corps. Mes jambes se mirent à bouger toutes seules, et je me trouvai devant un arbre, tentant d'y grimper avant même de m'en rendre compte. Mes pieds frôlèrent quelque chose de piquant, et je reculai en me mordant la lèvre. Cela allait faire mal. Le tronc de l'arbre était déjà rude contre ma peau, et mes paumes me faisaient mal.

«Tu peux y arriver, Bianca», me dis-je en étirant les bras à quelques reprises et en retournant vers l'arbre. L'esprit est plus fort que la matière. La douleur n'existe pas», me répétai-je en tentant de grimper l'arbre. Cependant, je continuai de tomber. Je m'aperçus que la photo que je serrais encore à la main m'empêchait de m'accrocher suffisamment à l'arbre et que mes pieds ne pouvaient agripper l'arbre et y rester. Je laissai tomber la photo et la regardai fixement pendant un moment avant de redresser les épaules. «C'est le moment, soupirai-je en m'accrochant au tronc.» Je serrai les bras et les jambes autour, aussi fort que je le pouvais, puis, tant bien que mal, j'essayai de grimper. Je ne pensais pas pouvoir y arriver. Après une ou deux tentatives, je glissai vers le bas.

Je décidai alors de fermer les yeux en faisant semblant d'être ailleurs. Je comptai jusqu'à trois et tentai de regrimper. Je n'ouvris pas les yeux avant de m'être élevée d'au moins sept mètres. Puis, je commis l'erreur de regarder en bas. Mon estomac se retourna lorsque je vis à quel point j'étais haut. «Ne regarde pas en bas, Bianca», me dis-je. Et je m'accrochai fermement à l'arbre. Celui-ci n'était pas beaucoup plus haut, et je savais que je devais m'élever davantage. Je savais aussi que je ne pourrais pas rester sur l'arbre très longtemps dans cette position. Les muscles de mes cuisses me faisaient déjà très mal.

Je regardai à droite et vis un autre arbre, dont les branches épaisses semblaient assez solides pour soutenir mon poids. Le seul problème, c'était de me figurer comment j'allais m'y rendre. Je respirai profondément et m'accrochai légèrement à l'arbre. Mon esprit se demanda d'où venait le cri que j'avais entendu. On aurait dit un cri de souffrance venant d'un coup de poignard. Peut-être même un meurtre. Je déglutis fortement et le cœur me manqua. J'espérai que tout allait bien pour Jakob. J'avais besoin de lui. J'avais besoin de savoir ce qui se passait. Je regardai de nouveau l'autre arbre. Il y avait une branche à environ un mètre. Si seulement j'arrivais à m'étirer les pieds et à m'y poser, je pourrais l'utiliser pour m'équilibrer et tenter d'avancer. Je savais qu'il me serait plus facile d'utiliser mes bras, mais je savais que je ne pouvais retenir mon propre poids. Ma seule option, c'était d'essayer d'utiliser mes pieds.

« Un, deux, trois, j'y vais », murmurai-je intérieurement en lâchant le tronc du bananier, et en balançant les jambes jusqu'à la branche de l'autre arbre. Mes pieds se posèrent sur du bois solide, et je fis une petite prière. Je changeai lentement de position et utilisai mon équilibre pour passer en un élan d'un arbre à l'autre. Mes doigts saisirent la branche du nouvel arbre, et je haletai en regardant un tas de feuilles de bananier du premier arbre tomber au sol. « Reste concentrée, Bianca », marmonnai-je en cherchant une autre branche à laquelle grimper pour continuer à monter. Je grimpai jusqu'à ce que je me sente physiquement épuisée. Puis, je m'arrêtai. Je ne regardai pas en bas. Je savais que si je le faisais, tout serait fini. Je m'accrochai à la branche et fermai les yeux, puis attendis.

J'ignorais depuis combien de temps j'étais là-haut quand j'entendis quelqu'un marcher dans la jungle. Je sentis trembler mon corps et je serrai les lèvres afin de ne pousser aucun gémissement. J'entendis quelqu'un appeler mon nom, mais je ne répondis pas. Je ne savais même pas qui m'appelait. Tout ce que je savais, c'était que la voix appartenait à un homme.

— Bianca, où es-tu ?

La voix paraissait coléreuse, et je frissonnai en ouvrant les yeux. Entre les branches, je regardai fixement la grande étendue de ciel bleu sombre et priai pour que ce ne soit pas Steve qui ait gagné. « S'il te plaît, ne me trouve pas », marmonnai-je intérieurement, presque avec incohérence. Les plages de sable blanc paraissaient si différentes, de mon point de vue, car elles étaient éclairées par la lune. Toute l'île semblait tellement plus petite, de là-haut. Mes membres étaient engourdis, mais j'avais trop peur pour bouger ne serait-ce que d'un centimètre. S'il entendait le bruissement des feuilles, il allait savoir où j'étais. Je fermai les yeux pour ne pas voir les alentours et m'entêtai à songer à quelque chose d'heureux. Je m'imaginai sur la grande roue avec mon père, là-haut, en train de manger joyeusement une friandise. «Pense à la friandise, pense à la friandise.»

— Bianca, ce n'est pas drôle.

Il avait la voix rauque, et j'entendis ses pas s'avancer vers moi.

— Bianca, si tu m'entends…

Il fit une pause, et sa voix changea.

— S'il te plaît, ne fais pas de chichis. Je ne vais pas te faire de mal.

Je ne pus pas encore distinguer la voix ; je commençais à me sentir fatiguée, et je savais que je ne pourrais pas tenir le coup encore longtemps.

— Bianca, cria la voix, où es-tu ?

Soudain, à travers la brume de mon cerveau, je m'aperçus que c'était Jakob, mais j'étais encore en état de choc. Mon cerveau refusait de laisser crier ma bouche. J'étais encore terrifiée.

J'entendis craquer une branche en bas, et je sus qu'il était proche. Il n'avait qu'à lever les yeux. S'il le faisait, il allait me trouver. Cet homme qui était devenu mon confident le plus intime était maintenant mon prédateur, et moi sa proie. J'ouvris les yeux et respirai à fond avant de regarder en bas.

Un halètement involontaire s'échappa de ma bouche lorsque je vis à quelle hauteur j'étais. Ce fut ma première erreur. Je sentis basculer mon estomac en fixant le sol. J'allais sûrement mourir si je tombais.

— Je t'ai trouvée, murmura-t-il en levant vers moi des yeux furieux. Dieu merci, je t'ai trouvée.

— Lui as-tu fait mal ? dis-je, les doigts tremblants, alors que je le regardai en bas. Dis-moi, lui as-tu fait mal ?

— Tout dépend de ce que tu entends par *faire mal*.

Il leva les mains, et je vis que ses doigts étaient couverts de sang. Je fermai les yeux ; j'avais ma réponse.

Chapitre 12

— Qu'est-ce que tu as fait, Jakob?
— Je l'ai fait pour nous, dit-il tout simplement.

Et je sentis mon cœur s'arrêter de battre.

— Tu ne me fais pas confiance? me demanda-t-il d'une voix douce tout en commençant à grimper dans l'arbre.

Je vis l'éclat de la lame d'argent dans sa main gauche avant qu'il la laisse tomber, et pendant une seconde, mon cœur cessa de battre.

— Je te fais confiance.

Je hochai la tête et attendis qu'il m'atteigne. Je décidai de voir si je pouvais me rendre jusqu'en bas, afin qu'il n'ait pas à grimper aussi haut. Ce fut ma deuxième erreur. Mes doigts glissèrent, et je hurlai en m'accrochant à une autre branche.

— Reste où tu es, je monte.

Sa voix paraissait affolée, et je sentis toute mon énergie me fuir.

— Accroche-toi, Bianca. Je serai là dans quelques secondes. Tout ira bien.

— Je n'essayais pas de te fuir, lui criai-je, contente de le voir sain et sauf. J'étais juste effrayée.

Ma voix se cassa lorsque je me mis à sangloter.

— Ne pleure pas, ma chère. Ça va. Il ne peut plus te faire de mal.

— L'as-tu tué? dis-je d'une voix rauque, redoutant sa réponse.

— Non. Je voulais le faire, mais je ne l'ai pas fait.

Il se rendit en haut de l'arbre en un temps record et me prit les mains.

— Dieu merci, tu vas bien.

Il me serra les mains et se pencha vers moi.

— Oh, Bianca.

Il tendit les mains et essuya mes larmes.

— J'avais tellement peur qu'il t'arrive quelque chose dans la jungle. Je croyais que tu avais trébuché et que tu t'étais frappé la tête ou tordu la cheville. Dieu merci, tu vas bien.

— Je ne pouvais penser qu'à toi, dis-je entre deux sanglots. Je voulais retourner t'aider, mais je ne savais pas comment t'aider.

— Je suis content que tu ne sois pas venue, me dit-il en me tenant la main, et je fermai brièvement les yeux. Je n'aurais pas voulu que tu voies ce qui est arrivé.

— C'était mal?

— Il y avait beaucoup de sang, dit-il en fronçant les sourcils.

Puis, il soupira.

— Ça va? dis-je en examinant son corps pour m'assurer qu'il n'avait pas de coupure.

— Ça va, dit-il en hochant la tête et en me serrant la main. Nous allons descendre, maintenant. Crois-tu pouvoir y arriver?

— Oui, dis-je en hochant la tête, me sentant encore légèrement étourdie.

— Je vais y aller avant toi. Je vais m'assurer que tu te rends en bas en toute sécurité. Contente-toi de t'accrocher à mon bras et de me suivre, et tout ira bien. Compris ?

Je hochai encore la tête et nous nous rendîmes jusqu'au sol.

— Tes pieds saignent, dit Jakob en me fixant d'un regard angoissé.

— Ça va, murmurai-je en essayant d'ignorer les coupures et les contusions qui me couvraient le corps.

— Ça ne va pas, dit-il en secouant la tête et en passant les doigts sur ma joue. Pourquoi n'es-tu pas allée à la cabane ?

— J'ai commencé par y aller, puis je suis partie. Ça aurait été le premier endroit où Steve aurait regardé, dis-je en me frottant les yeux. Je ne voulais pas qu'il puisse me trouver s'il venait à bout de toi.

— Tu croyais qu'il avait une chance de me vaincre ?

Il souleva un sourcil, et je secouai lentement la tête en regardant fixement ses muscles bombés.

— Pas vraiment, mais il avait un couteau.

— Le couteau lui donnait une fausse confiance en lui-même.

— Est-ce que tu l'as poignardé ?

— Oui, dit-il en me serrant contre lui. Je ne veux pas y penser, murmura-t-il contre mon oreille. Tu n'as pas intérêt à imaginer ça.

— Je l'ai entendu hurler, dis-je en appuyant mon front contre son torse. Je l'ai entendu crier à mort.

J'avais encore aux oreilles ce hurlement à figer le sang. Je me demandai ce que Jakob avait fait, au juste, pour qu'il crie d'une voix aussi forte.

— Je t'ai dit que je pouvais tuer quelqu'un, au besoin.

Sa voix était encore rauque alors qu'il me frottait le dos.

— Il nous aurait tués tous les deux.

— Alors, tu l'as tué? lui demandai-je à nouveau, me demandant s'il ne voulait pas me dire la vérité.

— Je ne crois pas qu'il soit mort, dit-il en secouant la tête, l'œil brillant. Mais j'aurais pu le tuer. J'aurais pu lui enlever la vie, comme ça.

Je frissonnai en entendant cela. Comme il avait de la facilité à parler de la mort. Il m'effrayait et me fascinait.

— Et le sang sur tes mains?

— Je l'ai poignardé à la cuisse pour qu'il ne puisse pas s'enfuir, dit-il en haussant les épaules. Il y avait beaucoup de sang.

— Mais ce n'est pas logique.

J'avais de la difficulté à comprendre tout ce qui s'était passé.

— Pourquoi essaierait-il de nous tuer tous les deux? dis-je en fronçant les sourcils et en lui examinant le visage. Tout en moi me dit que cela a quelque chose à voir avec la mort de ma mère, mais quel rôle as-tu là-dedans?

— Pourquoi crois-tu que ça doit avoir un rapport avec la mort de ta mère?

— Quand je suis retournée à la cabane, j'ai vu une photographie. C'était celle de moi avec mes parents, et dans le coin de la photo, il y avait un autre couple avec un fils. Au dos de la photo, il y avait une note. Elle faisait allusion à la cupidité de mon père.

Je marquai un temps d'arrêt alors que je sentis le besoin de bâiller ; puis, je continuai.

— Steve essayait clairement de me dire que ma famille était cupide. Mattias doit s'inquiéter du fait que j'essaie de m'emparer de l'entreprise familiale.

Je regardai directement Jakob.

— Mais ce que je ne comprends pas, c'est ton implication dans tout ça.

Je m'arrêtai et essayai de ne pas lui montrer ma tristesse. Mon cerveau peinait à comprendre pourquoi Jakob était sur l'île avec moi. Ça n'avait aucun sens. Même si Steve voulait me mettre le grappin dessus avec l'information que j'avais sur la famille Bradley, pourquoi avait-il également kidnappé Jakob ?

Jakob examina mon visage et soupira.

— Retournons à la plage. Nous pourrons y parler davantage.

— Où est le corps de Steve ?

— Sur la plage, dit-il en grimaçant. Mais ne t'en fais pas, il ne pourra rien nous faire.

— Comment le sais-tu ?

— Je suis assez certain qu'il est inconscient.

— Oh.

— J'ai trouvé d'autres choses dans sa poche. Des objets que tu devrais voir.

— Oh ?

— Allons d'abord sur la plage.

Ses mains descendirent, et je sursautai.

— Ça va, Bianca. Je vais te porter.

— Tu ne peux pas.

Je secouai la tête et bâillai.

— C'est trop loin. Je suis trop lourde.

— Tu es parfaite, Bianca, dit-il en m'embrassant le front. Chut !

Il me prit dans ses bras.

— Ferme les yeux et repose-toi, murmura-t-il à mon oreille alors que je posai la tête contre son torse.

— Tu dois être fatigué aussi, murmurai-je, soudainement épuisée et incapable de garder l'œil ouvert.

— Dors, Bianca, murmura-t-il tout en continuant de marcher. Dors, c'est tout.

Ses bras s'ajustèrent sous moi, et je me sentis réchauffée et réconfortée. Alors qu'il marchait lentement pour sortir de la jungle, je m'endormis.

— As-tu très mal ? murmura-t-il à mon oreille en me posant doucement sur le sol.

J'ouvris lentement les yeux et regardai sur la plage. J'avais de la difficulté à croire que ce coin tranquille avait été la scène d'un bain de sang, quelques heures plus tôt.

— Ça va, dis-je en lui touchant l'épaule. Franchement, ça va aller. Ça m'apprendra à ne plus aller au centre d'entraînement !

— Tu ne me parais pas être une habituée du centre d'entraînement.

— C'est ce que j'ai dit : je n'y vais pas vraiment, dis-je en souriant.

— Quand Steve et moi étions en train de nous battre, je ne pensais qu'à toi, dit Jakob en s'assoyant au sol et en soulevant ma tête sur ses genoux. Chaque coup que j'encaissais ne voulait rien dire. Parce que je ne pensais qu'à venir te trouver et te sauver.

— Je suis étonnée qu'il ait encaissé autant de coups, dis-je en fronçant les sourcils. Je ne veux pas l'insulter, mais il ne semblait pas tellement fort.

— Les apparences sont parfois trompeuses, j'imagine, dit Jakob en se frottant le front. Il se trouve que Steve avait un vilain crochet du droit.

— Incroyable.

Mes yeux s'écarquillèrent, tellement j'étais troublée. J'arrivais à peine à croire que Steve, pâle et chétif, avait de la force, mais je supposai qu'il avait besoin d'une technique quelconque s'il faisait ce genre de chose pour gagner sa vie. Je me rappelai quelque chose qu'il avait dit à notre première rencontre. Il avait dit qu'il voyageait beaucoup pour son travail et qu'il acceptait diverses missions. C'était peut-être l'un de ces hommes que des gens embauchent pour qu'ils s'occupent de situations difficiles, comme la mienne.

— Alors, tu crois qu'il travaillait pour quelqu'un ? demandai-je, le cerveau agité.

— C'est ce que je crois, dit-il en hochant la tête. J'ai trouvé deux aiguilles dans ses poches.

— Des aiguilles ?

J'essayai de me redresser, mais Jakob secoua la tête et me fit m'étendre de nouveau.

— Je ne sais pas ce qu'il avait l'intention d'en faire, mais j'ai ma petite idée, dit-il en me serrant dans ses bras. Je ne sais pas comment un homme pareil aurait même pu songer à faire du mal à une femme innocente.

— J'avais si peur, là-haut dans cet arbre.

D'une voix douce, je me rappelai à quel point j'avais eu peur :

— Je ne pouvais même pas réfléchir, car je ne pensais qu'à toi. Et s'il te tuait ? Et s'il arrivait quelque chose ? Qu'allais-je faire ? Comment allais-je survivre ? Je ne pouvais même pas me permettre de songer à la possibilité que tu te fasses tuer. Ça me faisait si peur. Tout mon corps s'est refermé sur moi et s'est engourdi. J'ai fermé les yeux et attendu pendant une éternité. Je ne pouvais même pas regarder en bas. Je me suis accrochée aux branches et j'ai attendu, sans penser à rien.

— Je suis désolé.

Pendant quelques secondes, Jakob parut découragé, puis il se pencha et m'embrassa sur le front.

— Je suis sain et sauf, maintenant, Bianca. Tu n'as plus à avoir peur.

— Je sais, murmurai-je. J'essaie.

— Que puis-je faire pour t'aider ? dit-il en me caressant le visage.

— Tiens-moi dans tes bras, c'est tout, murmurai-je en l'attirant près de moi. Tiens-moi et parle-moi.

— De quoi veux-tu que je te parle ?

Ses bras se glissèrent autour de ma taille, et il m'attira vers lui.

— Je ne sais pas, dis-je en fermant les yeux et en songeant à la photo. Je veux avoir des pensées heureuses.

— Qu'est-ce qui te rend heureuse ? demanda-t-il d'un ton bourru.

— Le fait de te voir en vie, lui dis-je en souriant. Et de penser à mes parents.

Je soupirai. Cela revenait toujours à mes parents.

— Parle-moi d'eux. Qu'est-ce que tu te rappelles d'eux ?

— Je me rappelle que ma mère aimait faire des pâtisseries, dis-je paresseusement. Des biscuits aux brisures de chocolat et à l'avoine. Elle en faisait tous les dimanches.

Ce souvenir me fit sourire.

— Même après sa mort, mon père m'emmenait dans une pâtisserie du Lower East Side et on achetait des biscuits et du lait.

— Il aimait vraiment garder sa mémoire vivante, alors ?

— Ouais, mais je ne sais pas si c'était une bonne chose, à présent, dis-je en soupirant. Il l'adorait tellement, et quand elle est morte, il est mort en partie avec elle. J'ai toujours eu l'impression qu'il attendait tout simplement de mourir afin de pouvoir la rejoindre.

— Il n'a jamais fréquenté personne après tout ça ?

— Jamais. À quelques reprises, quand j'étais adolescente, j'ai essayé de lui présenter quelqu'un, mais il me disait toujours non. Il disait que personne n'aurait jamais son cœur sauf ma mère, et qu'il ne serait pas juste de sortir avec quelqu'un d'autre, car il ne savait que personne ne pourrait jamais la remplacer.

— Il était obsédé, on dirait, dit Jakob, ce qui me fit froncer les sourcils.

— Je ne dirais pas qu'il était obsédé.

Je secouai la tête, mais gardai le ton léger, car je ne voulais pas discuter.

— C'était seulement un grand amoureux.

— Ta mère a eu de la chance de trouver un homme aussi dévoué à elle.

— Oui, oui, elle en a eu.

Je regardai le ciel et fixai les étoiles.

— Je crois qu'ils étaient tous les deux très chanceux de s'être trouvés.

— La plupart des gens ne trouvent pas l'amour comme ça.

Le ton de Jakob changea, et je me retournai vers lui.

— Parle-moi de ta mère. Ce devait être une dame merveilleuse pour avoir eu un fils comme toi. Elle devait être si fière de l'homme que tu es devenu.

Je regardai Jakob dans les yeux, et il me fixa en silence. Je ne savais pas trop si ma question l'importunait, car il ne dit rien.

— Je suis désolée, nous n'avons pas à parler d'elle, si tu ne veux pas.

— Elle était magnifique, dit-il d'une voix distance, comme si son esprit était très loin. Elle était si belle que les gens disaient qu'elle aurait dû travailler à Hollywood. Elle aurait dû être une grande vedette.

— Décris-la-moi.

— Elle était grande et mince, avec de longs cheveux bruns et de grands yeux bleus.

Ce souvenir le fit sourire.

— Lui ressembles-tu ?

— Oui, dit-il en hochant la tête. Dieu merci.

— Parle-moi davantage d'elle. Qu'est-ce qu'elle aimait faire ?

— Elle travaillait fort, elle était dévouée à son travail. Elle était bonne pour pourvoir aux besoins de la famille. Elle n'a jamais demandé un sou à mon père, mais elle est arrivée à m'envoyer dans les meilleures écoles. J'étais sa fierté et sa joie.

— Elle devait t'aimer beaucoup.

— J'imagine. Quand j'avais quatre ans, un agent d'artistes l'a approchée. Il lui a offert la chance d'aller auditionner pour un film à Hollywood. Mais comme elle n'aurait pas été capable de m'emmener, elle a refusé.

— Elle aimait jouer ?

Il hocha la tête, et ses lèvres se collèrent doucement aux miennes.

Puis, il poursuivit.

— Elle adorait chanter et danser.

— J'imagine que cela devait être beau. Je ne me rappelle pas ce que ma mère et moi faisions ensemble, à part les pâtisseries le dimanche, mais je nous imaginais toujours en train de monter des pièces, de danser et de chanter en famille.

— Ma mère chantait tous les soirs avec moi. Elle adorait créer des chansons. Il y avait cette chanson qu'elle chantait et qui était si jolie. Tout le monde s'arrêtait pour l'écouter. J'avais l'habitude de la chanter, et je le faisais à la moindre occasion.

Il me regarda avec des yeux tristes.

—Jusqu'au jour où je me suis aperçu de ce que je chantais.

— Te rappelles-tu la chanson ? lui demandai-je d'une voix douce.

Je voulais l'entendre et écouter sa voix qui me réconfortait dans l'obscurité de la nuit. Il se tourna vers moi, et l'expression de son visage fit fondre mon cœur.

— Te souviendras-tu de moi si tu me vois sur un chemin obscur, mal éclairé ? Te souviendras-tu de moi quand je serai vieille et écervelée ? M'aimeras-tu jusqu'à ton dernier souffle ? M'embrasseras-tu avec tout ce dont tu es capable ?

Je me souviendrai de toi jusqu'à la fin de mes jours. Je t'aimerai jusqu'à ce que tu sois vieux et grisonnant. Je t'épouserai et serai à toi pour toujours, car tu es fait pour moi et toute ma vie t'appartient.

Il chanta d'une voix douce et je retins mon souffle jusqu'à la dernière note.

— C'était magnifique, dis-je d'une voix étranglée, en larmes.

— Ne pleure pas, Bianca.

Il essuya les larmes de mes yeux avant de les embrasser.

— Je suis si triste, dis-je en sanglotant. Ta mère adorait tellement ton père et elle l'a attendu toute sa vie. Est-ce qu'elle a écrit cette chanson pour lui?

Je continuai à sangloter et à m'essuyer le nez avec les doigts.

— Non, dit-il en secouant la tête. L'ironie de l'histoire, c'est que mon père a écrit la chanson pour ma mère. C'était son cadeau de mariage.

— Je croyais qu'ils ne s'étaient jamais mariés, dis-je en fronçant les sourcils, en me demandant si j'avais mal retenu ce qu'il avait dit.

— Ils ne l'ont jamais fait, dit-il d'un ton plus amer. Mon père a fini par épouser une fille d'une famille riche. Cependant, comme il ne voulait pas abandonner ma mère, il l'a embauchée comme servante. Il lui chantait cette chanson le soir où il est revenu de son voyage de noces.

— C'est affreux, dis-je en lui caressant la joue. Je suis désolée que ta mère ait dû vivre ça.

— Quand j'étais plus jeune, je me suis juré de faire payer mon père pour avoir brisé le cœur de ma mère. Je voulais qu'il ressente l'angoisse et la blessure qu'il lui avait causées. Je voulais qu'il sente la douleur qu'elle avait sentie, mais je ne voulais pas le faire de son vivant à elle. Ce salaud a eu la chance de s'en tirer indemne, car il est mort avant elle.

— C'est peut-être pour le mieux? dis-je en passant les doigts sur son torse et en jouant avec ses poils de poitrine. Ton père avait peut-être mal, lui aussi.

— Mon père était un homme froid et impitoyable, dit-il d'une voix monotone. Il n'avait aucune colonne vertébrale. Il laissait les autres lui dicter ses choix. Il accordait plus de valeur à l'argent qu'à l'amour, tu vois.

— C'est affreux.

— Tu trouves ça affreux parce qu'il a donné plus de valeur à autre chose qu'à l'amour, hein?

Ses yeux regardèrent longuement les miens et je fis un signe de la tête.

— Je ne lui en veux pas pour ça. L'amour est une émotion artificielle. Nous ne sommes pas faits pour véritablement aimer quelqu'un d'autre. Ma dévastation vient du fait qu'il a placé l'argent avant l'honneur. L'honneur devrait toujours arriver en première place.

— Je suis d'accord, l'honneur est important, mais je ne crois pas qu'il le soit plus que l'amour.

— C'est parce que tu es romantique et naïve, et que tu fais trop facilement confiance, dit-il d'un ton railleur.

— Je ne suis pas naïve, dis-je en le regardant d'un air furieux.

— Il y a un million de choses que je pourrais te montrer pour te prouver que tu es naïve, mais je ne le ferai pas.

— Pourquoi pas?

Je rougis. J'étais si fâchée et agacée. Il avait eu une enfance triste, je lui accordais cela, mais ça ne lui donnait pas le droit de passer ses problèmes sur moi. Je savais qu'il me fallait être patiente. Je ne pouvais pas m'attendre à ce qu'il croie soudainement en l'amour. Pas après la vie qu'il avait vécue. Il faudrait que je lui donne l'exemple. Que je lui permette de voir, par mes gestes, que toutes les femmes ne sont pas des croqueuses de diamants, et que l'argent n'est pas tout ce qui compte dans la vie.

— Parce que je veux plutôt te faire l'amour.

— Je ne sais pas si je peux : j'ai trop mal aux cuisses.

Je secouai la tête, car je voulais être avec lui, mais pas dans cet état. Pas alors que j'étais encore agacée.

— J'ai une solution, dit-il en souriant et en se levant. Me fais-tu confiance ?

— J'imagine, dis-je en hochant la tête.

Et il me souleva.

— Où est-ce qu'on va ? demandai-je en lui lançant un regard perplexe.

— Tu m'as dit que tu n'avais jamais fait l'amour dans l'océan, n'est-ce pas ?

— Eh bien, j'ai dit que je n'avais jamais fait l'amour dans l'eau, mais j'imagine que ça comprend l'océan.

— Tu n'as pas envie ?

Il parut déçu.

— Je suis tellement fatiguée, Jakob, dis-je en lui touchant le bras. Ça n'a rien à voir avec le fait que j'en aie envie ou non.

— Je suis désolé, je suis égoïste.

— Tout ce que je sais, c'est que ce soir, tu es mon sauveur.

Je secouai la tête, et ses yeux s'illuminèrent.

— Tu as une haute opinion de moi, n'est-ce pas ?

— Je trouve que tu es un gars plutôt sympathique, oui, dis-je en lui faisant un câlin. Je te trouve aussi pas mal sexy, mais maintenant, je crois que je veux juste qu'on s'enlace et qu'on dorme.

— Ton souhait est pour moi un ordre.

Nous nous assîmes sur le sable, et Jakob me prit dans ses bras.

— Ce soir, je vais te laisser dormir. Plus tard, nous aurons suffisamment de temps pour faire l'amour.

— Merci, Jakob, dis-je en passant mes doigts sur son torse. Tu sais que je veux te toucher et te sentir, mais maintenant, j'ai la peau encore tellement douloureuse.

Je faillis perdre le souffle lorsque Jakob me prit la main et la tint fermement.

— Je comprends, ma chère, mais si tu continues de me toucher comme ça, je ne suis pas sûr que je me retiendrai de te retourner et de te prendre.

Je haletai devant son sourire sombre, et il se mit à rire. Il me serra sur son torse et pencha ses lèvres sur mon visage.

— Bonne nuit, ma chérie.

Il embrassa mon front et me tint serrée contre lui. Je me sentis m'assoupir en quelques secondes.

Le lendemain matin, je me réveillai avec des douleurs aux membres et la tête lourde. Désorientée, je m'assis lentement, et je vis Jakob assis là qui me regardait fixement.

— As-tu bien dormi ? dit-il d'une voix douce.

— Comme un bébé, lui dis-je avec un petit sourire. Et toi ?

— À peine, dit-il en se levant. J'étais sur les nerfs toute la nuit.

Je regardai sur la plage en y cherchant le corps de Steve. Les doigts tremblant, je rassemblai mes forces avant de voir son cadavre.

— Je l'ai déplacé, dit Jakob en s'approchant. Je ne pense pas que tu doives le voir.

— Il est en mauvais état, alors ?

— Il n'est pas beau à voir, dit-il en écartant des cheveux de mon visage.

Et je l'entendis haleter.

— Tu as des ecchymoses sur tout le visage.

Il fronça les sourcils et toucha soigneusement un point sur ma joue.

— J'imagine que c'est ce qui arrive quand tu grimpes à un arbre sans être en grande forme.

— Tu as très bien fait, dit-il en se penchant et en m'embrassant la joue. Je ne peux pas croire que tu aies autant d'ecchymoses.

— Qu'est-ce que tu fais là ? dis-je en tendant la main pour toucher l'entaille sur sa joue.

— Je fais la bise à tes bobos.

Il me prit le bras et embrassa une grande contusion sur mon poignet.

— Mes bobos ? lui dis-je en souriant.

— C'est quelque chose que ma mère me disait quand je me blessais durant mon enfance.

Il me sourit, et ses yeux prirent un air absent.

— Elle embrassait chaque bobo et la douleur partait.

— On dirait une mère extraordinaire. Tu as dû beaucoup l'aimer.

— Elle était tout mon monde, dit-il en hochant la tête et en tenant mes mains entre les siennes. Tu sais, le fait de parler avec toi, hier soir, a fait remonter beaucoup de souvenirs. Quand j'étais plus jeune, j'étais le petit garçon le plus chanceux du monde. C'est seulement quand j'ai atteint l'adolescence que je me suis aperçu à quel point ma mère était triste et déçue, et ça m'a brisé le cœur.

— Ton père était un salaud, on dirait.

— C'est vrai. C'était un salaud qui était facilement influencé par son meilleur ami.

— Qu'est-ce que tu veux dire? dis-je en tendant le bras et en lui touchant l'épaule.

Je souffrais pour ce Jakob. Je voyais maintenant un aspect plus vulnérable, et je commençais à comprendre pourquoi il ne croyait pas en l'amour. Si cette mère avait été blessée et qu'il avait été témoin de sa déception, il était compréhensible qu'il ne sache pas à quel point cela peut être magnifique.

— Mon père venait d'une famille aisée. Il a épousé quelqu'un d'une famille aisée. Il a dupé ma mère toute sa vie, dit-il d'une voix coléreuse. Il lui a juré qu'il l'aimait, mais il n'a jamais agi pour son bien à elle.

— Elle l'attendait?

— Elle l'a attendu toute sa vie.

— Et il n'a jamais changé d'attitude?

— Non, il n'a jamais fait d'elle une honnête femme, dit-il en me regardant et en fronçant les sourcils. Que penserais-tu de moi si je n'avais pas d'argent?

— Ton argent ne veut rien dire pour moi, Jakob, dis-je en lui prenant la main. Tu le sais, non ?

— Tu es allée voir David Bradley parce qu'il a de l'argent ou pour accéder à de l'argent.

— Ce n'était pas parce qu'il avait de l'argent, je te l'ai dit, lui rappelai-je en secouant la tête. Tu sais que c'est parce que je voulais en savoir davantage sur la mort de ma mère. Je te l'ai expliqué.

— Je sais, dit-il en soupirant et en tendant les bras. Pardonne-moi, Bianca. La nuit a été longue, et je suis nerveux.

— Je comprends, dis-je en le regardant pendant quelques secondes avant de m'approcher de lui. Qu'est-ce que nous allons faire, maintenant ?

— Qu'est-ce que tu veux faire ? me dit-il en me regardant longuement.

— Je ne sais pas, dis-je en tendant le bras et en prenant sa main. Je veux quitter l'île. Je veux mieux te connaître. Je veux comprendre ce qui est arrivé à ma mère. Je veux reprendre mon héritage aux Bradley.

— Ton héritage ?

— C'est une longue histoire. Je t'expliquerai.

— Et si tu n'obtiens jamais rien d'eux ?

— Ce n'est pas une question d'argent, en réalité, dis-je en le regardant. Il s'agit de connaître la vérité. Je veux connaître la vérité sur ce qui est arrivé à ma mère.

— C'est difficile à dire pour moi, mais je pense te devoir des excuses.

Le ton de Jakob changea, et il me prit les mains.

— Pourquoi me dois-tu des excuses ?

— Je t'ai mal comprise, Bianca, dit-il avec un regard triste. Je suis désolé de...

Le bruit sourd et rythmé d'un moteur de plus en plus fort dans le ciel détourna mon attention de ce qu'il disait, et je levai les yeux pour voir d'où venait le bruit.

— Eh, entends-tu ça? dis-je en courant vers l'eau. Je crois que c'est un hélicoptère, dis-je en sautant à pieds joints. Par ici! criai-je en sautant. On est ici!

— Bianca, il faut que je te dise... dit Jakob en marchant vers moi.

Je sautai dans ses bras en l'embrassant, tellement j'étais exubérante. Il parut interloqué, mais je me dis que c'était la surprise.

— Je crois qu'on va nous secourir, dis-je en le prenant par le cou. Je pense que ce cauchemar est sur le point d'achever.

Je l'embrassai de nouveau et reculai sur le sable. Je sautai encore à pieds joints en agitant frénétiquement les bras dans les airs.

Ils viennent vers nous, dis-je à Jakob en souriant. Je crois qu'ils nous voient.

— Même s'ils nous voient, ce n'est pas fini. Bianca. Nous devons encore trouver exactement pourquoi nous avons été amenés ici. Nous devons parler. Je dois te dire ce que je sais sur David et Mattias.

— Je sais, dis-je en hochant la tête. Et nous allons parler, et tu m'expliqueras tout, mais ce sera plus facile lorsque nous serons sortis de cette île.

— J'espère, dit-il en me regardant d'un air pensif. J'espère que nous pourrons tout comprendre.

— Ouais, c'est ça.

Je lui frottai l'épaule. Je savais que j'allais devoir lui dire toute la vérité sur David, mais alors, je me rappelai ce qu'il m'avait dit la veille.

— Eh, ne m'avais-tu pas dit que tu avais trouvé des choses dans les poches de Steve? demandai-je en le regardant.

Il hocha la tête.

— J'ai trouvé un téléphone cellulaire, dit-il en faisant un signe de la tête en direction de l'hélicoptère.

— Oh? dis-je en fronçant les sourcils, surprise d'entendre cela. Pendant tout ce temps, il avait un téléphone?

— Ouais, dit-il en hochant la tête. Alors, je crois qu'il était en contact avec quelqu'un.

— Qui? dis-je en continuant de sauter à pieds joints, tout en essayant de comprendre le fait que pendant tout ce temps, Steve avait un téléphone en état de marche. Mattias?

— C'est ce qu'il nous reste à comprendre, dit-il en me tendant la main. Je crois que nous devons rester ensemble lorsque nous aurons quitté l'île.

— Qu'est-ce que tu veux dire?

— Je crois que nous sommes peut-être encore en danger, dit-il avant de marquer un temps d'arrêt. Réfléchis. Steve qui apparaît et disparaît. Nous ne le comprenions pas au début, mais il disparaissait peut-être pour appeler quelqu'un. Et si c'était quelqu'un qui lui disait quoi faire? Et si cette personne attendait maintenant son appel?

— Pourquoi ne pas vérifier le registre des appels? dis-je en me mordillant la lèvre inférieure. Ainsi nous pourrons voir les numéros qu'il a composés.

— Je l'ai déjà fait, soupira-t-il. Il n'y avait pas de numéros extérieurs.

— Alors, il n'avait appelé personne ?

— Ou il l'avait fait et avait effacé les numéros par la suite, juste au cas.

— Oh, dis-je en cessant de sauter. C'était malin.

— Ouais, approuva-t-il en soupirant. Alors, ce que je veux dire, c'est que si quelqu'un s'est donné toute cette peine pour nous amener ici, il ne sera pas content de voir que nous avons quitté l'île.

— Qu'est-ce qu'il va faire, d'après toi ? dis-je en écarquillant les yeux.

— Tout dépend pourquoi nous étions sur l'île au départ, et nous ne le savons toujours pas.

— Steve a-t-il parlé ? demandai-je en passant mes mains dans mes cheveux. T'a-t-il donné un indice sur la raison de notre présence ici ?

— Rien, répondit-il en secouant la tête.

— Qu'est-ce qu'on va faire ?

Mes paroles déboulèrent de ma bouche ; je n'étais plus aussi emballée à propos du fait d'être secourue.

— Je crois que nous devons rester ensemble. Non seulement nous devons comprendre tout cela, mais aussi, parce que tu me plais. J'aimerais voir comment nous allons nous entendre, dit-il en me regardant avec attention. Cette période sur l'île était dingue, mais magique. Je n'ai jamais cru pouvoir me sentir ainsi avec quelqu'un. Je t'ai très mal comprise, Bianca.

Il fronça les sourcils et ramena mon visage vers le sien.

— Je ne suis pas sûr de ce qui se passe, mais je sais que je veux te garder en sécurité, et la seule façon d'y arriver, c'est en restant ensemble.

— Alors, je te plais, hein ? dis-je en lui souriant.

Il passa ses mains sur mes épaules et mon dos.

— Tu ne peux pas savoir.

— Tu me plais aussi.

— J'espère bien.

— Alors, qui as-tu appelé pour nous secourir? Les urgences?

— J'ai appelé ma secrétaire. Elle a appelé notre division informatique, et ils ont retracé le GPS du téléphone et envoyé mon hélicoptère.

— Tu possèdes un hélicoptère?

— Je suis milliardaire, Bianca.

— Ah, ouais, répondis-je calmement, souhaitant qu'il ne soit pas aussi riche.

Il aurait été plus facile de le fréquenter s'il avait été pauvre.

— Alors, la police ne sait pas que nous sommes ici?

— Je n'ai pas cru bon les appeler, dit-il en secouant la tête. Parfois, les gens qui sont censés nous aider sont ceux qui nous font du tort.

— Oui, je comprends. Comment pourrions-nous même le leur expliquer?

Je hochai la tête et fondis lorsqu'il m'embrassa.

— Je ne leur ai pas parlé de ce que j'ai fait. Nous pouvons aller les voir si nous découvrons que ma mère n'a pas vraiment été victime d'un accident de voiture.

— Je suis content que tu comprennes, dit-il en hochant la tête. Et nous pourrons faire tout ce que tu voudras lorsque nous aurons compris la vérité.

J'entendis l'hélicoptère se rapprocher et je m'écartai de lui. Je regardai le sable avec frénésie.

— Où est mon pantalon?

— Ton pantalon? dit-il en tressaillant la bouche.

— Je ne vais pas monter dans un hélicoptère avec ta chemise et ma petite culotte, dis-je en lui faisant une grimace. C'est déjà suffisant que mes cheveux soient complètement emmêlés, et j'ai probablement le visage rouge comme une pomme.

— Je m'en fiche.

Il s'avança vers moi et tenta de m'embrasser.

— Moi, je ne m'en fiche pas, répliquai-je, le regardant d'un œil sérieux.

Alors que je m'écartai de lui, il rit.

— D'accord, attends un moment.

Il courut là où nous avions dormi et rapporta nos deux pantalons.

— Est-ce qu'on devrait aller chercher Steve, maintenant ? lui demandai-je avec hésitation en voyant l'hélicoptère s'approcher davantage.

— Non, je ne veux pas que tu le voies, dit-il en secouant la tête. Nous allons d'abord te laisser monter dans l'hélicoptère, puis le pilote et moi irons le chercher.

— D'accord.

Je ne discutai pas, car je ne tenais pas vraiment à voir le corps de Steve. Je ne pouvais qu'imaginer son état lamentable. Je ne voulais pas voir la réalité de son corps pâle et blanc recouvert d'entailles.

— Tiens-moi la main.

Il me prit la main, et je roulai des yeux lorsqu'il me tira vers lui sans avertissement.

— Eh bien, tu es vraiment charmant, dis-je en riant alors que je m'écrasai sur lui.

Soudainement, je me sentis étourdie. Je prenais finalement contact avec la réalité de notre situation. Nous allions enfin sortir de l'île. Même si nous ne savions pas vraiment pourquoi nous avions été emmenés ici tous les deux, je savais que nous pourrions le comprendre plus tard.

Je restai là dans les bras de Jakob à regarder l'hélicoptère s'approcher plus vite. J'avais vraiment l'impression que notre relation avait quelque chose de spécial, et j'étais contente qu'il ait avoué sentir la même chose. D'un côté, j'admirais sa force, et de l'autre, j'étais reconnaissante du fait qu'il s'était trouvé sur l'île avec moi. Je ne voulais même pas me demander ce qui me serait arrivé si j'avais été sur l'île seule avec Steve. Il m'avait tellement trompée. Je frissonnai en pensant à quel point la veille avait été sinistre. Je ne pouvais pas croire qu'il avait un couteau. Je ne pouvais pas croire que j'avais presque cru ses mensonges. Je croyais à ses avertissements à propos de Jakob, et je m'en voulais d'avoir presque douté de la sincérité et des motifs de Jakob.

— Ça va ? dit Jakob en me prenant la main et en m'entraînant avec lui. Je ne veux pas que tu t'en fasses. Je vais prendre soin de toi, Bianca.

— Je sais, dis-je regardant ses yeux d'un bleu profond.

— Je pense que nous devrions reculer encore davantage pour pouvoir donner à l'hélicoptère l'espace nécessaire pour atterrir.

Nous restâmes là en silence à regarder descendre l'hélicoptère.

— Je suis si contente d'être ici avec toi, murmurai-je alors que j'attendais d'être secourue. Je n'ai jamais imaginé que je trouverais quelqu'un en qui j'aurais confiance dans une situation pareille.

Jakob me regarda et je vis un éclair d'inquiétude dans ses yeux ; puis, il sourit.

— Moi aussi, je suis content que tu sois ici avec moi, murmura-t-il. C'est tout ce que j'espérais.

Enfin, l'hélicoptère atterrit sur la plage. Je regardai fixement l'immense machine devant nous, et je me dis à quel point elle paraissait étrange dans ce cadre idyllique. Je montai et serrai ma ceinture de sécurité, tout en regardant Jakob et le pilote recueillir le corps de Steve, et je décidai de fermer les yeux. Je ne voulais pas les voir ramener le cadavre.

J'ouvris les yeux une dernière fois pour regarder la plage et la jungle derrière. Elle ne me faisait plus peur, mais peut-être était-ce parce que je m'en allais.

Chapitre 13

J e dormis tout au long du vol en hélicoptère, et cela me déçut. J'aurais voulu voir l'île depuis les airs, mais mon corps était si fatigué qu'il ne suivait plus les ordres de mon cerveau.

— Nous sommes arrivés, dit Jakob en me réveillant doucement.

— On est revenus à New York ?

— Pas encore, dit-il en secouant la tête et en me prenant dans ses bras. On reste dans l'un de mes hôtels, sur une île différente.

— Tu as un hôtel, dis-je en bâillant et en lui souriant.

— Plusieurs, dit-il en souriant. J'ai l'une des chaînes hôtelières les plus chics des Antilles.

— Wow, c'est super, dis-je en sortant de l'hélicoptère, bouche bée. C'est tellement super.

Nous étions debout sur le toit de l'hôtel, et je voyais la station balnéaire et la plage autour de moi. Il y avait une immense piscine, et je voyais nager des gens.

— Je n'ai jamais cru que je serais si heureuse de voir des gens, dis-je en ricanant.

— Es-tu prête à aller à l'intérieur ? demanda patiemment Jakob.

Je lui lançai un regard interrogateur.

— Ils attendent qu'on sorte avant de sortir Steve.

— Oh, dis-je en pâlissant alors que je me rappelai Steve. Oui, allons à l'intérieur. Alors, nous allons rester ici, puis nous envoler vers New York ?

— Nous pouvons faire tout ce que tu voudras.

— Je veux découvrir pourquoi nous étions sur l'île.

— Commençons par nous détendre pendant quelques jours.

Jakob me guida sur le toit.

— Très bien. Je devrai appeler Rosie pour lui faire savoir que je vais bien.

— En temps et lieu, dit-il en me souriant et en me dirigeant vers un ascenseur.

Il descendit d'un étage et s'arrêta à la suite de grand luxe.

— On t'a donné la meilleure suite ? dis-je, bouche bée, en entrant.

— L'hôtel m'appartient, dit-il en riant et en se dirigeant vers le bar. Veux-tu un verre ? Je prendrais bien un whisky d'un seul trait.

— Je prendrais un whisky, moi aussi, dis-je en hochant la tête et en regardant la chambre.

Au centre, il y avait un divan recouvert de lin blanc, directement devant une immense télé à écran plat. Je regardai à droite et vis une porte. Je m'y dirigeai pour voir derrière, puis haletai en voyant le très grand lit.

— Oui ! hurlai-je avec jubilation en bondissant vers le lit.

— Je vois que tu as déjà découvert mon endroit préféré.

Il entra dans la chambre comme s'il en était propriétaire... et j'imagine que c'était le cas. Je levai les yeux
vers son beau visage bronzé, et je sentis ronronner mon
corps.

— C'est un petit coup. Je ne veux pas t'en donner plus
avant que tu aies mangé et dormi.

— Combien d'heures ai-je dormi ? protestai-je, faisant
cul sec avec mon verre.

L'alcool descendit en douce et me réchauffa le ventre.

— Alors, c'est bien. Ça veut dire que tu auras suffisamment de temps pour nos activités, ce soir.

— Quelles activités ?

— Celles qui impliquent le fait que je sois par-dessus
toi, à l'intérieur de toi, et que je te fasse jouir.

Il grogna et s'effondra sur le lit à côté de moi.

— Et que dis-tu des activités qui impliquent que je sois
par-dessus toi, que je te chevauche et que je *te* fasse jouir ?

Je fronçai le nez en m'apercevant que ma petite blague
avait perdu de sa sensualité.

— Je suis content que tu acceptes de te livrer à des
activités qui comprennent le fait que tu me chevauches,
dit-il avant de marquer un temps d'arrêt. Durement et
fermement.

— Tu veux que j'aille au petit galop ?

— Plutôt au grand galop.

Il me fit un clin d'œil et je me léchai lentement les lèvres
en attendant qu'il m'embrasse.

— Ça ne me dérange pas si tu essaies de me décocher
une ruade.

— Je n'essaierais jamais de te décocher une ruade, dit-il
en serrant l'avant de ma chemise et en me tirant vers lui. Je

veux que tu me chevauches aussi longuement et aussi fermement que tu le pourras.

Ses lèvres s'écrasèrent sur les miennes, et nous retombâmes sur le lit.

— Ce sera agréable de te faire l'amour sur un lit.

— Je sais.

Je passai les mains dans ses cheveux, les jambes autour de sa taille. Il s'empressa d'arracher les boutons de ma chemise et je m'assis afin qu'il puisse l'enlever facilement. Il la tira de mes bras et la jeta sur le plancher avant d'enlever des grains de sable sur mes seins.

— C'est étrange d'être éloignés de l'île, murmurai-je. D'une certaine façon, c'était notre paradis privé.

— Oui, c'était une expérience surréelle.

Il m'embrassa du cou jusqu'aux seins, et je fermai les yeux dans une douce attente. Il me mordilla le mamelon et je figeai en me rappelant quelque chose.

— Eh, murmurai-je alors qu'il lançait des fléchettes de plaisir dans tout mon corps.

— Oui ?

Il donnait de petits coups de langue à mon mamelon.

— Je croyais que tu avais dit que tu n'étais jamais allé aux Antilles.

Je fronçai les sourcils en essayant de me rappeler la conversation que nous avions eue sur l'île.

— Pourquoi aurais-je dit ça ?

Il leva les yeux et parut perplexe.

— Je te l'ai demandé, et tu as dit que tu n'étais jamais allé dans les Antilles.

— J'ai dû mal comprendre ta question, dit-il en haussant les épaules. J'ai peut-être cru que tu parlais de cette île-là en particulier.

— Ouais, dis-je en souriant. Ou je pensais peut-être à Steve.

— Ouais, dit-il en hochant la tête. Je parie que tu penses à une conversation que tu as eue avec lui. Je devrais te punir pour nous confondre de cette façon.

Il me lança un regard malicieux.

— Comment vas-tu me punir? dis-je en haletant, alors que ses doigts se frayaient un chemin jusque dans ma culotte. Oh, Jakob, grognai-je alors qu'il me caressait d'une façon aguichante.

— Attends, pour voir, dit-il en se levant et en retirant ma culotte.

Puis, il enleva son caleçon boxeur. Retourne-toi.

— Me retourner?

— Est-ce que tu doutes de moi, Bianca?

— Non, dis-je, étendue sur le dos, le regardant fixement.

— Alors, pourquoi es-tu encore sur le dos et non sur le ventre?

— Ce n'est pas parce que tu me dis de faire quelque chose que je le ferai.

Je lui souris et il retomba sur le lit en s'appuyant sur son bras.

— Je me demandais où était passée la Bianca réfractaire.

Il se lécha les lèvres en me regardant fixement et me caressa les lèvres avec les doigts. Il poussa son index dans ma bouche, et je le suçai avidement jusqu'à ce que ses yeux commencent à briller, comme s'il avait prouvé quelque chose. Je serrai rapidement les dents et lui mordis le doigt.

— Tu es fougueuse, dit-il en me lançant un regard plein de désir.

— Tu aimes ça, hein?

Je regardai fixement son visage et tentai de ne pas me tortiller alors que ses doigts me pinçaient les mamelons.

— Tu ne sais pas à quel point, dit-il alors que ses lèvres descendaient sur mon front.

Et il m'embrassa doucement.

— Je crois avoir rencontré la bonne personne en toi, Bianca. Je crois avoir rencontré la bonne personne, et j'aime ça.

— Qu'est-ce que tu aimes?

— Je ne veux pas te faire peur.

Ses doigts traînèrent sur mon ventre, puis bien plus bas.

— Tu crois qu'on peut facilement me faire peur?

— Je ne crois pas du tout qu'on puisse te faire peur.

Ses lèvres suivirent le chemin qu'avaient tracé ses doigts, et il m'embrassa sur le ventre. Il introduisit sa langue dans mon nombril, et je me tortillai sous lui. Ses doigts remontèrent et me prirent les seins alors qu'il abaissait sa langue et descendait vers ma poitrine. Je haletai lorsqu'il m'écarta les jambes et que je sentis sa langue le long de ma fente.

— Jakob, grognai-je alors qu'il alternait entre la succion et les petits coups légers sur mon clitoris.

Je lui pris le dessus de la tête et l'abaissai vers moi en serrant les jambes.

— Tu n'es plus timide, n'est-ce pas? dit-il en riant contre mon sexe.

Son souffle chaud me chatouilla et m'excita encore davantage.

— Peut-être parce que tu fais ressortir mon côté débridé, murmurai-je.

Puis, je gémis lorsqu'il enfonça sa langue en moi. Je sentis trembler mon corps et mes parois se rapprocher de sa langue en va-et-vient en moi. Mes sécrétions commencèrent à couler, et je serrai fortement les draps en attendant mon premier orgasme de la soirée.

— Oh, non, dit Jakob en retirant sa langue et en m'embrassant la nuque. Ce ne sera pas si facile.

— Quoi? grognai-je, les yeux suppliants. S'il te plaît, Jakob.

— Te rappelles-tu quand je t'ai dit de te retourner? dit-il en m'embrassant les lèvres.

— Je vais me retourner, maintenant, marmonnai-je contre ses lèvres, mon sexe encore en attente. S'il te plaît.

— Trop tard.

Il sourit et me colla un profond baiser. Sa langue entra dans ma bouche et je la suçai bien fort, en savourant mon goût sur ses lèvres et sa langue. Je lui entourai de nouveau la taille avec les jambes et bougeai sur le lit pour essayer de guider son membre viril à l'intérieur de moi.

— Ah non, tu ne feras pas ça.

Il rit, poussa mes bras sur le lit et bougea afin de me chevaucher. Il s'assit là à me regarder fixement, et son expression passa du désir à quelque chose de plus profond. Mon souffle s'arrêta lorsqu'il écarta une mèche de cheveux de mon visage, et que ses doigts frôlèrent mes sourcils.

— Je parie qu'il faut que je les fasse cirer, dis-je à la blague en tentant d'alléger l'atmosphère.

— Ils sont parfaits, dit-il en secouant la tête.

— Menteur, murmurai-je.

— Le mot est fort approprié, dit-il, le regard nébuleux pendant un moment.

Je me demandai à quoi il pensait.

— Je crois vraiment que tu es une personne spéciale, Bianca London, dit-il d'une voix rauque. Si j'étais un homme différent, je te dirais que je ne suis pas digne de toi.

— On n'a pas à faire ça maintenant.

Je me redressai et passai mes mains sur son torse.

— Je voulais seulement que tu saches que je ne m'attendais pas à rencontrer quelqu'un comme toi. Je ne m'attendais pas à me sentir ainsi, soupira-t-il. Et ça ne change rien.

— Ça va, Jakob. Je ne te demande pas une déclaration d'amour, dis-je en m'appuyant et en le tirant vers moi pour l'embrasser. On peut y aller lentement. Voir comment ça se passe.

— Tu es trop parfaite pour moi, dit-il en grognant alors que mes mains tiraient ses fesses vers moi. Ou peut-être es-tu un démon comme moi.

Sa main descendit jusqu'à mes hanches, et il s'abaissa par-dessus moi.

— C'est toi qui gagnes, grogna-t-il en guidant son pénis vers mon ouverture. Je ne peux plus te résister.

Il m'embrassa de nouveau, et je sentis sa langue entrer dans ma bouche en même temps que son sexe s'enfonçait en moi.

— Je pourrais te faire l'amour jour et nuit, grogna-t-il en me donnant des poussées. Je te jure, ton sexe était fait pour le mien, ajouta-t-il d'une voix rauque alors que les parois de mon vagin étaient contractées pour lui. Tu es tellement mouillée, murmura-t-il à mon oreille.

— Et tu es tellement dur, gémis-je alors qu'il accélérait son rythme.

— C'est l'effet que tu me fais.

Il se retira, puis me prit les jambes et les souleva jusqu'à ses épaules. Accroche-toi.

Il sourit avant de me défoncer à grands coups. Je criai de plaisir alors que son pouce frottait mon clitoris pendant qu'il s'enfonçait en moi. Je savais qu'il était à la veille de jouir, car son souffle était lourd et ses poussées devenaient de plus en plus urgentes.

— Je vais jouir! hurlai-je en plein orgasme.

Tout mon corps trembla alors que Jakob me saisit les jambes et eut lui aussi un orgasme en moi. Il s'effondra sur le lit à côté de moi et m'embrassa sur la joue avant de s'allonger à plat sur le dos. Nous restâmes étendus côte à côte en essayant de récupérer de notre incroyable expérience, et je souris intérieurement en me rappelant à quel point mon corps avait joui alors que nous faisions l'amour.

— J'ai oublié le condom, dit-il en se retournant sur le côté et en me faisant un regard sérieux.

— Ça va, j'ai oublié moi aussi, dis-je en me retournant vers lui et en me mordillant la lèvre. Ce n'est pas ta faute.

— Je vais en acheter demain, dit-il en passant ses doigts sur mon visage. Et si tu tombes enceinte, je serai là pour toi.

— Ça va aller, lui dis-je en souriant.

Puis, je bâillai.

— Tu es fatiguée, déclara-t-il en bondissant du lit et en rabaissant les draps. Nous devrions dormir.

— Je devrais appeler Rosie, dis-je en me redressant.

Mais il secoua la tête.

— Ça peut attendre à demain, dit-il en me cueillant comme si j'étais légère comme une plume et en me déposant sur les draps frais. Ce soir, on dort.

Il entra dans le lit à côté de moi et me prit dans ses bras.

— Je suis bien d'accord, cette fois, dis-je en me blottissant contre lui et en posant ma tête contre son torse. J'ai besoin d'une douche aussi, demain matin.

— Nous allons nous doucher ensemble, dit-il en m'embrassant le haut du front.

Et je fermai les yeux en m'assoupissant.

Je me frottai les yeux et m'étirai sous les draps. Il me paraissait étrange, à présent, d'être étendue dans un vrai lit. D'un côté, l'île me manquait, mais j'étais heureuse d'être partie. Je regardai de l'autre côté du lit, déçue de voir que Jakob n'était pas à côté de moi. Je regardai l'horloge sur la table de nuit à côté de moi, et fronçai les sourcils. Il n'était que quatre heures du matin. Je bâillai et me demandai où était Jakob, quand je m'aperçus qu'une lumière au salon était allumée. Je sortis du lit pour m'assurer que tout allait bien, mais en arrivant à la porte, j'entendis des voix.

Je marquai un temps d'arrêt, puisque je ne voulais pas l'interrompre, mais qui pouvait bien être là à quatre heures du matin? Je me mordillai la lèvre inférieure et appuyai mon oreille contre la porte.

— Comment va Steve, Monsieur?

— Il est en vie.

La voix de Jakob était coléreuse, et je frissonnai en repensant à la frayeur de la veille. J'avais eu tellement peur, mais je savais en mon âme et conscience que je pouvais faire confiance à Jakob.

— Il a dévié du plan, poursuivit Jakob.

Je figeai. *Quel plan ?*

— Je suis désolé, Monsieur, mais je ne sais pas ce qui a cloché. Billy est son ami. Je suis sûr que nous pourrons le savoir quand il reprendra connaissance.

— Il a de la chance que je ne l'ai pas tué pour être devenu rebelle, dit encore Jakob d'une voix menaçante.

— Je sais, Monsieur.

L'autre voix parla de nouveau, et je m'aperçus qu'elle paraissait familière. Je me creusai la cervelle pour me rappeler où j'avais entendu cette voix. Et alors, je me souvins. Je pâlis en m'apercevant que l'homme qui parlait à Jakob était le même qui portait le masque et me menaçait d'un revolver à notre arrivée sur l'île.

— Au moins, avez-vous obtenu ce que vous vouliez sur l'île, M. Bradley ?

— Presque, répondit Jakob.

Et je retournai au lit en courant.

C'était *Jakob* qui m'avait kidnappée. Il avait tout monté ! Tout ce temps, il connaissait Steve. Il avait intentionnellement placé Steve sur l'île avec nous. Mais pourquoi ?

Je courus à la salle de bain et verrouillai la porte, tremblante de peur. Pourquoi l'homme avait-il appelé Jakob *M. Bradley* ? Je déglutis en repensant au début. Depuis le départ, c'était un coup monté contre moi. Je regardai dans la salle de bain et trouvai un téléphone. Dieu merci pour ces nouveaux hôtels sophistiqués. Je le pris et décidai d'appeler David. C'était le seul qui pouvait répondre à mes questions.

— Allo ? répondit une voix endormie.

— David, c'est moi, Bianca.

— Bianca? dit-il d'une voix étonnée. Où étais-tu passée?

— Qu'est-ce que tu veux dire? dis-je, rouge de colère. C'est toi qui as tout organisé.

— De quoi parles-tu? siffla-t-il.

— Le kidnapping, murmurai-je au téléphone.

— Bianca, il faut que tu saches quelque chose, dit-il d'une voix grave et affolée. Mon frère Mattias était vraiment fâché quand… commença-t-il.

Puis, la ligne se coupa.

— Bianca? cria la voix de Jakob à travers la porte.

Je figeai.

— Oui?

— Es-tu là? demanda-t-il fort judicieusement à voix basse.

Je ne savais pas s'il savait que je l'avais entendu.

— Je suis allée aux toilettes.

— Veux-tu qu'on prenne un bain ensemble? dit-il d'une voix douce.

— Non, il est quatre heures, dis-je d'une voix tremblante en regardant autour dans la salle de bain et en cherchant quoi faire.

— Ça ne me dérange pas.

— Je suis fatiguée et je suis malade. Je vais juste m'asseoir ici pendant quelques minutes. Retourne au lit, et je te rejoins dans quelques minutes.

— Tu es malade? Ouvre la porte et laisse-moi prendre soin de toi.

— Ça va aller, dis-je en me mordillant la lèvre inférieure pour l'empêcher de trembler. J'ai essayé d'appeler le service aux chambres pour qu'on m'apporte des pilules, mais la ligne est coupée.

— C'est un problème sur une île : le service n'est pas toujours fiable, répondit-il.

Je blanchis.

— Laisse-moi entrer, Bianca.

— Non! criai-je, incapable d'écarter la peur de ma voix.

Le silence remplit l'air alors que j'attendais que Jakob me réponde. On aurait dit que des minutes s'étaient écoulées, et je me demandai s'il venait de retourner au lit. Mon cœur se détendit un peu lorsque je fermai les yeux et me dirigeai vers la porte. J'allais peut-être me glisser subrepticement dans la chambre et m'évader par l'avant.

— Tu es au courant, n'est-ce pas, Bianca ?

Sa voix était douce et implacable, et je figeai. Ma main se crispa sur la poignée de la porte lorsque je m'aperçus à quel point j'avais été près de tomber dans son piège.

— Je ne sais pas de quoi tu parles.

Ma voix n'était plus qu'un murmure, mais j'étais certaine qu'il m'avait entendue.

— Tu m'as entendu parler, dit-il en soupirant. Tu n'étais pas censée entendre ça.

— Tu m'as menti, dis-je en m'écartant de la porte.

— Il faut qu'on parle. Ouvre, s'il te plaît.

Il frappa à grands coups sur la porte, et je l'entendis qui essayait de l'ouvrir. S'il te plaît, ouvre, Bianca.

— Tu m'as menti! criai-je.

Je cherchai dans la pièce un objet qui pourrait me servir d'arme.

— Tu as dit que tu me faisais confiance, dit-il en donnant des coups de plus en plus forts et frénétiques.

Je me sentis paniquer. J'avais commis une erreur. J'avais fait confiance à la mauvaise personne.

— Qui es-tu, *Jakob*? hurlai-je tout en cherchant une échappatoire. Pourquoi n'as-tu pas appelé la police pour lui dire que nous avions été kidnappés?

— Je te l'ai déjà dit.

— Parce que ceux qui sont censés nous aider peuvent faire plus de tort que de bien, n'est-ce pas? m'écriai-je en réalisant à quel point j'avais été imbécile.

La raison que Jakob m'avait donnée, la veille, de ne pas appeler la police était presque la même que l'homme m'avait donnée au téléphone après l'entrée du faux policier chez moi.

— Ouvre la porte, Bianca! cria-t-il au moment où je vis vibrer la poignée.

Je commençai à devenir hystérique. Toute la situation était tellement ironique; c'était Jakob lui-même qui m'avait dit que les apparences pouvaient être trompeuses. Je n'avais pas compris qu'il parlait de lui-même.

— Nous venons de faire l'amour, Jakob. Tu m'as dit que tu commençais à être amoureux de moi, mais c'était un mensonge, n'est-ce pas? Tout ça, c'était un piège?

Je tentai de me concentrer sur ma respiration, car j'étais à la veille d'une crise de panique.

— Laisse-moi t'expliquer, Bianca.

— Pour que tu puisses me mentir à nouveau? hurlai-je. Tu as failli tuer un homme.

Mes paroles étaient fortes et incohérentes, et je l'entendis qui essayait d'enfoncer la porte.

— Étais-tu inquiet à ce point que je vole l'argent de ta famille? criai-je, le cœur brisé.

Tout ce que je croyais savoir sur Jakob et mon séjour sur l'île était une illusion. Rien de cela n'était vrai, et maintenant, je devais m'assurer que j'allais survivre à son grand plan, quel qu'il soit. J'étais sortie de l'île, mais je ne savais pas trop comment j'allais m'évader de la chambre d'hôtel. Jusqu'à ce que je voie la fenêtre. Elle était grande, et je savais que je pourrais m'y glisser si je l'ouvrais complètement. Le seul problème, c'était de trouver un endroit où aller une fois sortie.

Je pris un peignoir derrière la porte et le revêtis, puis maniai maladroitement le verrou de la fenêtre en me hâtant de l'ouvrir. Je regardai à l'extérieur et poussai un soupir de soulagement en voyant le balcon. En me hissant sur le bord de la fenêtre, je regardai une dernière fois la porte qui vibrait, puis je sautai. Les derniers mots de Jakob que j'entendis étaient : « Pour trouver la vérité, il faut être prêt à tout, Bianca. Il faut être prêt à tout. »

— Je ne pense pas, Jakob, murmurai-je en regardant le balcon d'en face. Il y avait moins d'un mètre entre les deux, et je savais que je devais grimper et sauter si je voulais m'échapper. Je grimpai et respirai à fond alors que j'étais sur le point de sauter. Je devais me dépêcher si je voulais échapper à Jakob. Il allait se rappeler assez vite le balcon, puis ce serait la fin pour moi. Il fallait que je saute et que je fasse un appel. Aussi longtemps que je pouvais appeler Rosie, je savais que tout irait bien. Si je pouvais avoir accès à un téléphone, je pourrais dire à tout le monde que j'étais enfin arrivée face à face avec Mattias Bradley.

Ne manquez pas la suite

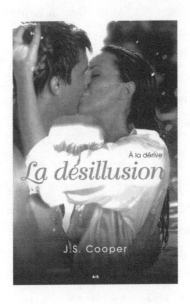

À la dérive

La désillusion

J.S. Cooper

Chapitre 1

Une semaine plus tôt

— Ouvre, Bianca !
J'entendis la voix de Jakob par la fenêtre ouverte. Son ton inquiet me brisait le cœur. À une époque, j'aurais cru qu'il se souciait de moi et de mon bien-être. Maintenant, j'étais désenchantée. Maintenant, je savais que Jakob n'avait qu'un but : c'était de découvrir ce que je savais, et, par la peur, de m'amener à lui faire confiance. Mon corps frissonna lorsque la fraîche brise de l'océan inonda ma peau

tremblante. Je m'accrochai à la balustrade du balcon et fis une rapide prière en m'apprêtant à sauter jusqu'à l'autre balcon. Il n'était qu'à un ou deux mètres, mais je savais que ces deux mètres d'espace voulaient m'attirer comme un poids mort. Je baissai les yeux vers le précipice qui séparait les deux balcons et m'effondrai sur le plancher, craintive et incapable de faire le saut.

— Bianca!

La voix de Jakob était plus forte et j'entendis un lourd craquement de l'intérieur de la salle de bain. L'adrénaline aidant, je m'obligeai enfin à me redresser et à passer la jambe par-dessus la balustrade.

— Arrête, Bianca, me cria-t-il en passant la tête par la fenêtre de la salle de bain.

— Un, deux, trois. Ça va aller.

Je respirai à fond et bondis. Ma cheville s'accrocha à la balustrade et je hurlai en m'effondrant avec un bruit sourd sur le balcon de la chambre voisine.

— Ça va, Bianca?

En m'efforçant de me relever, je faillis me faire avoir par son ton suave. Je l'entendis arriver sur le balcon que je venais de quitter et m'efforçai tant bien que mal d'ouvrir la porte coulissante qui menait à la chambre à coucher. Les lumières étaient éteintes et mon cœur battait la chamade.

— Ouvrez, s'il vous plaît, ouvrez, dis-je tout en me mordant la lèvre inférieure alors que je tirais frénétiquement sur la poignée.

— Bianca, s'il te plaît, ne m'oblige pas à y aller.

— N'y pense même pas! criai-je en me retournant vers lui.

Ses yeux bleus étaient concentrés sur mon visage, et il se tenait à quelques mètres.

— Tu ne peux pas entrer, dit-il en secouant la tête. La porte est verrouillée et la chambre est vacante.

— Comment le sais-tu ?

— Je m'en suis assuré quand on est arrivés, dit-il en haussant les épaules. Je ne voulais pas qu'on ait de distractions.

— Alors, tu ne voulais pas que je découvre la vérité ! criai-je, enhardie par la colère.

Je fixai son profil alors qu'il regardait au loin. Son visage paraissait si familier, si beau, tellement sauvage, tellement semblable à celui du Jakob que j'avais aimé, que mon cœur se brisa lorsqu'il se retourna pour me regarder.

— Pourquoi te sauves-tu de moi, Bianca ?

— Tu me prends pour une folle ? dis-je en secouant la tête et en resserrant la ceinture du peignoir autour de ma taille. Crois-tu que je resterais avec toi après ce que j'ai entendu ?

— Qu'est-ce que tu crois avoir entendu, Bianca ?

— Qu'est-ce que je *crois* avoir entendu ? répétai-je. À l'aide, quelqu'un, à l'aide ! hurlai-je dans l'air nocturne, espérant qu'un inconnu de passage ou quelque autre client de l'hôtel entende mes cris.

— Bianca, calme-toi, dit-il en grimaçant et en me regardant fixement. Respire à fond et cesse de paniquer. Laisse-toi mener par ton bon sens, et non par ta peur.

— Quoi ?

Mes yeux se plissèrent alors que je le regardais fixement, le cœur en chamade.

— J'étais sur une île déserte avec toi, Bianca. Je sais comment fonctionne ton esprit.

— Dommage que je ne sache pas comment fonctionne ton esprit, *Jakob*, dis-je sur un ton sarcastique, ma peur se dissipant à mesure que je le regardais.

Il n'allait pas me faire de mal, tout de même ? Il ne m'avait pas fait de mal sur l'île. Il ne s'était pas fendu en quatre pour m'effrayer. Il fallait croire qu'il ne cherchait pas à me faire de mal, à présent. Mais je ne comprenais absolument pas comment je m'étais abandonnée à cet homme. Je lui avais fait l'amour. Je lui avais fait confiance. Je frôlai l'hystérie en regardant son torse nu, musclé et bronzé au clair de lune. Un rire explosa, sortant librement de moi, dément et fou dans la nuit silencieuse.

— Bianca ?

Ses yeux se plissèrent et son visage parut inquiet alors que je continuais à rire.

— C'est mon nom, *Jakob*, finis-je par dire après que mon rire se fut calmé et que je restai la gorge sèche et le cœur lourd.

— Qu'est-ce que tu crois savoir ? dit-il en se penchant vers moi, ce qui me fit reculer.

— Je ne crois pas savoir. Je sais, c'est tout.

Je lui lançai un regard furieux, et ma colère me donna la force de l'affronter.

— Je t'ai entendu parler à cet homme. Tu lui as dit que Steve s'était écarté du plan. Quel plan, hein ? On était sur une île avec un fou qu'on ne connaissait ni l'un ni l'autre. Maintenant, je sais que ce n'est pas vrai. Maintenant, je sais qu'on n'a pas été kidnappés tous les deux. Tu n'étais pas une victime innocente avec moi, hein ?